ULRICH BRÄKER

Lebensgeschichte und natürliche Ebenteuer des Armen Mannes im Tockenburg

MIT EINEM NACHWORT
HERAUSGEGEBEN VON
WERNER GÜNTHER

PHILIPP RECLAM JUN. STUTTGART

Sämtliche

Schriften

des

Armen Mannes im Tockenburg.

Gesammelt und herausgegeben

von

H. H. Füßli.

Erster Theil,

welcher seine Lebensgeschichte enthält.

Mit acht Kupfern.

Zürich,

bey Orell, Geßner, Füßli und Compagnie 1789.

Lebensgeschichte
und
Natürliche Ebentheuer
des
Armen Mannes
im Tockenburg.

Herausgegeben
von
H. H. Füßli.

Mit acht Kupfern.

Zürich,
bey Orell, Geßner, Füßli und Compagnie 1789.

Umschlagbild: Porträt von Ulrich Bräker nach einem zeitgenössischem Stich.

Universal-Bibliothek Nr. 2601 [3]

Satz: Wenzlaff KG, Kempten/Allgäu
Druck und Bindung: Reclam, Ditzingen
Printed in Germany 1989

ISBN 3-15-002601-6

Vorbericht des [ersten] Herausgebers

Im Dezember 1787 schrieb mir mein hochgeschätzter Freund, Herr Martin Imhof, Pfarrherr zu Wattweil im Tockenburg:

„In einem der abgesöndertsten Winkeln des so wenig bekannten und oft verkannten Toggenburgs wohnt ein braver Sohn der Natur, der, wiewohl von allen Mitteln der Aufklärung abgeschnitten, sich einzig durch sich selbst zu einem ziemlichen Grade derselben hinaufgearbeitet hat.

Den Tag bringt er mit seiner Berufsarbeit zu. Einen Teil der Nacht, oft bis in die Mitte derselben, liest er, was ihm der Zufall oder ein Freund oder nun auch seine eigene Wahl in die Hände liefert – oder schreibt auch seine Bemerkungen über sich und andere in der kunstlosen Sprache des Herzens nieder. Hier ist eine Probe davon.

Finden Sie solche dem Geschmack Ihres lesenden Publikums angemessen, so sei Ihnen der freie Gebrauch davon überlassen. – Nicht allen behagen gleiche Gerichte, und so, denke ich, dürfte diese Darstellung der Schicksale und des häuslichen Lebens eines ganz gemeinen, aber rechtschaffenen Mannes mit allen ihren schriftstellerschen Gebrechen dem eint und andern Leser des Museums wohl so willkommen und vielleicht auch ebenso nützlich sein als die mit Meisterhand entworfene Lebensbeschreibung irgendeines großen Staatsmannes oder Gelehrten.

Von der gleichen Feder sind noch mehrere kleine Aufsätze in meinen Händen, aus denen oft origineller Witz, muntere Laune, immer ein heller Kopf und ein offenes gutes, Gott und Menschen liebendes Herz hervorleuchtet. Ob auch diese mitgeteilt werden, wird die

Aufnahme bestimmen, die dieses biographische Bruchstück findet.

[Und du, mein Teurer! den ich als mein Pfarrkind herzlich liebe, als Freund schätze und dessen Umgang für mein Gemüt so oft die süßeste Erholung von der Arbeit ist, sei nicht ungehalten auf mich, wenn du die Erzählung deiner Schicksale und die Schilderung deines Herzens, eigentlich nur zu deiner und deiner Kinder Belehrung aufgesetzt, ganz wider dein Vermuten hier öffentlich erblickest. Ich fand bei Durchlesung derselben so viel Vergnügen, daß ich der Reizung, auch andere daran teilnehmen zu lassen, nicht widerstehen konnte. Du, mein Lieber! lebe indessen in deiner glücklichen Verborgenheit immerhin fort. Du hast die Quelle des Glückes in deinem eigenen Herzen, und wer das hat, der bedarf's nicht, ein mehreres ängstlich außer sich zu suchen.

Und ihr sonst zur Dunkelheit bestimmte Blätter, fliegt denn in die weite Welt! Und habt auch ihr die Wahrheit bekräftigt, daß echte Weisheit und Tugend, an kein Land und an keinen Stand unter den Menschen gebunden, oft auch in der einsamen Hütte des Landmanns gesucht werden muß, so ist der Zweck eurer Bekanntmachung vollkommen erreicht.][1]"

Diese neue, ganz unerwartete literarische Erscheinung aus einem Lande, welches freilich nicht erst seit gestern so manchen trefflichen Kopf zu Berg und Tal in seinem glücklichen Schoße nähret, machte mir ungemeines Vergnügen. Das erste Probestück, welches ich davon im zweiten Hefte des vierten Jahrgangs des Schweizerschen Museums dem Publikum mitteilte, fand, auch unter den verschiedensten Klassen von Lesern, allgemeinen Beifall. Man mochte die während dem ganzen Laufe des Frühjahrs und Sommers 1788 einander

1. Der in Klammern stehende Schluß des Briefes Imhofs an Füßli wurde nach Voellmy I, 70 ergänzt.

ziemlich schnell gefolgten Fortsetzungen kaum erwarten; niemals wurde auch die gespannteste Neugierde getäuscht, und jedesmal nach dem Verfolge lüsterner gemacht.

Im Julius hatte ich vollends die Freude, auf einer Lustreise durchs Tockenburg mit dem Verfasser persönliche Bekanntschaft zu machen; bei welcher ich alles noch mehr als bestätigt fand, was mir sein würdiger Seelsorger in obigem Briefe von seinem Pfarrkinde mit derjenigen Bescheidenheit und Unbefangenheit rühmte, welche eben den schönsten Charakterzug dieses edlen und rechtschaffnen Mannes ausmachen.

Bei dieser Gelegenheit war es nicht Herrn Imhofs – und noch viel minder des ehrlichen B. –, sondern mein Einfall, das, was ein paar hundert Teilnehmer an dem Schweizermuseum in Bruchstücken so höchlich belustigt hatte, auch der übrigen zumal einheimischen Leserwelt zusammengedruckt mitzuteilen, einer- und anderseits dieser Lebensgeschichte, mit bester Muße, noch ein paar andre Bändchen folgen zu lassen, welche in gedrängter Kürze Auszüge aus den gewiß wenigstens gleich unterhaltenden Tagebüchern, nebst einichen zerstreuten Aufsätzen des Verfassers enthalten würden. Große Mühe hatt' ich wahrlich, den lieben Mann zu bereden, daß er diesen nach seinem Sinne so kühnen Schritt wagen – und mir die ganze Verantwortung desselben überlassen sollte. Diese in viele und schöne Phrasen zu kleiden, würde, denk ich, ein höchst unnützes Geschäft sein. Also nur zwei Worte – denn das Leben auf Erde ist für lange Vorreden zu kurz.

Das erste an die von mir innig geschätzten und geliebten Landleute unsers Schriftstellers. Diesen (ich rede von der edlern – und, wie ich überzeugt bin, zugleich größern Zahl; der, wie ich hoffe, höchst kleine Überrest findet seine gebührende Abfertigung in einem Gespräch am Schlusse) wird ihr bekannter vorzüglicher Gerad- und Biedersinn nicht erlauben, ihren Landsmann um das Glück zu beneiden, viele seiner Mitmenschen nützlich zu ergötzen. Oder

- - - Bleibet denn nicht immer
Jedes Weisen Ehrenschimmer
Seines Volkes Eigentum?[1]

Das zweite an die Philosophen in Seide und die Volksfreunde in Purpur, welche wähnen, daß der Mann in Zwillich unmöglich klug genug sein könne, sich durch Autorruhm nicht zu Stolz und Eigendünkel verführen zu lassen; besonders aber, daß derjenige ihm ohne weiters Tugend und Zufriedenheit raube, der ihn aus seiner glücklichen Verborgenheit auf irgendeine Weise ans Licht zieht. Diesen dienet zum Trost: Daß unser Autor wirklich schon beide Proben mannhaft bestanden habe, sie also einstweilig ganz ohne Kummer sein dürfen; für den mondrigen Tag aber allzu ängstlich zu sorgen – ein heidnisch Ding sei.

Was der Verfasser im Anhang seiner Geschichte von meinen Bemühungen um dieselbe erzählt, war eine geringe Arbeit und recht dazu geschaffen, mir den süßesten Genuß von ein paar Dutzend meiner Mußestunden – wie zu verdoppeln; so daß es noch die größte Frage, oder vielmehr bei mir ganz entschieden ist, welcher von uns beiden des andern Schuldner sei.

Zu einem Glossar der häufig zum Vorschein kommenden Provinzialausdrücke fand ich bei allernächst eintretender Messe die Zeit nicht mehr. Einige der unverständlichsten jedoch sind in Noten bemerkt. Die übrigen nachzuholen wird sich schon die Gelegenheit finden.

Zürch, am 6. April 1789

H. H. Füßli

1. Zitat aus der Ode „Auf den Weisen des Donaustroms“ [J. von Sonnenfels] des österreichischen Dichters, Klopstock-Bewunderers und Bibliographen Michael Denis (1729-1800). H. H. Füßli nahm sie in seine „Allgemeine Blumenlese der Deutschen“ (1782-88) auf (3. Teil, S. 205).

Vorrede des Verfassers

Obschon ich die Vorreden sonst hasse, muß ich doch ein Wörtchen zum voraus sagen, ehe ich diese Blätter, weiß noch selbst nicht mit was vor Zeug überschmiere. Was mich dazu bewogen? Eitelkeit? – Freilich! – Einmal ist die Schreibsucht da. Ich möchte aus meinen Papieren, von denen ich viele mit Ekel ansehe, einen Auszug machen. Ich möchte meine Lebenstage durchwandern und das Merkwürdigste in dieser Erzählung aufbehalten. Ist's Hochmut, Eigenliebe? Freilich! Und doch müßt' ich mich sehr mißkennen, wenn ich nicht auch andere Gründe hätte. Erstlich das Lob meines guten Gottes, meines liebreichen Schöpfers, meines besten Vaters, dessen Kind und Geschöpf ich ebensowohl bin als Salomon und Alexander. Zweitens meiner Kinder wegen. Ich hätte schon oft weiß nicht was darum gegeben, wenn ich so eine Historie meines sel. Vaters, eine Geschichte seines Herzens und seines Lebens gehabt hätte. Nun, vielleicht kann's meinen Kindern auch so gehen, und dieses Büchlein ihnen so viel nützen, als wenn ich die wenige daran verwandte Zeit mit meiner gewohnten Arbeit zugebracht hätte. Und wenn auch nicht, so macht's doch mir eine unschuldige Freude und außerordentliche Lust, so wieder einmal mein Leben zu durchgehen. Nicht daß ich denke, daß mein Schicksal für andre etwas Seltenes und Wunderbares enthalte oder ich gar ein besondrer Liebling des Himmels sei. Doch wenn ich auch das glaubte – wär's Sünde? Ich denke wieder nein! Mir ist freilich meine Geschichte sonderbar genug; und vortrefflich zufrieden bin ich, wie mich die ewig weise Vorsehung bis auf diese Stunde zu leiten für gut fand. Mit welcher Wonne kehr ich besonders in die Tage meiner Jugend zurück und betrachte jeden Schritt, den ich damals und seither in der Welt getan. Freilich, wo ich stolperte – bei meinen mannigfachen Vergehungen – o da schauert's mir – und vielleicht nur allzu geschwind werd ich über diese wegeilen. Doch, wem wurd's frommen, wenn ich alle meine Schulden herzählen wollte – da ich hoffe, mein barmherziger Vater und mein göttlicher Erlöser haben sie, meiner ernstlichen Reue wegen, huldreich durchgestrichen. O mein Herz brennt schon zum voraus in inniger Anbetung, wenn ich mich gewisser Standpunkte erinnere, wo ich vormals die Hand von oben nicht sah, die ich nachwärts so deutlich erkannte und fühlte. Nun, Kinder! Freunde! Geliebte! Prüfet alles, und das Gute behaltet.

I.

Meine Voreltern

Dererwegen bin ich so unwissend, als es wenige sein mögen. Daß ich Vater und Mutter gehabt, das weiß ich. Meinen sel. Vater kannt' ich viele Jahre, und meine Mutter lebt noch. Daß diese auch ihre Eltern gehabt, kann ich mir einbilden. Aber ich kannte sie nicht und habe auch nichts von ihnen vernommen, außer daß mein Großvater M. B.[1] aus dem Käbisboden geheißen und meine Großmutter (deren Namen und Heimat ich niemals vernommen) an meines Vaters Geburt gestorben; daher ihn denn ein kinderloser Vetter, J. W. im Näbis, der Gemeind Wattweil, an Kindesstatt angenommen; den ich darum auch nebst seiner Frau für meine rechten Großeltern hielt und liebte, so wie sie mich hinwieder als ein Großkind behandelten. Meine mütterlichen Großeltern hingegen kannt' ich noch wohl; es war U. Z.[2] und E. W.[3] ab der Laad.

Mein Vater war sein Tage ein armer Mann; auch meine ganze Freundschaft hatte keinen reichen Mann aufzuweisen. Unser Geschlecht gehört zu dem Stipendigut[4]. Wenn ich oder meine Nachkommen einen Sohn wollten studieren lassen, so hätte er 600 Gl. zu beziehen. Erst vorm Jahr war mein Vetter, E. B.[5] von Kapel, Stipendi-Pfleger. Ich weiß aber noch von keinem B.[5], der studiert hätte. Mein Vater hat viele Jahre das Hofjüngergeld[4] bekommen, ist aber bei einer vorgenommenen Reformation, nebst andern Geschlechtern,

1. Michel Bräker. – 2. Ulrich Zuber. – 3. Elsbeth Wäspi. – 4. Das Stipendigut war ein von angesehenen Toggenburgern evangelischen Glaubens zu Beginn des 17. Jh.s gestifteter Fonds, aus dessen Zinsen jährlich zwei männliche Nachkommen der Stifter Theologie studieren konnten. Das Hofjüngergeld war ebenfalls der Zins eines Stiftungskapitals. – 5. Bräker.

welche wie das seinige nicht genugsame Urkunden darbringen mochten[1], ausgemerzt worden. Mit der Genossami[2] des Stipendii hingegen hat es seine Richtigkeit, obschon ich auch nicht recht weiß, wie es gestiftet worden, wer von meinen Voreltern dazu geholfen hat, und so fort.

Ihr seht also, meine Kinder! daß wir nicht Ursache haben, ahnenstolz zu sein. Alle unsre Freunde und Blutsverwandte sind unbemittelte Leute, und von allen unsern Vorfahren hab ich nie nichts anders gehört. Fast von keinem, der das geringste Ämtli bekleidete. Meines Großvaters Bruder war Mesmer zu Kapel und sein Sohn Stipendipfleger. Das ist's alles aus der ganzen weitläuftigen Verwandtschaft. Da können wir ja wohl vor dem Hochmut gesichert sein, der so viele arme Narren anwandelt, wenn sie reiche und angesehene Vettern haben, obgleich ihnen diese keinen Pfifferling geben. Nein! von uns B. quält, gottlob! diese Sucht, soviel ich weiß, keinen einzigen; und ihr seht, meine Kinder! daß sie auch mich nicht plagt – sonst hätt' ich wenigstens unserm Stammbaum genauer nachgeforscht. Ich weiß, daß mein Großvater und desselben Vater arme Leute waren, die sich kümmerlich nähren mußten; daß mein Vater keinen Pfenning erbte; daß ihn die Not sein Leben lang drückte und er nicht selten über seinen kleinen Schuldenlast seufzte. Aber deswegen schäm ich mich meiner Eltern und Voreltern bei weitem nicht. Vielmehr bin ich noch eher ein bißchen stolz auf sie. Denn ihrer Armut ungeachtet, hab ich von keinem Dieb oder sonst einem Verbrecher, den die Justiz hätte strafen müssen, von keinem Lasterbuben, Schwelger, Flucher, Verleumder und so fort unter ihnen gehört; von keinem, den man nicht als einen braven Biedermann mußte gelten lassen; der sich nicht ehrlich und redlich in der Welt nährte; von keinem, der bet-

1. konnten. – 2. Genoßsame: schweiz. für Alp-, Allmendgenossenschaft.

teln ging. Dagegen kannt' ich wirklich recht manchen wackern, frommen Mann mit zartem Gewissen. Das ist's allein, worauf ich stolz bin, und wünsche, daß auch ihr stolz darauf werdet, meine Kinder! daß wir diesen Ruhm nicht besudeln, sondern denselben fortzupflanzen suchen. Und eben das möcht' ich euch recht oft zu Gemüte führen in dieser meiner Lebensgeschichte.

II.
Mein Geburtstag
(22. Dezember 1735)

Für mich ein wichtiger Tag. Ich sei ein bißchen zu früh auf der Welt erschienen, sagte man mir. Meine Eltern mußten sich dafür verantworten. – Mag sein, daß ich mich schon in Mutterleibe nach dem Tageslichte gesehnt habe – und dies Nach-dem-Licht-Sehnen geht mir wohl all mein Tage nach! Daneben war ich die erste Kraft meines Vaters – und Dank sei ihm unter der Erde von mir auch dafür gesagt! Er war ein hitziger Mann, voll warmen Blutes. O ich habe schon tausendmal drüber nachgedacht und mir bisweilen einen andern Ursprung gewünscht, wenn flammende Leidenschaften in meinem Busen tobten und ich den heftigsten Kampf mit ihnen bestehen mußte. Aber sobald Sturm und Wetter vorbei war, dankt' ich ihm doch wieder, daß er mir sein feuriges Temperament mitgeteilt hat, womit ich unzählige schuldlose Freuden lebhafter als so viele andere Leute genießen kann. Genug, an diesem 22. Dezember kam ich ans Tageslicht. Mein Vater sagte mir oft, er habe sich gar nicht über mich gefreut, ich sei ein armes elendes Geschöpf gewesen, nichts als kleine Beinerchen, mit einem verschrumpften Häutgen überzogen; und doch hätt' ich Tag und Nacht ein gräßliches Zetergeschrei erhoben, das man bis ins Holz hören konnte, und so fort.

Er hat mich oft recht bös damit gemacht. Dachte: Ha, ich werd's auch gemacht haben wie andre neugeborne Kinder! Aber die Mutter gab ihm allemal Beifall. Nun, es kann sein.

Am Hl. Weihnachtstag ward ich getauft in Wattweil; und ich freute mich schon oft, daß es gerad an diesem Tage geschah, da wir die Geburt unsers hochgelobten Erlösers feiern. Und wenn's eine einfältige Freude ist, was macht's – gibt's doch gewiß noch viel kindischre. H. G. H.[1] von Kapel aus der Au und A. M. M.[2] aus der Schamatten waren meine Taufpaten; er ein feuriger reicher Junggesell, sie eine bemittelte hübsche Jungfer. Er starb ledig; sie lebt noch im Witwenstand.

In meinen ersten Lebensjahren mag ich wohl ein wenig verzärtelt worden sein, wie's gewöhnlich mit allen ersten Kindern geht. Doch wollte mein Vater schon frühe genug mit der Rute auf mich dar; aber die Mutter und Großmutter nahmen mich in Schutz. Mein Vater war wenig daheim; er brennte hie und da im Land und an benachbarten Orten Salpeter. Wenn er dann wieder nach Hause kam, war er mir fremd. Ich floh ihn. Dies verdroß den guten Mann so sehr, daß er mich mit der Rute zahm machen wollte. (Diese Torheit begehen viele neuangehende Väter, und fodern nämlich von ihren ersten Kindern aus pur lauter Liebe, daß sie eine ebenso zärtliche Neigung gegen sie wie gegen ihre Mütter zeigen sollten. Und so hab ich auch bei mir und viel andern Vätern wahrgenommen, daß sie ihre Erstgeborenen unter einer ungereimt scharfen Zucht halten, die dann bis zu den letzten Kindern nach und nach völlig erkaltet.)

1. Hans Georg Hartmann. – 2. Annemarie Müller.

III.

Mein fernstes Denken
(1738)

Gewiß kann ich mich so weit hinab – oder hinauf – wo nicht gar bis auf mein zweites Lebensjahr zurückerinnern. Ganz deutlich besinn ich mich, wie ich auf allen vieren einen steinigten Fußweg hinabkroch und einer alten Base durch Gebärden Äpfel abbettelte. – Ich weiß gewiß, daß ich wenig Schlaf hatte, daß meine Mutter, um hinter den Großeltern einen geheimen Pfenning zu verdienen, des Nachts verstohlnerweise beim Licht gesponnen, daß ich dann nicht in der Kammer allein bleiben wollte und sie darum eine Schürze auf den Boden spreiten mußte, mich nackt darauf setzte und ich mit dem Schatten und ihrer Spindel spielte. Ich weiß, daß sie mich oft durch die Wiese auf dem Arm dem Vater entgegentrug und daß ich dann ein Mordiogeschrei anfing, sobald ich ihn erblickte, weil er mich immer rauh anfuhr, wenn ich nicht zu ihm wollte. Seine Figur und Gebärden, die er dann machte, seh ich jetzt noch wie lebendig vor mir.

IV.

Zeitumstände

Um diese Zeit waren alle Lebensmittel wohlfeil, aber wenig Verdienst im Lande. Die Teurung und der Zwölferkrieg[1] waren noch in frischem Angedenken. Ich hörte meine Mutter viel davon erzählen, das mich zittern und beben machte. Erst zu End' der dreißiger Jahre ward das Baumwollenspinnen in unserm Dorf eingeführt; und meine Mutter mag eine von den ersten

1. Streitigkeiten der Wattwiler mit dem Fürstabt von St. Gallen (1712).

gewesen sein, die Lötligarn[1] gesponnen. (Unser Nachbar A. F. trug das erste um einen Schilling Lohn an den Zürchsee, bis er eine eigne Dublone vermochte[2]. Dann fing er selber an zu kaufen und verdiente nach und nach etliche tausend Gulden. Da hörte er auf, setzte sich zur Ruhe, und starb.) In meinen Kinderjahren sind auch die ersten Erdapfel in unserm Ort gepflanzt worden.

V.

Schon in Gefahr
(1739)

Sobald ich die ersten Hosen trug, war ich meinem Vater schon lieber. Er nahm mich hie und da mit sich. Im Herbst dieses Jahres brannte er im Gandten, eine halbe Stunde von Näbis entfernt, Salpeter. Eines Tags nahm er mich mit sich, und da Wind und Wetter einfiel, behielt er mich zu Nacht bei sich. Die Salpeterhütte war vor dem Tenn, und sein Bett im Tenn. Er legte mich darein und sagte liebkosend, er wolle bald auch zu mir liegen. Unterdessen fuhr er fort zu feuern, und ich schlief ein. Nach einem Weilchen erwacht' ich wieder und rief ihm. – Keine Antwort. – Ich stund auf, trippelte im Hemdli nach der Hütte und um den Gaden[3] überall herum, rief – schrie! Nirgends kein Vater. Nun glaubt' ich gewiß, er wäre heim zu der Mutter gegangen. Ich also hurtig, legte die Höslin an, nahm das Brusttüchlin übern Kopf und rannte in der stockfinstern Regennacht zuerst über die nächstanstoßende lange Wiese. Am End' derselben rauschte ein wildangelaufener Bach durch ein Tobel[4]. Den Steg konnt' ich nicht finden und wollte darum ohne weiters und gerade hin-

1. Feines Baumwollgarn, das per Lot (40 Lot = 577,6 g), nicht per Pfund an die Weber verkauft wurde. – 2. ein Goldstück sein eigen nannte. – 3. Holzscheuer. – 4. enge Waldschlucht.

über, dem Näbis zu, glitschte aber über eine Riese[1] zum Bach hinab, wo mich das Wasser beinahe ergriffen hätte. Die äußerste Anstrengung meiner jugendlichen Kräfte half mir noch glücklich davon. Ich kroch wieder auf allen vieren durch Stauden und Dörn' hinauf der Wiese zu, auf welcher ich überall herumirrte und den Gaden nicht mehr finden konnte – als ich gegen einer Windhelle zwei Kerls – Birn- oder Äpfeldiebe – auf einem Baum ansichtig ward. Diesen ruft' ich zu, sie sollten mir doch auf den Weg helfen. Aber da war kein Bescheid; vielleicht daß sie mich für ein Ungeheuer hielten und oben im Gipfel noch ärger zittern mochten als ich armer Bube unten im Kot. – Inzwischen war mein Vater, der während meinem Schlummer nach einem ziemlich entfernten Haus ging, etwas zu holen, wieder zurückgekehrt. Da er mich vermißte, suchte er in allen Winkeln nach, wo ich mich etwa mögte verkrochen haben, zündete[2] bis in die siedenden Kessel hinein und hörte endlich mein Geschrei, dem er nachging, und mich nun bald ausfindig machte. O wie er mich da herzte und küßte, Freudentränen weinte und Gott dankte und mich, sobald wir zum Gaden zurückkamen, sauber und trocken machte – denn ich war mausnaß, dreckigt bis über die Ohren, und hatte aus Angst noch in die Hosen . . . Morndeß[3] am Morgen führte er mich an der Hand durch die Wiese: Ich sollt' ihm auch den Ort zeigen, wo ich heruntergepurzelt. Ich konnt' ihn nicht finden; zuletzt fand er ihn an dem Geschlirpe[4], das ich beim Hinabrutschen gemacht, schlug dann die Händ' überm Kopf zusammen vor Entsetzen über die Gefahren, worin ich geschwebt, und vor Lob und Preis über die Wunderhand Gottes, die mich allein erretten konnte: „Siehst du", sprach er, „nur noch wenige Schritte, so stürzt der Bach über den Felsen hinab. Hätt' dich das Wasser fassen können, so lägst du dort unten tot und

1. abschüssige Stelle, Stein- und Holzrinne. – 2. leuchtete. – 3. Am nächsten Tage. – 4. zertretener Boden, Rutschspur.

zermürset[1]!" Von allem diesem begriff ich damals kein Wort; ich wußte nur von meiner Angst, nichts von Gefahr. Besonders aber schwebten die Kerle auf dem Baum mir viele Jahre vor Augen, sobald mich nur ein Wort an die Geschichte erinnerte.

Gott! Wie viele tausend Kinder kämen auf eine elende Art ums Leben, wenn nicht deine schützenden Engel über sie wachten. Und o wie gut hat auch der meinige über mich gewacht. Lob und Preis sei dir dafür noch heute von mir gebracht, und in alle Ewigkeit!

VI.

Unsre Nachbauern im Näbis

Der Näbis liegt im Berg, ob Scheftenau. Von Kapel hört man die Glocke läuten und schlagen. Es sind nur zwei Häuser. Die aufgehnde Sonne strahlt beiden gerad in die Fenster. Meine Großmutter und die Frau im andern Haus waren zwo Schwestern, fromme alte Mütterle, welche von andern gottseligen Weibern in der Nachbarschaft fleißig besucht wurden. Damals gab es viel fromme Leute daherum. Mein Vater, Großvater und andre Männer sahen's zwar ungern, durften aber nichts sagen, aus Furcht, sie könnten sich versündigen. Der Bätbeele[2] war ihr Lehrer (seinem Bruder sagte man Schweerbeele[2]), ein großer langer Mann, der sich nur vom Kuderspinnen[3] und etwas Almosen nährte. In Scheftenau war fast in jedem Haus eins, das ihm anhing. Meine Großmutter nahm mich oft mit zu diesen Zusammenkünften. Was eigentlich da verhandelt wurde, weiß ich nicht mehr, nur so viel, daß mir dabei die

1. zermalmt. – 2. Wohl von Bräker absichtlich verschleierte Form von ‚Betböli' und ‚Schwörböli'; Böli = Poltergeist, Schreckgespenst, vgl. Bölima (Schweiz. Idiotikon IV, 271 und 1179). – 3. Kuder: kurzfaseriges Werg von gehecheltem Hanf oder Flachs.

Weil' verzweifelt lang war. Ich mußte mäuslinstill sitzen oder gar knien. Dann gab's unaufhörliche Ermahnungen und Bestrafungen von den Basen allen, die ich so wenig verstund als eine Katze. Dann und wann aber stahl mich mein Großvater zum voraus weg und mußt' ich mit ihm in den Berg, wo unsre Kühe weideten. Da zeigte er mir allerlei Vögel, Käfer und Würmchen, dieweil er die Matten säuberte oder junge Tännchen, den wilden Seevi[1] und so fort ausraufte. Wenn er dann alles an einen Haufen warf und's bei einbrechendem Abend anzündete, da war's mir erst recht gekocht[2]. Anderer Buben, die etwa dabei sein mochten, erinnere ich mich nicht mehr, wohl aber etlicher halberwachsener Meidlinen, die mit mir spielten. Ich ging damals in mein sechstes Jahr, hatte schon zwei Brüder und eine Schwester, von denen es hieß, daß eine alte Frau sie in einer Butte[3] gebracht.

VII.

Wanderung in das Dreyschlatt (1741)

Mein Vater hatte einen Wanderungsgeist, der zum Teil auch auf mich gekommen ist. In diesem Jahr kaufte er ein groß Gut (für acht Kühe Sömmer- und Winterung), Dreyschlatt genannt, in der Gemeinde Krynau, zuhinterst in einer Wildnis, nahe an den Alpen. Das nicht halb so große Gütchen im Näbis hingegen verkaufte er dafür: Weil er (wie er sagte) sah, daß ihn eine große Haushaltung anfallen wolle; damit er für viele Kinder Platz und Arbeit genug hätte; auch daß er sie in dieser Einöde nach seinem Willen erziehen könnte, wo sie vor der Verführung der Welt sicher wären. Auch riet der Großvater, der von Jugend an ein starker Viehmann

1. Sefius = Wacholder. – 2. behaglich. – 3. hölzernes Rückentraggefäß.

war, sehr dazu. Aber mein guter Ätti verband sich den unrechten Finger und watete[1] sich, da er an das Gut nichts zu geben hatte, in einen Schuldenlast hinein, unter welchem er nachwärts dreizehn Jahre lang genug seufzen mußte. Also im Herbst 41 zügelten[2] wir mit Sack und Pack ins Dreyschlatt. Mein Großätti war Senn, ich jagte die Kühe nach, mein Bruder G., nur zwanzig Wochen alt, ward in einem Korb hingetragen. Mutter und Großmutter mit den zwei andern Kindern kamen hintennach, und der Vater mit dem übrigen Plunder beschloß den Zug.

VIII.

Ökonomische Einrichtung

Mein Vater wollte doch das Salpetersieden nicht aufgeben und dachte damit wenigstens etwas zu Abherrschung[3] der Zinse zu verdienen. Aber so ein Gut wie der Dreyschlatt braucht Händ' und Armschmalz. Wir Kinder waren noch wie für nichts zu rechnen; der Großätti hatte mit dem Vieh und die Mutter genug im Haus zu tun. Es mußten also ein Knecht und eine Magd gedungen werden. Im folgenden Frühjahr ging der Vater wieder dem Salpeterwerk nach. Inzwischen hatte man mehr Küh' und Geißen angeschafft. Der Großätti zog jungen Fasel[4] nach. Das war mir eine Tausendslust, mit den Gitzen[5] so im Gras herumlaufen, und ich wußte nicht, ob der Alte eine größere Freud' an mir oder an ihnen hatte, wenn er sich so, nachdem das Vieh besorgt war, an unsern Sprüngen ergötzte. Sooft er vom Melken kam, nahm er mich mit sich in den Milchkeller, zog dann ein Stück Brot aus dem Futterhemd[6], brockt' es in

1. waten = alte Bedeutung ‚gehen', ‚schreiten'. – 2. umziehen. – 3. Bezahlung. – 4. Kleinvieh; Schar. – 5. Zicklein. – 6. gefüttertes Hemd.

eine kleine Mutte[1] und machte ein kühwarmes Milchsüpple. Das aßen ich und er so alle Tage. So verging mir meine Zeit unter Spiel und Herumtrillern, ich wußt' nicht wie. Dem Großätti ging's ebenso. Aber, aber – Knecht und Magd taten inzwischen, was sie gern wollten. Die Mutter war ein gutherziges Weib, nicht gewohnt, jemand mit Strenge zur Arbeit anzuhalten. Es mußte allerhand Milch- und Werkgeschirr eingekauft werden und, da man viel Weide zu Wiesen einschlug, auch Heu und Stroh, um mehr Mist zu machen. Im Winter hatten wir allemal zu wenig Futter – oder zu viel fressende War'[2]. Man mußt' immer mehr Geld entlehnen, die Zinse häuften sich, und die Kinder wurden größer, Knecht und Magd feist und der Vater mager.

IX.

Abänderungen

Er merkte endlich, daß so die Wirtschaft nicht gehen könne. Er änderte sie also und gab nämlich das Salpetersieden auf, blieb daheim, führte das Gesind' selber zur Arbeit an und war allenthalben der erste. Ich weiß nicht, ob er auf einmal gar zu streng angefangen oder ob Knecht und Magd, wie oben gesagt, sonst zu meisterlos geworden, kurz, sie jahrten aus[3] und liefen davon. Um die gleiche Zeit wurde der Großätti krank. Erst stach er sich nur an einem Dorn in den Daumen; der wurde geschwollen. Er band frischwarmen Kühmist drauf; da schwoll die ganze Hand. Er empfand entsetzliche Hitz' darin, ging zum Brunnen und wusch den Mist unter der Röhre wieder ab. Aber das hatte nun gar böse Folgen. Er mußte sich bald zu Bett legen und bekam die Wassersucht. Er ließ sich abzäpfen; das

1. hölzernes Eßgeschirr. – 2. Viehware. – 3. vor der Zeit aus dem Dienst gehen.

Wasser rann in den Keller hinab. Nachdem er so fünf Monate gelegen, starb er zum Leidwesen des ganzen Hauses, denn alle liebten ihn, vom Kleinsten bis zum Größten. Er war ein angenehmer, Freud' und Friede liebender Mann. Er hatte an meinem Vater und mir ungemein viel getan, und ich habe nie von keinem Menschen etwas Böses über ihn sagen gehört. Mein Vater und Mutter erzählten noch viele Jahre allerhand Löbliches und Schönes von ihm. Als ich ein wenig zum Verstand kam, erinnerte ich mich seiner erst recht und verehrt' ihn im Staub und Moder. Er liegt im Kirchhof zu Krynau begraben.

X.

Nächste Folgen von des Großvaters Tod

Nun wurde wieder eine Magd angeschafft; die war dem Vater recht, weil sie brav arbeitete. Aber Mutter und Großmutter konnten sie nicht leiden, weil sie glaubten, sie schmeichle dem Vater und trag' ihm alles zu Ohren. Auch war sie krätzig, so daß wir alle die Raud' von ihr erbten. Und kurz, die Mütter ruhten nicht, sie mußte fort und eine andre zu. Die war nun ihnen recht, aber dem Vater nicht, weil sie nur das Haus-, aber nicht das Feldwerk verstand. Auch meinte er, sie helfe den Weibern allerhand verschmauchen[1]. Jetzt gab's bald alle Tag' einen Zank. Die Weibervölker stunden zusammen; der Mann hinwieder glaubte, er sei einmal Meister; und kurz, es schien, als wenn der alte Näbis-Joggele einen guten Teil vom Hausfrieden mit sich unter den Boden genommen hätte. Aus Verdruß ging darum der Vater einstweilig wieder dem Salpetersieden nach, übergab die Wirtschaft seinem Bruder N. als Knecht und glaubte, mit einem so nahen Blutsfreunde wohl versorgt zu sein. Er betrog sich. Er konnt' ihn nur ein Jahr behal-

1. verheimlichen.

ten und sah noch zu rechter Zeit die Wahrheit des Sprüchworts ein: Wer will, daß es ihm ling', schau selber zu seinem Ding! – Nun ging er nicht mehr fort, trat aufs neue an die Spitze der Haushaltung, arbeitete über Kopf und Hals und hirtete die Kühe selber; ich war sein Handbub und mußte mich brav tummeln. Die Magd schaffte er ab und dingte dafür einen Geißenknab, da er jetzt einen Fasel Geißen gekauft, mit deren Mist er viel Weid' und Wiesen machte. Inzwischen wollten ihn die Weiber noch immer meistern; das konnt' er nicht leiden, 's gab wieder allerlei Händel. Endlich, da er einmal der Großmutter in der Hitz' ein Habermusbecken nachgeschmissen, lief sie davon und ging wieder zu ihren Freunden in den Näbis. Die Sach' kam vor die Amtsleut'. Der Vater mußt' ihr alle Wochen sechs Batzen[1] und etwas Schmalz[2] geben. Sie war ein kleines bucklichtes Fräulein, mir eine liebe Großmutter, die hinwieder auch mich hielt wie ihr rechtes Großkind, aber, die Wahrheit zu sagen, ein wenig wunderlich, wetterwendisch, ging immer den sogenannten Frommen nach und fand doch niemand recht nach ihrem Sinn. Ich mußt' ihr alle Jahr' die Metzgeten[3] bringen und blieb dann ein paar Tage bei ihr. Da war gut Leben: Ich ließ mir's schmecken, ihre wohlgemeinten Ermahnungen hingegen zum einten Ohr ein und zum andern wieder aus. Gewiß kein Ruhm für mich. Aber dergleichen Buben machen's, leider Gott erbarm! so. Zuletzt war sie einige Jahr' blind und starb endlich in der Feuerschwand in einem hohen Alter Anno 50, 51 oder 52. Sie vermachte mir ein Buch, Arndts Wahres Christentum, apart. Sie war gewiß ein gottseliges Weib, in der Schamatten hoch ästimiert, und die Leut' dort sind mir noch besonders lieb um ihretwillen. Auch glaub ich, gewiß noch Glück von ihr her zu haben, denn Elternsegen ruht auf Kindern und Kindskindern.

1. 1 Batzen (ca. 20 Rp.) = 4 Kreuzer; 1 Gulden (fl.) = 60 Kreuzer. – 2. Butter. – 3. Selbstgeschlachtetes.

XI.

Allerlei, wie's so kömmt

Unsre Haushaltung vermehrte sich. Es kam alle zwei Jahr' geflissentlich ein Kind, Tischgänger genug, aber darum noch keine Arbeiter. Wir mußten immer viel Taglöhner haben. Mit dem Vieh war mein Vater nie recht glücklich, es gab immer etwas Krankes. Er meinte, die starken Kräuter auf unsrer Weid' seien nicht wenig schuld daran. Der Zins überstieg alle Jahr' die Losung[1]. Wir reuteten viel Wald aus, um mehr Mattland und Geld von dem Holz zu bekommen, und doch kamen wir je länger, je tiefer in die Schulden und mußten immer aus einem Sack in den andern schleufen[2]. Im Winter sollten ich und die ältesten, welche auf mich folgten, in die Schule; aber die dauerte zu Krynau nur zehn Wochen, und davon gingen uns wegen tiefem Schnee noch etliche ab. Dabei konnte man mich schon zu allerlei Nutzlichem brauchen. Wir sollten anfangen, winterszeit etwas zu verdienen. Mein Vater probierte aller Gattung Gespunst: Flachs, Hanf, Seiden, Wollen, Baumwollen; auch lehrte er uns letztre kämbeln[3], Strümpfstricken und dergleichen. Aber keins warf damals viel Lohn ab. Man schmälerte uns den Tisch, meist Milch und Milch, ließ uns lumpen und lempen[4], um zu sparen. Bis in mein sechszehntes Jahr ging ich selten, und im Sommer barfuß in meinem Zwilchröcklin, zur Kirche. Alle Frühjahr' mußte der Vater mit dem Vieh oft weit nach Heu fahren und es teuer bezahlen.

1. Erlös. – 2. schlüpfen. – 3. kämmen. – 4. zerlumpt und liederlich dahergehen.

XII.

Die Bubenjahre

Indessen kümmerte mich alle dies um kein Haar. Auch wußt' ich eigentlich nichts davon und war überhaupt ein leichtsinniger Bube, wie's je einen gab. Alle Tag' dacht' ich dreimal ans Essen, und damit aus. Wenn mich der Vater nur mit langanhaltender oder strenger Arbeit verschonte oder ich eine Weile davonlaufen konnte, so war mir alles recht. Im Sommer sprang ich in der Wiese und an den Bächen herum, riß Kräuter und Blumen ab und machte Sträuße wie Besen; dann durch alles Gebüsch, den Vögeln nach, kletterte auf die Bäume und suchte Nester. Oder ich las ganze Haufen Schnekkenhäuslein oder hübsche Stein' zusammen. War ich dann müd, so setzt' ich mich an die Sonne und schnitzte zuerst Hagstecken, dann Vögel und zuletzt gar Kühe; denen gab ich Namen, zäunt' ihnen eine Weid' ein, baut' ihnen Ställe und fütterte sie, verhandelte dann bald dies, bald jenes Stück und machte immer wieder schönere. Ein andermal richtete ich Öfen und Feuerherd auf und kochte aus Sand und Lett[1] einen saubern Brei. Im Winter wälzt' ich mich im Schnee herum und rutschte bald in einer Scherbe von einem zerbrochenen Napf, bald auf dem bloßen Hintern die Gähen[2] hinunter. Das trieb ich dann alles so, wie's die Jahrszeit mitbrachte, bis mir der Vater durch den Finger pfiff oder ich sonst merkte, daß es Zeit über Zeit war. Noch hatt' ich keine Kameraden; doch wurd' ich in der Schule mit einem Buben bekannt, der oft zu mir kam und mir allerhand Lappereien um Geld anbot, weil er wußte, daß ich von Zeit zu Zeit einen halben Batzen zu Trinkgeld erhielt. Einst gab er mir ein Vogelnest in einem Mausloch zu kaufen. Ich sah täglich darnach. Aber eines Tags waren die Jungen fort; das verdroß mich mehr,

1. Lehm, tonartiger Mergel. – 2. Steilhänge.

als wenn man dem Vater alle Küh' gestohlen hätte. Ein andermal, an einem Sonntag, bracht' er Pulver mit – bisher kannt' ich diesen Höllensamen nicht – und lehrte mich Feuerteufel machen. Eines Abends hatt' ich den Einfall: Wenn ich auch schießen könnte! Zu dem End' nahm ich eine alte eiserne Brunnröhre, verkleibte sie hinten mit Leim[1] und machte eine Zündpfanne auch von Leim; in diese tat ich dann das Pulver und legte brennenden Zunder daran. Da's nicht losgehen wollte, blies ich... Puh! Mir Feuer und Leim alles ins Gesicht. Dies geschah hinterm Haus; ich merkte wohl, daß ich was Unrechtes tat. Inzwischen kam meine Mutter, die den Klapf[2] gehört hatte, herunter. Ich war elend blessiert. Sie jammerte und half mir hinauf. Auch der Vater hatte oben in der Weide die Flamm' gesehen, weil's fast Nacht war. Als er heimkam, mich im Bett antraf und die Ursache vernahm, ward er grimmig böse. Aber sein Zorn stillte sich bald, als er mein verbranntes Gesicht erblickte. Ich litt große Schmerzen. Aber ich verbiß sie, weil ich sonst fürchtete, noch Schläge obendrein zu bekommen, und wußte, daß ich solche verdient hätte. Doch mein Vater empfand wohl, daß ich Schläge genug habe. Vierzehn Tage sah ich keinen Stich; an den Augen hatt' ich kein Härlein mehr. Man hatte große Sorgen wegen dem Gesicht. Endlich ward's doch allmählig und von Tag zu Tag wieder besser. Jetzt, sobald ich vollkommen hergestellt war, machte der Vater es mit mir wie Pharao mit den Israeliten, ließ mich tüchtig arbeiten und dachte, so würden mir die Possen am besten vergehen. Er hatte recht. Aber damals konnt' ich's nicht einsehen und hielt ihn für einen Tyrann, wenn er mich so des Morgens früh aus dem Schlaf nahm und an das Werk musterte[3]. Ich meinte, das wär' eben nicht nötig, die Kühe gäben ja die Milch von sich selber.

1. Lehm. – 2. Knall. – 3. trieb.

XIII.

Beschreibung unsers Guts Dreyschlatt

Dreyschlatt ist ein wildes einödes Ort, zuhinterst an den Alpen Schwämle, Kreutzegg und Aueralp; vorzeiten war's eine Sennweid'. Hier gibt's immer kurzen Sommer und langen Winter, während letzterm meist ungeheuern Schnee, der oft noch im Mai ein paar Klafter tief liegt. Einst mußten wir noch am Hl. Pfingstabend einer neu angelangten Kuh mit der Schaufel zum Haus pfaden. In den kürz'sten Tagen hatten wir die Sonn' nur fünf Viertelstunden. Dort entsteht unser Rotenbach, der dem Fäsi[1] in seiner Erdbeschreibung und dem Walser in seiner Kart'[2] entwischte, ungeachtet er zweimal größer als der Schwendi- oder Lederbach ist, der viele Mühlen, Sagen, Walken, Stampfen und Pulvermühlen treibt. Doch beim Dreyschlatt, da hat es das herrlichste Quellwasser; und wir in unserm Haus und Scheur aneinander hatten einen Brunnen, der nie gefror, unterm Dach, so daß das Vieh den ganzen Winter über nie den Himmel sah. – Wenn's im Dreyschlatt stürmt, so stürmt's dann recht. Wir hatten eine gute, nicht gähe Wiese von vierzig bis fünfzig Klafter Heu und eine grasreiche Weide. Auf der Sommerseite im Altischweil ist's schon früher, aber auch gäher und räucher[3]. Holz und Stroh gibt's genug. Hinterm Haus ist ein Sonnenrain, wo's den Schnee wegbläst, der hingegen an einem Schattenrain vor dem Haus im Frühjahr oft noch liegenbleibt, wenn's an jenem schon Gras und Schmalzblumen hat. Am frühsten und am spätsten Ort auf dem Gut trifft's wohl vier Wochen an.

1. J. C. Faesi: Genaue und vollständige Staats- und Erdbeschreibung der ganzen helvetischen Eydgenossenschaft (Zürich 1765-68). – 2. Karte der dreizehn alten Orte (1695). – 3. rauher.

XIV.

Der Geißbube

Ja! ja! sagte jetzt eines Tags mein Vater: Der Bub wächst, wenn er nur nicht so ein Narr wäre, ein verzweifelter Lappe, auch gar kein Hirn. Sobald er an die Arbeit muß, weißt er nicht mehr, was er tut. Aber von nun an muß er mir die Geißen hüten, so kann ich den Geißbub abschaffen. – Ach! sagte meine Mutter, so kommst du um Geißen und Bub. Nein! nein! Er ist noch zu jung. – Was jung? sagte der Vater: Ich will es drauf wagen, er lernt's nie jünger; die Geißen werden ihn schon lehren; sie sind oft witziger als die Buben. Ich weiß sonst doch nichts mit ihm anzufangen.

Mutter. Ach! was wird mir das für Sorg' und Kummer machen. Sinn ihm auch nach! Einen so jungen Bub mit einem Fasel Geißen in den wilden einöden Kohlwald schicken, wo ihm weder Steg noch Weg bekannt sind und's so gräßliche Töbler hat. Und wer weiß, was vor Tier sich dort aufhalten und was vor schreckliches Wetter einfallen kann. Denk doch, eine ganze Stund' weit! Und bei Donner und Hagel, oder wenn sonst die Nacht einfällt, nie wissen, wo er ist. Das ist mein Tod, und du mußt's verantworten.

Ich. Nein, nein, Mutter! Ich will schon Sorg' haben und kann ja dreinschlagen, wann ein Tier kommt, und vorm Wetter untern Felsen kreuchen und, wenn's nachtet, heimfahren; und die Geißen will ich, was gilt's, schon paschgen[1].

Vater. Hörst jetzt! Eine Woche mußt mir erst mit dem Geißbub gehen. Dann gib wohl Achtung, wie er's macht, wie er die Geißen alle heißt und ihnen lockt und pfeift, wo er durchfahrt und wo sie die beste Weid' finden.

Ja, ja! sagt' ich, sprang hoch auf und dacht': Im

1. meistern.

Kohlwald, da bist du frei, da wird dir der Vater nicht immer pfeifen und dich von einer Arbeit zur andern jagen. Ich ging also etliche Tag' mit unserm Beckle hin, so hieß der Bub, ein rauher, wilder, aber doch ehrlicher Bursche. Denkt doch! Er stund eines Tags wegen einer Mordtat im Verdacht, da man eine alte Frau, welche wahrscheinlich über einen Felsen hinunterstürzte, auf der Kreutzegg tot gefunden. Der Amtsdiener holte ihn aus dem Bett nach Lichtensteig. Man merkte aber bald, daß er ganz unschuldig war, und er kam zu meiner großen Freud' noch denselben Abend wieder heim. – Nun trat ich mein neues Ehrenamt an. Der Vater wollte zwar den Beckle als Knecht behalten, aber die Arbeit war ihm zu streng, und er nahm im Frieden seinen Abschied. – Anfangs wollten mir die Geißen, deren ich bis dreißig Stück hatte, kein gut tun; das machte mich wild, und ich versucht' es, ihnen mit Steinen und Prügeln den Meister zu zeigen; aber sie zeigten ihn mir; ich mußte also die glatten Wort' und das Streicheln und Schmeicheln zur Hand nehmen. Da taten sie, was ich wollte. Auf die vorige Art hingegen verscheucht' ich sie so, daß ich oft nicht mehr wußte, was anfangen, wenn sie alle ins Holz und Gesträuch liefen und ich meist rundum keine einzige mehr erblicken konnte, halbe Tage herumlaufen, pfeifen und johlen, sie an den Galgen verwünschen, brüllen und lamentieren mußte, bis ich sie wieder beieinander hatte.

XV.

Wohin und wie lang

Drei Jahre hatte ich so meine Herde gehütet; sie ward immer größer, zuletzt über hundert Köpf', mir immer lieber und ich ihnen. Im Herbst und Frühling fuhren wir auf die benachbarten Berge, oft bis zwei Stunden weit. Im Sommer hingegen durft' ich nirgends hüten als im Kohlwald, eine mehr als Stund' weite Wüstenei, wo kein recht Stück Vieh weiden kann. Dann ging's zur Aueralp, zum Kloster St. Maria gehörig, lauter Wald oder dann Kohlplätz'[1] und Gesträuch, manches dunkle Tobel und steile Felswand, an denen noch die beste Geißweid' zu finden war. Von unserm Dreyschlatt weg hatt' ich alle Morgen eine Stund' Wegs zu fahren, eh' ich nur ein Tier durfte anbeißen lassen; erst durch unsre Viehweid', dann durch einen großen Wald, und so fort und fort in die Kreuz und Quere, bald durch diese, bald durch jene Abteilung der Gegend, deren jede ich mit einem eigenen Namen taufte. Da hieß es im vordern Boden; dort zwischen den Felsen, hier in der Weißlauwe, dort im Köllermelch, auf der Blatten, im Kessel, und so fort. Alle Tag' hütete ich an einem andern Ort, bald sonnen-, bald schattenhalb. Zu Mittag aß ich mein Brötlin und was mir sonst etwa die Mutter verstohlen mitgab. Auch hatt' ich meine eigne Geiß, an der ich sog. Die Geißaugen waren meine Uhr. Gegen Abend fuhr ich immer wieder den nämlichen Weg nach Haus, auf dem ich gekommen war.

XVI.

Vergnügen im Hirtenstand

Welche Lust, bei angenehmen Sommertagen über die Hügel fahren – durch Schattenwälder streichen – durchs Gebüsch Einhörnchen[2] jagen und Vogelnester ausnehmen! Alle Mittag' lagerten wir uns am Bach; da ruhten meine Geißen zwei bis drei Stunden aus, wann es heiß war, noch mehr. Ich aß mein Mittagbrot, sog mein Geißchen, badete im spiegelhellen Wasser und spielte

1. Wo der Köhler seine Arbeit verrichtet. – 2. Eichhörnchen.

mit den jungen Gitzen. Immer hatt' ich einen Gertel[1] oder eine kleine Axte bei mir und fällte junge Tännchen, Weiden oder Ilmen[2]. Dann kamen meine Geißen haufenweis und kafelten[3] das Laub ab. Wenn ich ihnen Leck, Leck! rufte, dann ging's gar im Galopp und wurd' ich von ihnen wie eingemau'rt. Alles Laub und Kräuter, die sie fraßen, kostete auch ich, und einige schmeckten mir sehr gut. Solang der Sommer währte, florierten die Erd-, Im-[4], Heidel- und Brombeeren; deren hatt' ich immer vollauf und konnte noch der Mutter am Abend mehr als genug nach Haus bringen. Das war ein herrliches Labsal, bis ich mich einst daran bis zum Ekel überfraß. – Und welch Vergnügen machte mir nicht jeder Tag, jeder neue Morgen, wenn jetzt die Sonne die Hügel vergoldete, denen ich mit meiner Herde entgegenstieg, dann jenen haldigen Buchenwald und endlich die Wiesen und Weidplätze beschien. Tausendmal denk ich dran, und oft dünkt's mich, die Sonne scheine jetzt nicht mehr so schön. Wann dann alle anliegenden Gebüsche von jubilierenden Vögeln ertönten und dieselben um mich her hüpften. – O! was fühlt' ich da! – Ha, ich weiß es nicht! – Halt süße, süße Lust! Da sang und trillerte ich dann mit, bis ich heiser ward. Ein andermal spürte ich diesen muntern Waldbürgern durch alle Stauden nach, ergötzte mich an ihrem hübschen Gefieder und wünschte, daß sie nur halb so zahm wären wie meine Geißen, beguckte ihre Jungen und ihre Eier und erstaunte über den wundervollen Bau ihrer Nester. Oft fand ich deren in der Erde, im Moos, im Farn, unter alten Stöcken, in den dicksten Dörnen, in Felsritzen, in hohlen Tannen oder Buchen, oft hoch im Gipfel – in der Mitte – zuäußerst auf einem Ast. Meist wußt' ich ihrer etliche. Das war mir eine Wonne, und fast mein einziges Sinn' und Denken, alle Tage gewiß einmal nach allen zu sehn: wie die Jungen wuchsen, wie das

1. großes, vorn gekrümmtes Haumesser. – 2. Ulmen. – 3. nagten. – 4. Himbeeren.

Gefieder zunahm, wie die Alten sie fütterten, und dergleichen. Anfangs trug ich einige mit mir nach Haus oder brachte sie sonst an ein bequemeres Ort. Aber dann waren sie dahin. Nun ließ ich's bleiben und sie lieber groß werden. – Da flogen sie mir aus. – Ebensoviel Freuden brachten mir meist auch meine Geißen. Ich hatte von allen Farben, große und kleine, kurz- und langhaarige, bös- und gutgeartete. Alle Tage ruft' ich sie zwei- bis dreimal zusammen und überzählte sie, ob ich's voll habe. Ich hatte sie gewöhnt, daß sie auf mein Zub, Zub! Leck, Leck! aus allen Büschen hergesprungen kamen. Einige liebten mich sonderbar und gingen den ganzen Tag nie einen Büchsenschuß weit von mir, und wenn ich mich verbarg, fingen sie alle ein Zetergeschrei an. Von meinem Duglöörle (so hieß ich meine Mittagsgeiß) konnt' ich mich nur mit List entfernen. Das war ganz mein eigen. Wo ich mich setzte oder legte, stellte es sich über mich hin und war gleich parat zum Saugen oder Melken; und doch mußt' ich's in der besten Sommerszeit oft noch ganz voll heimführen. Andremal melkt' ich es einem Köhler, bei dem ich manche liebe Stund' zubrachte, wenn er Holz schrotete oder Kohlhaufen brannte.

Welch Vergnügen dann am Abend, meiner Herde auf meinem Horn zur Heimreise zu blasen! zuzuschauen, wie sie alle mit runden Bäuchen und vollen Eutern dastunden, und zu hören, wie munter sie sich heimblökten. Wie stolz war ich dann, wann mich der Vater lobte, daß ich so gut gehütet habe! Nun ging's an ein Melken, bei gutem Wetter unter freiem Himmel. Da wollte jede zuerst über dem Eimer von der drückenden Last ihrer Milch los sein und beleckte dankbar ihren Befreier.

XVII.

Verdruß und Ungemach

Nicht, daß lauter Lust beim Hirtenleben wäre. – Potztausend, nein! Da gibt's Beschwerden genug. Für mich war's lang die empfindlichste, des Morgens so früh mein warmes Bettlin zu verlassen und bloß und barfuß ins kalte Feld zu marschieren, wenn's zumal einen baumstarken Reifen hatte oder ein dicker Nebel über die Berge herabhing. Wenn dann dieser gar so hoch ging, daß ich ihm mit meiner bergansteigenden Herde das Feld nicht abgewinnen und keine Sonn' erreichen konnte, verwünscht' ich denselben in Ägypten hinein und eilte, was ich eilen konnte, aus dieser Finsternis wieder in ein Tälchen hinab. Erhielt ich hingegen den Sieg und gewann die Sonne und den hellen Himmel über mir und das große Weltmeer von Nebeln und hie und da einen hervorragenden Berg wie eine Insel unter meine Füße – was das dann für ein Stolz und eine Lust war! Da verließ ich den ganzen Tag die Berge nicht, und mein Aug' konnt' sich nie satt schauen, wie die Sonnenstrahlen auf diesem Ozean spielten und Wogen von Dünsten in den seltsamsten Figuren sich drauf herumtaumelten, bis sie gegen Abend mich wieder zu übersteigen drohten. Dann wünscht' ich mir Jakobs Leiter; aber umsonst, ich mußte fort. Ich ward traurig, und alles stimmte in meiner Trauer ein. Einsame Vögel flatterten matt und mißmütig über mir her, und die großen Herbstfliegen sumsten mir so melancholisch um die Ohren, daß ich weinen mußte. Dann fror ich fast noch mehr als am frühen Morgen und empfand Schmerzen an den Füßen, obgleich diese so hart als Sohlleder waren. Auch hatt' ich die meiste Zeit Wunden oder Beulen an ein paar Gliedern; und wenn eine Blessur heil war, macht' ich mir richtig wieder eine andre, sprang entweder auf einen spitzen Stein auf, verlor einen Nagel oder ein Stück Haut an einem Zehen oder hieb mir mit meinen Instrumenten eins in die Finger. Ans Verbinden war selten zu gedenken, und doch ging's meist bald vorüber. – Die Geißen hiernächst machten mir, wie schon gesagt, anfangs großen Verdruß, wenn sie mir nicht gehorchen wollten, weil ich ihnen nicht recht zu befehlen verstund. – Ferner prügelte mich der Vater nicht selten, wenn ich nicht hütete, wo er mir befohlen hatte, und nur hinfuhr, wo ich gern sein mochte, und die Geißen dann nicht das rechte Bauchmaß heimbrachten oder er sonst ein loses Stücklein von mir erfuhr. – Dann hat ein Geißbub überhaupt viel von andern Leuten zu leiden. Wer will aber einen Fasel Geißen immer so in Schranken halten, daß sie nicht etwa einem Nachbar in die Wiesen oder Weid' gucken? Wer mit so viel lüsternen Tieren zwischen Korn- und Haberbrachen[1], Räb- und Kabisäckern[2] durch fahren, daß keins kein Maulvoll versuchte? Da ging's dann an ein Fluchen und Lamentieren: Bärnhäuter! Galgenvogel! waren meine gewöhnlichen Ehrentitel. Man sprang mir mit Axten, Prügeln und Hagstecken – einst gar einer mit einer Sense nach; der schwur, mir ein Bein vom Leib wegzuhauen. Aber ich war leicht genug auf den Füßen, und nie hat mich einer erwischen mögen. Die schuldigen Geißen wohl haben sie mir oft ertappt und mit Arrest belegt; dann mußte mein Vater hin und sie lösen. Fand er mich schuldig, so gab's Schläge. Etliche unsrer Nachbarn waren mir ganz besonders widerwärtig und richteten mir manchen Streich auf den Rücken. Dann dacht' ich freilich: Wartet nur, ihr Kerls, bis mir eure Schuh' recht sind, so will ich euch auch die Bückel salben. Aber man vergißt's, und das ist gut. Und dann hat das Sprüchwort doch auch seinen wahren Sinn: „Wer will ein Biedermann[3] sein und heißen, der hüt' sich vor Tauben und Geißen." – So gibt es also freilich dieser und an-

1. abgeerntete Äcker, auf denen zu weiden verboten war. – 2. Rüben- und Kohläcker. – 3. ein guter Hausvater.

derer Widerwärtigkeiten genug in dem Hirtenstand. Aber die bösen Tage werden reichlich von den guten ersetzt, wo's dann gewiß keinem König so wohl ist.

XVIII.

Neue Lebensgefahren

Im Kohlwald war eine Buche, gerad über einem mehr als turmhohen Fels herausgewachsen, so daß ich über ihren Stamm wie über einen Steg spazieren und in eine gräßlich finstre Tiefe hinabgucken konnte; wo die Äste angingen, stund sie wieder geradauf. In dieses seltsame Nest bin ich oft gestiegen und hatte meine größte Lust daran, so in den fürchterlichen Abgrund zu schauen und zu sehn, wie ein Bächlein neben mir herunterstürzte und sich in Staub zermalmte. Aber einst schwebte mir diese Gegend im Traum so schauderhaft vor, daß ich von da an nicht mehr hinging. – Ein andermal befand ich mich mit meinen Geißen jenseits der Aueralp, auf der Dürrwälderseite gegen dem Rotenstein. Ein Junges hatte sich zwischen zween Felsen verstiegen und ließ eine jämmerliche Melodie von sich hören. Ich kletterte nach, um ihm zu helfen. Es ging so eng und gäh und zickzack zwischen Klippen durch, daß ich weder obsich noch niedsich[1] sehen konnte und oft auf allen vieren kriechen mußte. Endlich verstieg ich mich gänzlich. Über mir stund ein unerklimmbarer Fels, unter mir schien's fast senkrecht – ich weiß selbst nicht, wie weit hinab. Ich fing an rufen und beten, so laut ich konnte. In einer kleinen Entfernung sah ich zwei Menschen durch eine Wiese marschieren. Ich gewahrt' es gar wohl, sie hörten mich, aber sie spotteten meiner und gingen ihre Straße. Endlich entschloß ich mich, das Äußerste

1. weder aufwärts noch abwärts.

zu wagen und lieber mit eins des Todes zu sein, als noch weiter in dieser peinlichen Lage zu verharren und doch nicht lange mehr ausharren zu können. Ich schrie zu Gott in Angst und Not, ließ mich auf den Bauch nieder, meine Händ' obsich verspreitet, daß ich mich an den kahlen Fels so gut als möglich anklammern könne. Aber ich war todmüd, fuhr wie ein Pfeil hinunter – zum Glück war's nicht so hoch, als ich im Schrecken glaubte – und blieb wunderbar ebenrecht in einem Schlund stecken, wo ich mich wieder halten konnte. Freilich hatt' ich Haut und Kleider zerrissen und blutete an Händen und Füßen. Aber wie glücklich schätzt' ich mich nicht, daß ich nur mit dem Leben und unzerbrochnen Gliedern davonkam! Mein Geißchen mag sich auch durch einen Sprung gerettet haben; einmal[1] ich fand's schon wieder bei den übrigen. – Ein andermal, da ich an einem schönen Sommertag mit meiner Herde herumgetrillert, überzog sich der Himmel gegen Abend mit schwarzen Wolken, es fing gewaltig an blitzen und donnern. Ich eilte nach einer Felshöhle – diese oder eine große Wettertann' waren in solchen Fällen immer mein Zufluchtsort – und rief dann meine Geißen zusammen. Die, weil's sonst bald Zeit war, meinten, es gelte zur Heimfahrt, und sprangen über Kopf und Hals mir vor, daß ich bald keinen Schwanz mehr sah. Ich eilte ihnen nach. Es fing entsetzlich an zu hageln, daß mir Kopf und Rücken von den Püffen sausten. Der Boden war dicht mit Steinen bedeckt; ich rannte in vollem Galopp drüber fort, fiel aber oft auf den Hintern und fuhr große Stück' weit wie auf einem Schlitten. Endlich in einem Wald, wo's gäh zwischen Felsen hinunterging, konnt' ich vollends nicht anhalten und glitschte bis zuäußerst auf einen Rand, von dem ich, wenn mich nicht Gott und seine guten Engel behütet hätten, viele Klafter tief herabgestürzt

1. jedenfalls.

und zermürst worden wäre. Jetzt ließ das Wetter allmählig nach, und als ich nach Haus kam, waren meine Geißen schon eine halbe Stund' daheim. Etliche Tag' lang fühlt' ich von dieser Partie keinerlei Ungemach; aber mit eins fingen meine Füß' zu sieden an, als wenn man sie in einem Kessel kochte. Dann kamen die Schmerzen. Mein Vater sah nach und fand mitten an der einten Fußsohle ein groß Loch und Moos und Gras darin. Nun erinnert' ich mich erst, daß ich an einem spitzen Weißtannast aufgesprungen war: Moos und Gras war mit hineingegangen. Der Ätti grub mir's mit einem Messer heraus und verband mir den Fuß. Nun mußt' ich freilich ein paar Tage meinen Geißen langsam nachhinken, dann verlor ich die Binde, Kot und Dreck füllten jetzt das Loch, und es war bald wieder besser. – Viel andre Mal', wenn's durch die Felsen ging, liefen die Tiere ob mir weg und rollten große Stein' herab, die mir hart an den Ohren vorbeipfiffen. Oft stieg ich einem Wälschtraubenknöpfli[1], Frauenschühlin oder andern Blümchen über Klippen nach, daß es eine halsbrechende Arbeit war. Wieder zündete ich große, halbverdorrte Tannen von unten an, die bisweilen acht bis zehen Tag' aneinander fortbrannten, bis sie fielen. Alle Morgen und Abend sah ich dann nach, wie's mit ihnen stund. Einst hätte mich eine maustot schlagen können: Denn indem ich meine Geißen forttrieb, daß sie nicht getroffen würden, krachte sie hart an mir in Stücken zusammen. – So viele Gefahren drohten mir während meinem Hirtenstand mehrmal, Leibs und Lebens verlurstig zu werden, ohne daß ich's viel achtete oder doch alles bald wieder vergaß, und leider damals nie daran dachte, daß du allein es warst, mein unendlich guter himmlischer Vater und Erhalter! der in den Winkeln einöder Wüste die Raben nährt und auch Sorge für mein junges Leben trug.

1. Bergschlüsselblume.

XIX.

Kameradschaft

Mein Vater hatte bisweilen aus der Geißmilch Käse gemacht, bisweilen Kälber gesäugt und seine Wiesen mit dem Mist geäufnet[1]. Dies reizte unsre Nachbarn, daß ihrer vier auch Geißen anschafften und beim Kloster um Erlaubnis baten, ebenfalls im Kohlwald hüten zu dürfen. Da gab's nun Kameradschaft. Unser drei oder vier Geißbuben kamen alle Tag' zusammen. Ich will nicht sagen, ob ich der beste oder schlimmste unter ihnen gewesen – aber gewiß ein purer Narr gegen die andern – bis auf einen, der ein gutes Bürschgen war. Einmal die übrigen alle gaben uns leider kein gutes Exempel. Ich wurde ein bißlein witziger, aber desto schlimmer. Auch sah's mein Vater gar nicht gern, daß ich mit ihnen laichte[2], und sagte mir, ich sollte lieber allein hüten und alle Tag' auf eine andre Gegend treiben. Aber Gesellschaft war mir zu neu und zu angenehm; und wenn ich auch etwa einen Tag den Rat befolgte und hörte dann die andern hüpen und johlen, so war's, als wenn mich ein paar beim Rock zerrten, bis ich sie erreicht hatte. Bisweilen gab's Zänkereien; dann fuhr ich wieder einen Morgen allein oder mit dem guten Jakoble; von dem hab ich selten ein unnützes Wort gehört, aber die andern waren mir kurzweiliger. Ich hätte noch viele Jahre für mich können Geißen hüten, eh' ich den Zehnteil von dem allem inne worden wäre, was ich da gar in kurzem vernahm. Sie waren alle größer und älter als ich – fast aufgeschossene Bengel, bei denen schon alle argen Leidenschaften aufgewacht. Schmutzige Zoten waren alle ihre Reden und unzüchtig alle ihre Lieder, bei deren Anhören ich freilich oft Maul und Augen auftat, oft aber auch aus Schamröte niederschlug. Über meinen bisherigen Zeitvertrieb lachten sie

1. gedüngt, emporgebracht. – 2. umherstrich.

sich die Haut voll. Späne und junge Vögel galten ihnen gleich viel, außert wenn sie glaubten, Geld aus einem zu lösen; sonst schmissen sie dieselben samt den Nestern fort. Das tat mir anfangs weh, doch macht' ich's bald mit. So geschwind konnten sie mich hingegen nicht überreden, schamlos zu baden wie sie. Einer besonders war ein rechter Unflat, aber sonst weder streit- noch zanksüchtig und darum nur desto verführerscher. Ein andrer war auf alles verpicht, womit er einen Batzen verdienen konnte; der liebte darum die Vögel mehr als die andern, die nämlich, welche man ißt, suchte allerlei Waldkräuter, Harz, Zunderschwamm und dergleichen. Von dem lernt' ich manche Pflanze kennen, aber auch, was der Geiz ist. Noch einer war etwas besser als die schlimmern; er machte mit, aber furchtsam. Jedem ging sein Hang sein Leben lang nach. Jakoble ist noch ein guter Mann; der andre blieb immer ein geiler Schwätzer und ward zuletzt ein miserabler hinkender Tropf; der dritte hatte mit List und Ränken etwas erworben, aber nie kein Glück dabei. Vom vierten weiß ich nicht, wo er hinkommen ist.

XX.

Neue sonderbare Gemütslage und End' des Hirtenstands

Daheim durft' ich nichts merken lassen von dem, was ich bei diesen Kameraden sah und hörte, genoß aber nicht mehr meine vorige Fröhlichkeit und Gemütsruhe. Die Kerls hatten Leidenschaften in mir rege gemacht, die ich noch selbst nicht kannte – und doch merkte, daß es nicht richtig stund. Im Herbst, wo die Fahrt frei war, hütete ich meist allein, trug ein Büchlein, das mir bloß darum jetzt noch lieb ist, bei mir und las oft darin. Noch weiß ich verschiedene sonderbare Stellen auswendig, die mich damals bis zu Tränen rührten. Jetzt kamen mir die bösen Neigungen in meinem Busen abscheulich vor und machten mir angst und bang. Ich betete, rang die Hände, sah zum Himmel, bis mir die hellen Tränen über die Backen rollten, faßte einen Vorsatz über den andern und machte mir so strenge Pläne für ein künftiges frommes Leben, daß ich darüber allen Frohmut verlor. Ich versagte mir alle Arten von Freude und hatte z. E. lang einen ernstlichen Kampf mit mir selber wegen einem Distelfink, der mir sehr lieb war, ob ich ihn weggeben oder behalten sollte. Über diesen einzigen Vogel dacht' ich oft weit und breit herum. Bald kam mir die Frommkeit, wie ich mir solche damals vorstellte, als ein unersteiglicher Berg, bald wieder federleicht vor. Meine Geschwister mocht' ich herzlich lieben; aber je mehr ich's wollte, je mehr sah ich Widriges an ihnen. In kurzem wußt' ich weder Anfang noch End' mehr, und niemand war, der mir heraushelfen konnte, da ich meine Lage keiner Menschenseele entdeckte. Ich machte mir alles zur Sünde: Lachen, Jauchzen und Pfeifen per se[1]. Meine Geißen sollten mich nicht mehr erzörnen dürfen – und ich ward eher böser auf sie. Eines Tags bracht' ich einen toten Vogel nach Haus, den ein Mann geschossen und auf einem Stecken in die Wiese aufgesteckt hatte. Ich nahm ihn, wie ich in dem Augenblick wähnte, mit gutem Gewissen weg, ohne Zweifel, weil mir seine zierliche Federn vorzüglich wohl gefielen. Aber sobald mir der Vater sagte, das heiße auch gestohlen, weint' ich bitterlich – und hatte diesmal recht – und trug das Äschen morgens darauf in aller Frühe wieder an sein Ort. Doch behielt ich etliche von den schönsten Federn; aber auch dieses kostete mich noch ziemlich Überwindung. Doch dacht' ich: Die Federn sind nun ausgerupft, wenn du's schon auch hinträgst, so verblast sie der Wind, und dem Mann nützen sie so nichts. – Bisweilen fing ich

1. selbstverständlich.

wieder an zu jauchzen und zu johlen und trollte aufs neue sorglos über alle Berge. Dann dacht' ich: So alles, alles verleugnen, bis auf meine selbstgeschnitzelten hölzernen Kühe – wie ich mir damals den rechten Christensinn ganz buchstäblich vorstellte –, sei doch ein traurig elendes Ding. Indessen wurde der Kohlwald von den immer zunehmenden Geißen übertrieben, die Rosse, die man auf den fettern Grasplätzen weiden ließ, bisweilen von den Geißenbuben verfolgt, gesprengt, und dergleichen. Einmal legten die Bursche ihnen Nesseln unter die Schwänze; ein paar stürzten sich im Lauf über einen Felsen zu Tod. Es gab schwere Händel, und das Hüten im Kohlwald wurde gänzlich verboten. Ich hütete darauf noch eine Weile auf unserm eignen Gut. Dann löste mich mein Bruder ab. Und so nahm mein Hirtenstand ein Ende.

XXI.

Neue Geschäfte, neue Sorgen (1747)

Denn nun hieß es: Eingespannt in den Karrn mit dem Buben, ins Joch – er ist groß genug! – Wirklich tummelte mich mein Vater meisterlich herum; in Holz und Feld sollt' ich ihm statt eines vollkommnen Knechtes dienen. Die mehrern Mal' überlud er mich; ich hatte die Kräfte noch nicht, die er mir nach meiner Größe zutraute, und doch wollt' ich dann stark sein und keine schwere Bürde liegen lassen. In Gesellschaft von ihm oder mit den Taglöhnern arbeitete ich gern; aber sobald er mich allein an ein Geschäft schickte, war ich faul und lässig, staunte Himmel und Erde an und hing, ich weiß selbst nicht mehr was vor allerlei Gedanken und Grillen nach; das freie Geißbubenleben hatte mich halt verwöhnt. Das zog mir dann Scheltwort' oder gar

Streiche zu, und diese Strenge war nötig, obschon ich's damals nicht fassen konnte. Im Heuet besonders gab's bisweilen fast unerträgliche Bürden. Oft streckt' ich mich vor Mattigkeit und fast zerschmolzen von Schweiß der Länge nach auf dem Boden und dachte: Ob's wohl auch in der Welt überall so mühselig zugehe? Ob ich mich grad itzt aus dem Staub machen sollte? Es werde doch an andern Orten auch Brot geben und nicht gleich Henken gelten; ich hätte auf der Kreutzegg beim Geißhüten mehrere solche Bursche gesehen, denen's außer ihrem Vaterland, wie sie mir erzählten, recht wohl gegangen – und was des Zeugs mehr war. Dann aber fand ich wieder: Nein! es wäre doch Sünd', von Vater und Mutter wegzulaufen. Wie? wenn ich ihnen ein Stück Boden abhandeln, es bauen, brav Geld daraus ziehen, dann aus der Losung ein Häusgen drauf stellen und so vor mich leben würde? Husch! sagt' ich eines Tags, das muß jetzt sein! – Aber, wenn mir's der Ätti abschlägt? – Ei! Frisch gewagt ist halb gewonnen. Ich nahm also das Herz in beide Händ' und bat den Vater noch desselben Abends, daß er mir ein gewisses Stücklein Lands abtreten sollte. Nun sah er freilich meine Narrheit wohl ein, aber er ließ mich's nicht merken und fragte nur: Was ich dann damit anfangen wollte? „Ha!" sagt' ich, „es in Ehren legen, Mattland daraus machen und den Gewinn davon beiseite tun." Ohne ein mehreres Wort zu verlieren, sprach er dann: „So nimm eben die Zipfelweid'; ich geb sie dir um fünf Gulden." Das war nun spottwohlfeil; hier zu W.[1] wär' so ein Grundstück mehr als hundert Gulden wert. Ich sprang darum vor Freuden hoch auf und fing sogleich die neue Wirtschaft an. Den Tag über arbeitete ich für den Vater, sobald der Feirabend kam, vor mich; sogar beim Mondschein, da macht' ich aus dem noch vor Nacht gehauenen Holz und Stauden kleine

1. Wattweil.

Burden[1] von Brennholz zum Verkaufen. Eines Abends dacht' ich so meiner jetzigen Lage nach; mir fiel ein: „Deine Zipfelweid' ist gar wohlfeil! Es könnte den Vater reuen und er's wieder an sich ziehen, wenn ich ihm den Kaufschilling nicht bar erlege. Ich muß um Geld schauen, so kann er mir nicht mehr ab der Hand gehn." Ich ging also zum Nachbar Görg, erzählt' ihm den ganzen Handel und bat ihn, mir die 5 fl. zu liehen, ich woll' ihm bis auf Wiederbezahlung mein Land dafür zum Pfand einsetzen. Er gab mir's ohne Bedenken. Ganz entzückt lief ich damit zum Vater und wollt' ihn ausbezahlen. Potzhundert! wie der mich abschneuzte: „Wo hast du das Geld her?" Es fehlte wenig, so hätt' es noch Ohrfeigen obendrein gesetzt. Im ersten Augenblick begriff ich nicht, was ihn so entsetzlich bös mache. Aber er erklärte mir's bald, da er fortfuhr: „Du Bärnhäuter! Mir mein Gut zu verpfänden!", riß mir dann die fünf Gulden aus der Hand, rannte im Augenblick zu Görg und gab sie ihm wieder mit Bedeuten, daß er, so lieb ihm Gott sei, seinem Buben kein Geld mehr liehe, er woll' ihm schon geben, was er brauche, und so fort. – So war meine Freude kurz. Der Ätti, nachdem er bald wieder besänftigt war, mocht' mir lang sagen, ich brauch' ihm das Ding gar nicht zu zahlen, ich könn' ihm ja ein billiges Zinslein geben, der Schlempen[2] Weid' werde die Sach' nicht ausmachen, ich soll' nur damit schalten und walten wie mit meinem Eigentum. Ich konnt' es ihm nicht glauben, denn er lachte dabei immer hinten im Maul. Das war mir verdächtig. Aber er hatte guten Grund dafür. Endlich fing ich einfältiger Tölpel an, mich wieder zu beruhigen, und machte aufs neue die Rechnung hinterm Wirt, was ich aus dem Bletz[3] mit der Zeit vor Nutzen ziehen wollte – als eines Tags mir die Kühe in mein Äckerlein brachen, den jungen Samen abfraßen, auch mein Holz eben

1. Bündel. – 2. Streifen. – 3. Stück Land.

damals keine Käufer fand und mir fast alles liegenblieb. Solche gehäufte Unglücksstreiche nahmen mir nun mit eins den Mut; ich überließ den ganzen Plunder wieder dem Vater und bekam von ihm zur Entschädigung ein flanellenes Brusttuch.

XXII.

O der unseligen Wißbegierde

Ich bin in meinen Kinderjahren nur wenige Wochen in die Schule gegangen; bei Haus hingegen mangelte es mir gar nicht an Lust, mich in mancherlei unterweisen zu lassen. Das Auswendiglernen gab mir wenig Müh'. Besonders übt' ich mich fleißig in der Bibel, konnte viele darin enthaltene Geschichten aus dem Stegreif erzählen und gab sonst überhaupt auf alles Achtung, was mein Wissen vermehren konnte. Mein Vater las auch gern etwas Historisches oder Mystisches. Gerad um diese Zeit ging ein Buch aus, *der flüchtige Pater* genannt. Er und unser Nachbar Hans vertrieben sich manche liebe Stunde damit und glaubten an den darin prophezeiten Fall des Antichrists und die dem End' der Welt vorgehnden nahen Strafgerichte wie ans Evangelium. Auch ich las viel darin, predigte etlichen unsrer Nachbarn mit einer ängstlich andächtigen Miene, die Hand vor die Stirn gestemmt, halbe Abende aus dem Pater vor und gab ihnen alles vor bare Münz' aus, und dies nach meiner eignen völligsten Überzeugung. Mir stieg nur kein Gedanke auf, daß ein Mensch ein Buch schreiben könnte, worin nicht alles pur lautere Wahrheit wäre; und da mein Vater und der Hans nicht daran zweifelten, schien mir alles vollends Ja und Amen zu sein. Aber das brachte mich dann eben auf allerlei jammerhafte Vorstellungen. Ich wollte mich gern auf den bevorstehnden Jüngsten Tag recht zubereiten; allein da fand ich entsetzliche Schwierigkeiten, nicht so fast[1] in einem bösen Tun und Lassen als in meinem oft argen Sinn und Denken. Dann wollt' ich mir wieder alles aus dem Kopf schlagen, aber vergebens, wenn ich zumal unterweilen auch in der Offenbarung Johannis oder im Propheten Daniel las, so schien mir alles das, was der Pater schrieb, vollends gewiß und unfehlbar. Und was das Schlimmste war, so verlor ich ob dieser Überzeugung gar alle Freud' und Mut. Wenn ich dann im Gegenteil den Ätti und den Nachbar fast noch fröhlicher sah als zuvor, machte mich solches gar konfus, und kann ich mir's noch itzund nicht erklären, wie das zuging. So viel weiß ich wohl, sie steckten damals beide in schweren Schulden und hofften vielleicht, durch das End' der Welt davon befreit zu werden; wenigstens hört' ich sie oft vom Neufunden Land, Carolina, Pennsylvani und Virgini sprechen, ein andermal überhaupt von einer Flucht, vom Auszug aus Babel, von den Reisekosten und dergleichen. Da spitzt' ich dann die Ohren wie ein Has'. Einmal, erinnr' ich mich, fiel mir wirklich ein gedrucktes Blatt in die Hände, das einer von ihnen auf dem Tisch liegenließ und welches Nachrichten von jenen Gegenden enthielt. Das las ich wohl hundertmal; mein Herz hüpfte mir im Leib bei dem Gedanken an dies herrliche Kanaan, wie ich mir's vorstellte. Ach, wenn wir nur alle schon da wären, dacht' ich dann. Aber die guten Männer, denk ich, wußten ebensowenig als ich, weder Steg noch Weg, und wahrscheinlich noch minder, wo das Geld herzunehmen. Also blieb das schöne Abenteur stecken und entschlief nach und nach von selbst. Indessen las ich immer fleißig in der Bibel, doch noch mehr in meinem Pater und andern Büchern; unter anderm in dem sogenannten *Pantli Karrer* und dann in dem weltlichen Liederbuch, dessen Titel mir entfallen ist.

1. sehr.

Sonst vergaß ich, was ich gelesen, nicht so bald. Allein mein unruhiges Wesen nahm dabei sichtbarlich zu, so sehr ich mich auf mancherlei Weise zu zerstreuen suchte, und, was das Schlimmste war, so hatt' ich das Herz nie, dem Pfarrer oder auch nur dem Vater hievon das mindeste zu offenbaren.

XXIII.

Unterweisung
(1752)

Indessen wundert' es mich doch bisweilen sehr, wie mein Vater und der Pfarrer von diesem und jenem Spruch in der Bibel, von diesem und jenem Büchlin denke. Letztrer kam oft zu uns, selbst zu Winterszeit, wenn er schier im Schnee steckenblieb. Da war ich sehr aufmerksam auf alle Diskurse und merkte bald, daß sie meist bei weitem nicht einerlei Meinung waren. Anfangs kam's mir unbegreiflich vor, wie doch der Ätti so frech sein und dem Pfarrer widersprechen dürfe. Dann dacht' ich auf der andern Seite wieder: Aber mein Vater und der flüchtige Pater zusammen sind doch auch keine Narren und schöpfen ihre Gründe ja wie jener aus der gleichen Bibel. Das ging dann in meinem Sinn so hin und her, bis ich's etwa wieder vergaß und andern Phantaseien nachhing. Inzwischen kam ich in dem nämlichen Jahr zu diesem Pfarrer, Heinrich Näf von Zürich, in die Unterweisung zum Hl. Abendmahl. Er unterrichtete mich sehr gut und gründlich und war mir in der Seele lieb. Oft erzählt' ich meinem Vater ganze Stunden lang, was er mit mir geredet hatte, und meinte dann, er sollte davon so gerührt werden wie ich. Bisweilen tat er mir zu Gefallen wirklich dergleichen[1]; aber ich merkte wohl, daß es ihm nicht recht zu Her-

1. gab sich den Anschein.

zen ging. Doch sah ich auch, daß er überhaupt Wohlgefallen an meinen Empfindungen und an meiner Aufmerksamkeit hatte. Nachwärts ward dieser Heinrich Näf Pfarrer gen Humbrechtikon am Zürichsee, und seither, glaub ich, kam er noch näher an die Stadt. Noch auf den heutigen Tag ist meine Liebe zu ihm nicht erloschen. Viel hundertmal denk ich mit gerührter Seele an dieses redlichen Manns Treu und Eifer, an seinen liebevollen Unterricht, welchen ich von seinen holdseligen Lippen sog und den mein damals gewiß auch für das Gute weiche und empfängliche Herz so begierig aufnahm. – O der redlichen Vorsätze und heiligen Entschlüsse, die ich so oft in diesen unvergeßlichen Stunden faßte! Wo seid ihr geblieben? Welchen Weg seid ihr gegangen? Ach! wie oft seid ihr von mir zurückgerufen und dann leider doch wieder verabscheidet worden! – O Gott! Wie freudig ging ich stets aus dem Pfarrhause heim, nahm gleich das Buch wieder zur Hand und erfrischte damit das Angedenken an die empfangenen heilsamen Lehren. Aber dann war eben bald alles wieder verflogen. Doch selbst in spätern Tagen – sogar in Augenblicken, wo Lockungen von allen Seiten mir die süßesten Mienen machten und mich bereden wollten, das Schwarze sei, wo nicht weiß, doch grau – stiegen mir meines ehemaligen Seelsorgers treugemeinte Warnungen noch oft zu Sinn und halfen mir in manchem Scharmützel mit meinen Leidenschaften den Sieg erringen. Was ich mir aber noch zu dieser Stunde am wenigsten vergeben kann, ist mein damaliges öfteres Heucheln und daß ich, selbst wenn ich mir keines eigentlichen Bösen bewußt war, doch immer noch besser scheinen wollte, als ich zu sein mich fühlte. Endlich – ich weiß es selbst nicht – war vielleicht auch das ein Tuck[1] des armen Herzens: daß ich z. E. oft, und zwar wenn ich ganz allein bei der Arbeit war, wirklich mit

1. Streich, Tücke, Arglist.

größerer Lust etliche geistliche Lieder, die ich von meiner Mutter gelernt, als meine weltlichen Quodlibet[1] sang – dann aber freilich allemal wünschte, daß mich mein Vater itzt auch hören möchte, wie er mich sonst meist nur über meinem losen Lirum Larum ertappte. O wie gut wär's für Eltern und Kinder, wenn sie mehr und soviel immer möglich beisammen wären.

XXIV.

Neue Kameradschaft

Übrigens hatte der Pfarrer in seinem kleinen Krynau gedachtes Jahr 1752 neben mir nur einen einzigen Buben in der Unterweisung. Dieser hieß H. B., ein fuchsroter Erzstockfisch. Wenn ihn der Heer[2] was fragte, hielt der Bursch immer sein Ohr an mich, daß ich's ihm einblasen sollte. Was man ihm hundertmal sagte, vergaß er hundertmal wieder. Am Hl. Abend, da man uns der Gemeind' vorstellte, war er vollends ganz verstummt. Ich mußte darum fast aneinander antworten, von zwei bis fünf Uhr. Im Jahr zuvor hingegen ward ein andrer Knab, J. W., unterwiesen, ein gar geschicktes Bürschlin, der die Bibel und den Catecist[3] vollkommen inne hatte. Mit dem macht' ich um diese Zeit Bekanntschaft. Von Angesicht war er zwar etwas häßlich, die Kinderblattern hatten ihn jämmerlich zugerichtet, aber sonst ein Kind wie die liebe Stunde. Er hatte einen gesprächigen Vater, von dem er viel lernte, der aber daneben nicht der beste und besonders als ein Erzlüger berühmt war. Der konnt' euch stundenlang die abenteurlichsten Dinge erzählen, die weder gestoben noch geflogen[4] waren, so daß es zum Sprüchwort wurde, wenn einer etwas Unwahrscheinliches sagt': „Das ist

1. „Was beliebt", Allerlei, Potpourri. – 2. Pfarrer. – 3. Katechismus. – 4. weder gestoben noch geflogen = erlogen.

ein W.-Lug!" Wenn er redete, rutschte er auf dem Hintern beständig hin und her. Von seinen Fehlern hatte sein kleiner J. keinen geerbt, das Lügen am allerwenigsten. Jedermann liebte ihn. Mir war er die Kron' in Augen. Wir fingen an, über allerlei Sachen kleine Brieflin zu wechseln, gaben einander Rätsel auf oder schrieben uns Verse aus der Bibel zu, ohne Spezifikation, wo sie stünden; da mußte dann ein jeder selbst nachschlagen. Oft hielt es sehr schwer oder gar unmöglich, in den Psalmen und Propheten zumal, wo die Verslin meist erstaunlich kurz und viele fast gleichlautend sind. Bisweilen schrieben wir einander von allen Tieren, welche uns die liebsten seien, dann von allerhand Speisen, welche uns die besten dünken, dann wieder von Kleidungsstücken, Zeug und Farben, welche uns die angenehmsten wären, und so fort. Und da bemühte sich je einer den andern an Anmut zu übertreffen. Oft mocht' ich's kaum erwarten, bis wieder so ein Brieflin von meinem W. kam. Er war mir darin noch viel lieber als in seinem persönlichen Umgang. So dauerte es lange, bis einst ein unverschämter Nachbar allerlei wüste Sachen über ihn aussprengte; denn[1] obschon ich's nicht glaubte, verringerte sich nun (es ist doch wunderbar!) meine Zuneigung gegen ihn von dem Augenblick an. Ein paar Jahre nachher (es war vielleicht ein Glück für uns beide) fiel er in eine Krankheit und starb. – Ein andrer unsrer Nachbarn, H., hatte auch Kinder von meinem Alter; aber mit denen konnt' ich nichts; sie waren mir zu witznasigt, arge Förschler und Frägler. – Um diese Zeit gab mir Nachbar Joggli heimlich um drei Kronen eine Tabakspfeife zu kaufen und lehrte mich schmauchen. Lange mußt' ich's im geheim tun, bis einst ein Zahnweh mir den Vorwand verschaffte, es von dieser Zeit an öffentlich zu treiben. Und, o der Torheit! darauf bildete ich mir nicht wenig ein.

1. dann.

XXV.

Damalige häusliche Umstände

Unterdessen war unsre Familie bis auf acht Kinder angewachsen. Mein Vater stak je länger, je tiefer in Schulden, so daß er oft nicht wußte, wo aus noch an. Mir sagte er nichts; aber mit der Mutter hielt er oft heimlich Rat. Davon hört' ich eines Tags ein paar Worte und merkte nun die Sache so halb und halb. Allein es focht mich eben wenig an; ich ging leichtsinnig meinen kindischen Gang und ließ meine armen Eltern inzwischen über hundert unausführbaren Projekten sich den Kopf zerbrechen. Unter diesen war auch der einer Wanderung ins Gelobte Land zu meinem größten Verdrusse – zu Wasser worden. Endlich entschloß sich mein Vater, alle seine Habe seinen Gläubigern auf Gnad' und Ungnad' zu übergeben. Er berief sie also eines Tags zusammen und entdeckte ihnen mit Wehmut, aber redlich, seine ganze Lage und bat sie, in Gottes Namen Haus und Hof, Vieh, Schiff und Geschirr[1] zu ihren Handen zu nehmen und seinetwegen ihn, nebst Weib und Kindern, bis aufs Hemd auszuziehen; er wolle ihnen noch dafür danken, wenn sie nur einmal ihn der unerträglichen Last entledigen. Die meisten aus ihnen (und selbst diejenigen, welche ihm mit Treiben am unerbittlichsten zugesetzt hatten) erstaunten über diesen Vortrag. Sie untersuchten Soll und Haben, und das Fazit war, daß sie die Sachen bei weitem nicht so schlimm fanden, als sie sich's vorgestellt; so daß sie ihn alle wie aus einem Munde baten, er soll doch nicht so kläglich tun, guten Muts sein, sich tapfer wehren und seine Wirtschaft nur so emsig treiben wie bisher; sie wollen gern Geduld mit ihm tragen und ihm noch aus allen Kräften beraten und beholfen sein; er habe eine Stube voll braver Kinder, die werden

1. Gerätschaften und Fahrhabe eines bäuerlichen Betriebes.

ja alle Tag' größer und können ihm an die Hand gehn; was er mit diesen armen Schafen draußen in der weiten Welt anfangen wollte, und so fort und fort. Allein mein Vater unterbrach sie in diesen liebreichen Äußerungen ihres Mitleids alle Augenblick': „Nein, um Gottes willen, nein! – Nehmt mir doch die entsetzliche Burde ab – Das Leben ist mir so ganz erleidet! – Aufs Besserwerden hofft' ich nun schon dreizehn Jahr' vergebens. – Und kurz, bei unserm Gut hab ich nun einmal weder Glück noch Stern. – Mit sauerm Schweiß und so vielen schlaflosen Nächten grub ich mich nur immer tiefer in die Schulden hinein. – Geb wie ich's machte[1], da half Hausen[2] und Sparen, Hunger und Mangelleiden, bis aufs Blut arbeiten, kurz alles und alles nichts. – Besonders mit dem Vieh wollt's mir durchaus nie gelingen. Verkauft' ich die Küh', um das Futter versilbern zu können und daraus meine Zinse zu bestreiten, so hatt' ich dann mit meiner Haushaltung, die außer dem Güterarbeiten keinen Kreuzer verdienen konnte, nichts zu essen, wenn ich gleich die halbe Losung wieder in andre Speisen steckte. – Schon von Anfang an mußt' ich immer Taglöhner halten, Geld entlehnen und aus einem Sack in den andern schleufen, bis ich endlich mich nicht mehr zu kehren wußte. – Noch einmal, um Gottes willen! Da ist all mein Vermögen. Nehmt, was ihr findet, und laßt mich nur ruhig meine Straße ziehn. Mit meinen ältern Kindern wird's mir wohl möglich werden, uns allen ein schmales Stücklein Brot zu erwerben. Und wer weiß, was der liebe Gott uns noch für die Zukunft beschert hat!" Als nun endlich unsere Gläubiger sahen, daß mit meinem Vater anders nichts anzufangen wäre, nahmen sie das Dreyschlatt mit aller Zubehörd gemeinschaftlich zu ihren Handen, setzten einen Gildenvogt[3], ließen einen neuen

1. Wie ich es auch machte. – 2. Haushalten. – 3. Vermögensverwalter, Vertreter der Gläubigerinteressen. Gilde = Gülte: Schuldtitel.

Überschlag machen und fanden wieder, daß einmal da kein großer Verlust herauskommen könne. Sie schenkten darum dem armen Ätti nicht allein allen Hausrat, Schiff und Geschirr, sondern baten ihn auch, bis sich ein Käufer fände, weiter auf dem Gut zu bleiben und es um billigen[1] Lohn zu bearbeiten. Dieser bestund, nebst freier Behausung und Holzes genug, in der Sömmerung für acht Kühe und Grund und Boden, zu pflanzen, was und wieviel wir konnten und mochten. Itzt war meinem Vater wieder so wohl, als wenn er im Himmel wäre; und was ihm noch am meisten Freud' machte, seine alten Schuldherren waren fast noch zufriedner als er, so daß von dem ersten Augenblick an keiner ihm nur nie eine saure Miene gemacht. Wir hatten ein recht gutes Jahr und konnten neben unsrer Güterarbeit noch eine ziemliche Zeit fürs Salpetersieden entübrigen, das ich nun ebenfalls lernte, als mein Vater einst an einem Bein Ungelegenheit hatte und hernach wirklich bettliegerig ward. Die Schmerzen nahmen täglich so sehr überhand, daß er eines Abends von uns allen Abschied nahm. Endlich gelang es doch dem Herrn Doktor Müller aus der Schomatten, ihn wieder zu kurieren; derselbe tat solches nicht nur ganz unentgeltlich, sondern gab uns noch Geld dazu. Der Himmel wird es ihm reichlich vergelten. – Inzwischen zeigte sich ein Käufer zum Dreyschlatt. Wir waren im Grund alle froh, diese Einöde zu verlassen; aber niemand wie ich, da ich hoffte, das strenge Arbeiten sollt' nun einmal ein End' nehmen. Wie ich mich betrog, wird die Folge lehren.

1. gerechten.

XXVI.

Wanderung auf die Steig zu Wattweil (1754)

Mitten im März dieses Jahrs zogen wir also mit Sack und Pack aus dem Dreyschlatt weg und sagten diesem wilden Ort auf ewig gute Nacht! Noch lag dort klaftertiefer Schnee. Von Ochs oder Pferd war da keine Rede. Wir mußten also unsern Hausrat und die jüngern Geschwister auf Schlitten selbst fortzügeln. Ich zog an dem meinigen wie ein Pferd, so daß ich am End' fast atemlos hinsank. Doch die Lust, unsre Wohnung zu verändern und einmal auch im Tal, in einem Dorf und unter Menschen zu leben, machten mir die saure Arbeit lieb. Wir langten an. Das muß ein rechtes Kanaan sein, dacht' ich; denn hier guckten die Grasspitzen schon unterm Schnee hervor. Unser Gütlin, das wir zu Lehen empfangen hatten, stund voll großer Bäume, und ein Bach rollte angenehm mittendurch. Im Gärtlin bemerkt' ich einen Zipartenbaum[1]. Im Haus hatten wir eine schöne Aussicht das Tal hinauf. Aber übrigens, was das vor eine dunkle, schwarze, wurmstichige Rauchhütte war! Lauter faule Fußboden und Stiegen, ein unerhörter Unflat und Gestank in allen Gemächern. Aber das alles war noch nichts gegen den lebendigen Einsiegel[2], den wir im Haus haben mußten: ein abscheuliches Bettelmensch, das sich besoff, sooft es ein Kirchenalmosen erhielt und auf diese Art zu Wein kam, dann in der Trunkenheit sich mutternackt auszog und so im Haus herumsprang und pfiff, auch, wenn man ihm das geringste einreden wollte, ein Fluchen und Lamentieren erhob wie eine Besessene; weswegen es zwar zum öftern den Rinderriemen bekam, das aber nur aus Übel Ärger machte. Dies Ungeheuer war dann noch über alles aus sehr erpicht auf junge Leute und wollte – puh! mir

1. Mirabellen. – 2. lästige Zugabe.

schaudert's jetzt noch – auch mich anpacken. Das war für mich eine ganz neue Erscheinung; ich redete mit meinem Vater davon, doch ohne jener Versuchung eigentlich zu erwähnen; der sagte mir dann, was eine Katze sei. Nun bekam ich erst einen solchen Ekel vor diesem Tier, daß mir ein Stich durch alle Adern ging, sooft es mir unter Augen kam.

XXVII.

Göttliche Heimsuchung

Wenige Tage nach unsrer Ankunft ward ich mit einem heftigen Frost und Fieber befallen. Ob mir das plötzliche Vertauschen der frischen Bergluft mit der im Tal oder die unreinliche Wohnung oder dann ein schon mitgebrachter Stoff dazu im Körper oder endlich gar der Abscheu vor dem entsetzlichen Geschöpfe das Übel zugezogen, weiß ich selbst nicht. Einmal zuvor war, außert etwa leichten Kopf- und Zahnschmerzen, jedes andre Übelbehagen mir ganz unbekannt. Man ließ den lieben Herrn Doktor Müller kommen; er verordnete mir eine doppelte Aderlässe, zweifelte aber gleich beim ersten Anblick selber an meinem Aufkommen. Am dritten Tag glaubt' ich, nun sei's gewiß mit mir aus, da mir mein armer Kopf beinahe zerspringen wollte. Ich rang, wimmerte, krümmte mich wie ein Wurm und stund Höllenangst aus: Tod und Ewigkeit kamen mir schröcklich vor. Meinem Vater, der sich fast nie von mir entfernte und oft ganz allein um mich war, beichtete ich in einem solchen Augenblick alles, was mir auf dem Herzen lag, sonderlich auch wegen den Verfolgungen des vorerwähnten Unholds, der mir viel zu schaffen machte. Der gute Ätti erschrak entsetzlich und fragte mich, ob ich denn mit dem Tier etwas Böses getan. „Nein, gewiß nicht, Vater!“ (antwortete ich schluchzend), „aber das Ungeheur wollt' mich eben dazu bereden, und ich hab's dir verschwiegen. Das nun, fürcht' ich, sei eine große Sünd'." „Sei nur ruhig, mein Sohn!" (versetzte mein Vater). „Halt dich im stillen zu Gott. Er ist gütig und wird dir deine Sünden vergeben." Dies einzige Wort des Trosts machte mich gleichsam wieder aufleben. O wie eifrig gelobt' ich in diesem Augenblick, ein ganz andrer Mensch zu werden, wenn ich's länger auf Erden treiben sollte. Indessen gab's noch verschiedene Ruckfälle: Einmal wußt' ich vierundzwanzig Stunden lang nichts mehr von mir selber; aber dies war die Krisis. Beim Erwachen fühlt' ich zwar meine Schmerzen wieder, doch in weit geringerm Grade, und was für mich viel wichtiger war, die bangen angsthaften Gedanken blieben völlig aus. Der Doktor fing an, Hoffnung zu schöpfen, und ich nicht minder; und kurz, es ließ sich täglich mehr zur Besserung an, bis ich (Gott und meinem geschickten Arzt sei's ewig gedankt), freilich erst nach etlichen Wochen, wieder ganz auf die Beine kam. Aber das Tiermensch, das wir im Haus hatten und dulden mußten, war mir itzt unausstehlicher als jemals. Mich und alle meine Geschwister überhäufte es mit den unflätigsten Schimpfworten. Während meiner Krankheit sagte es mir oft ins Gesicht, ich sei ein mutwilliger Bankert[1], es fehle mir nichts, man sollte mir statt Arzneien die Rute geben, und dergleichen. Ich bat also meinen Vater so hoch ich konnte, er soll doch die Kreatur uns vom Hals schaffen, sonst könnt' ich in Ewigkeit nicht vollkommen gesund werden. Aber es war unmöglich, vor einmal wollt' sie uns niemand abnehmen. Wenn sie's gar zu schlimm machte, ließen wir sie, wie gesagt, karbatschen[2]. Aber zuletzt wollt' uns auch diesen Dienst niemand mehr leisten, denn jedermann fürchtete sich vor ihr wie vor dem bösen Geist. Mit guten Worten kam

1. uneheliches Kind. – 2. auspeitschen.

man ihr gewissermaßen noch am leichtesten bei. Was indessen mir als die allerherbste Prüfung vorkam, war dieses: daß ich und meine Geschwister in ihrer Gesellschaft mit Baumwollen-Kämmen und Spinnen unsern Feirabend machen mußten. Sobald aber der Sommer anrückte, half ich mir damit, daß ich meine Arbeit, so viel's immer die Witterung zuließ, außer dem Haus verrichtete.

XXVIII.

Jetzt Taglöhner

„Danke deinem Schöpfer!" (sagte inzwischen eines Tags mein Vater zu mir.) „Er hat dein Flehen erhört und dir von neuem das Leben geschenkt. Ich zwar, ich will dir's nur gestehen, dachte nicht wie du, Uli, und hätt' dich und mich nicht unglücklich geschätzt, wenn du dahingefahren wärst. Denn, ach! Große Kinder, große Sorgen! Unsre Haushaltung ist überladen – Ich hab kein Vermögen – Keins von euch kann noch sicher sein Brot gewinnen – Du bist das Älteste. Was willst du nun anfangen? In der Stube hocken und mit der Baumwolle hantieren, seh ich wohl, magst du nicht. Du wirst müssen tagmen[1]." „Was du willst, mein Vater!" antwortet' ich, „nur ja nicht ofenbruten!" Wir waren bald einig. Der damalige Schloßbauer, Weibel K., nahm mich zum Knecht an. Von meiner überstandenen Krankheit war ich noch ziemlich abgemattet; aber mein Meister, als ein vernünftiger und stets aufgeräumter Mann, trug alle Geduld mit mir, um so viel mehr, da er eigne Buben von gleichem Schrot hatte. Die meiste Zeit mußt' er seinen Amtsgeschäften nach, dann ging's freilich oft bunt übereck. Indessen gab er mir auch blutwenig Lohn, und die Frau Bäurin ließ uns manchmal

1. um Taglohn arbeiten.

bis um zehn Uhr nüchtern. Bei strenger Arbeit aber erhielten wir auch immer beßre Kost. Bisweilen brachten wir ihm etwas Wildbret, einen Vogel oder Fisch nach Haus; das ließ er sich vortrefflich schmecken. Eines Tags erbeuteten wir ein ganzes Nest voll junger Krähen; die mußt' ihm seine Hausehre[1] wunderbar präparieren. Er verschlang mit ungeheurer Lust alle bis auf die letzte. Aber mit eins gab's eine Rebellion im Magen. Er sprang vom Stuhl und rannte todblaß und schnellen Schrittes den Saal auf und nieder, wo die Füß' und Federn noch überall zerstreut am Boden lagen! Endlich schneuzt er uns Buben mit lächerlichem Grimm an: „Tut mir das Schinderszeug da weg, oder ich k... euch hunderttausend Dotzend von euern Bestien heraus. Einmal in meinem Leben solche schwarze Teufel gefressen, und nimmermehr!“ Dann legte sich der launigte Mann zu Bette, und mit einem tüchtigen Schweiß ging alles vorbei.

Auch mein Bruder Jakob verrichtete um die nämliche Zeit ähnliche Knechtendienst'. Die Kleinern hingegen mußten in den Stunden neben der Schule spinnen. Unter diesen war Georg ein besonders lustiger Erzvogel. Wenn man ihn an seinem Rädchen glaubte, saß er auf einem Baum oder auf dem Dach und schrie: Guckuck! „Du fauler Lecker!“ hieß es dann etwa von Seite der Mutter, wenn sie ihn so in den Lüften erblickte, und von seiner: „Ich will kommen, wenn du mich nicht schlagen willst; sonst steig ich dir bis in Himmel auf!“ Was war da zu tun? Man mußte meist des Elends lachen.

1. Hausfrau.

XXIX.

Wie? Schon Grillen im Kopf

Und warum nicht? wenn einer in sein zwanzigstes geht, darf er schon ahnden, es gebe zweierlei Leute. Der Weibel hatte ein bluthübsches Töchtergen, aber scheu wie ein Hase. Es war mir eine Freud', wenn ich sie sah, ohne zu wissen warum. Nach etlichen Jahren heuratete sie einen Schlingel, der ihr ein Häufchen Jungens auflud und sich endlich als ein Schelm aus dem Land machte. Das gute Kind!

Dann hatte unser Nachbar Uli eine Stieftochter, Ännchen; die konnt' ich alle Sonntage sehn. Allemal winselt' es mir ein wenig ums Herzgrübchen. Ich wußte wieder nicht warum, denk aber wohl, weil's mich so hübsch dünkte; einmal an etwas anders kam mir gewiß nicht der Sinn. An den gedachten Sonntagen zu Abend machten wir – denn es gab da junger Bursche genug – miteinander Buntreihen, Kettenschleufen, Habersieden, Schühle[1] verbergen, und so fort. Ich war wie in einer neuen Welt, nicht mehr ein Eremit wie im Dreyschlatt. Nun merkt' ich zwar, daß mich Ännchen wohl leiden mocht', dacht' indessen, sie würd' sonst schon ihre Liebsten haben. Einst aber hatte meine Mutter die Schwachheit, mir, und zwar als wenn sie stolz drauf wäre, zu sagen, Ännchen sehe mich gern. Dieser Bericht rannte mir wie ein Feuer durch alle Glieder. Bisher hielt ich dafür, meine Eltern würden's nicht zugeben, daß ich noch so jung nur die geringste Bekanntschaft mit einem fremden Mädchen hätte. Itz aber (so wichtig ist es, die Menschen in nützlichen Meinungen auch nur durch kein unvorsichtiges Wort irrezumachen!) merkt' ich's meiner Mutter deutlich an, daß ich so etwas schon wagen dürfte. Indessen tat ich wohl nicht dergleichen; aber meine innre Freud'

1. Jules = Nachttöpfe.

war nur desto größer, daß man mir itzt selbst die Tür aufgetan, unter das junge lustige Volk zu wandeln. Von dieser Zeit an, versteht sich's, schnitt ich bei allen Anlässen Ännchen ein entschieden freundlich Gesichtgen; aber daß ich ihr mit Worten etwas von Liebe sagen durfte – o um aller Welt Gut willen hätt' ich dazu nicht Herz gehabt. Einst erhielt ich Erlaubnis, auf den Pfingst-Jahrmarkt zu gehn. Da sann ich lang hin und her, ob ich sie aufs Rathaus zum Wein führen dürfe. Aber das schien mir schon zuviel gewagt. Dort sah ich sie eins herumschlängeln. Herodes mag das Herz nicht so gepocht haben, als er Herodias' Tochter tänzeln sah! Ach! so ein schönes, schlankes, nettes Kind, in der allerliebsten Zürchbietler-Tracht! Wie ihm die goldfarbnen Zöpf' so fein herunterhingen! – Ich stellte mich in einen Winkel, um meine Augen im verborgnen an ihr weiden zu können. Da sagt' ich zu mir selbst: Ah! in deinem Leben wirst du Lümmel nie das Glück haben, ein solch Kind zu bekommen! Sie ist viel, viel zu gut für dich! Hundert andre weit beßre Kerls werden sie lang, lang vor dir erhaschen. So dacht' ich, als Ännchen, die mich und meine Schüchternheit schon eine geraume Zeit mochte bemerkt haben, auf mich zukam, mich freundlich bei der Hand nahm und sagte: „Uli! führ du mich auch eins herum!" Ich feuerrot erwiderte: „Ich kann's nicht, Ännchen! Gewiß, ich kann's nicht!" „So zahl mir denn eine Halbe[1]", versetzte sie, ich wußt' nicht recht, ob im Schimpf oder Ernst. „Es ist dir nicht ernst, Schleppsack", erwidert' ich darum. Und sie: „Mi See[2], 's ist mir ernst!" Ich todblaß: „Mi See, Ännchen, ich darf heut nicht! Ein andermal. Gwüß[3], ich möcht' gern, aber ich darf nicht!" Das mocht' ihr ein wenig in den Kopf steigen, sie ließ sich's aber nicht merken, trat mir nix dir nix rückwärts und machte ihre Sachen wie zuvor. So auch ich – stolperte noch eine Weile

1. halbe Maß Wein. – 2. meiner Seel'! – 3. gewiß.

von einer Ecke in die andre und machte mich endlich wie alle übrigen auf den Heimweg. Ohne Zweifel, daß Ännchen auf mich acht gegeben. Einmal nahe beim Dorf kam sie hinter mir drein: „Uli! Uli! Jetzt sind wir allein. Komm noch mit mir zu des Seppen und zahl mir eine Halbe!" „Wo du willst", sagt' ich, und damit setzten wir ein paar Minuten stillschweigend unsre Straße fort. „Ännchen! Ännchen!" hob ich dann wieder an: „Ich muß dir's nur grad sagen, ich hab kein Geld. Der Ätti gibt mir keins in Sack als etwa zu einem Schöpplein, und das hab ich schon im Städtlin verputzt. Glaub mir's, ich wollt' herzlich gern – und dich dann heimgeleiten! O! aber da müßt' ich dann wieder meinen Vater fürchten. Gwüß, Ännchen! 's wär' das erstemal. Noch nie hätt' ich mich unterstanden, ein Mädle zum Wein zu führen; und jetzt, wie gern ich's möcht', und auf Gottes Welt keine lieber als dich – bitte, bitte, glaub mir's, kann und darf ich's nicht. Gwüß ein andermal, wenn du mir nur wartst, bis ich darf und Geld hab." „Ei Possen, Närrlin!" versetzte Ännchen, „dein Vater sagt nichts, und bei der Mutter will ich's verantworten – weiß schon, wo der Has' lauft. Geld? Mit samt dem Geld! 's ist mir nicht ums Trinken und nicht ums Geld. Da" (und griff ins Säcklin), „hier hast du, glaub ich, gnug zu zahlen, wie's der Brauch ist. Mir wär's ein Ding; ich wollt' lieber für dich zahlen, wenn's so Mode wär'." Paff! itzt stand ich da wie der Butter an der Sonne, gab endlich Ännchen mit Zittern und Beben die Hand, und so ging's vollends ins Dorf hinein, zum „Engel". Mir ward's blau und schwarz vor den Augen, als ich mit ihr in die Stube trat und da alles von Tischen voll Leuten wimmelte, die, einen Augenblick wenigstens, auf uns ihre Blicke richteten; indessen deucht' es mich dann auch wieder, Himmel und Erde müss' einem gut sein, der ein so holdes Mädchen zur Seite hat. Wir tranken unsre Maß aus, so weder zu langsam noch zu geschwind; zu schwatzen gab's – ich denk, durch meine Schuld – eben nicht viel. Entzückt und ganz durchglüht von Wein und Liebe, aber immer voll Furcht, führt' ich nun das herrliche Kind nach Haus bis an die Türe. – Keinen Kuß? Keinen Fuß über ihre Schwelle? – Ich schwör es: Nein! Auch ich lief nun schnurstracks heim, ging mausstill zu Bett und dachte: Heut wirst du bald und süßer entschlummern als sonst noch nie in deinem Leben! Aber wie ich mich betrog! Da war von Schlaf nur keine Rede. Tausend wunderbare Grillen gingen mir im Kopf herum und wälzten mich auf meinem Lager hin und her. Hauptsächlich aber, wie verwünscht' ich jetzt meine kindische Blödigkeit und Furcht: „O das himmlische süße Mädchen!“ dacht' ich jetzt, „konnt' es wohl mehr tun – und ich weniger? Ach! es weißt nicht, wie's in meinem Busen brennt – und nur durch meine Schuld. O ich Hasenherz! Solch ein Liebchen nicht küssen, nicht halb zerdrücken? Kann Ännchen so einen Narrn, so einen Lümmel lieben? Nein! Nein! – Warum spring ich nicht auf und davon, zu ihrem Haus, klopf an ihrer Tür und rufe: Ännchen, Ännchen, liebstes Ännchen! Steh auf, ich will abbitten! O, ich war ein Ochs, ein Esel! verzeih mir's doch! Ich will's künftig besser machen und dir gewiß zeigen, wie lieb mir bist! Herziger Schatz! ich bitt dich drum, sei mir doch weiter gut und gib mich nicht auf. – Ich will mich bekehren – bin noch jung – und was ich nicht kann, will ich lernen“, und so fort. So machte mich, gleich vielen andern, die erste Liebe zum Narrn.

XXX.

So geht's

Des Morgens in aller Frühe flog ich nach Ännchens Haus – ja, das hätt' ich tun sollen, tat's aber eben nicht. Denn ich schämt' mich vor ihr, daß mir's Herz davon weh tat – in die Seel' hinein schämt' ich mich, vor den Wänden, vor Sonn' und Mond, vor allen Stauden schämt' ich mich, daß ich gestern so erzalbern tat. Meine einzige Entschuldigung vor mir selber war diese, daß ich dachte, es hätte so seine eigne studierte Art, mit den Mädels umzugehn, und ich wüßte diese Art nicht. Niemand sage mir's, und ich hätt' nicht das Herz, jemand zu fragen. Aber so (roch's mir dann wieder auf) darfst du Ännchen nie, nie mehr unter Augen treten, fliehen mußt du vielmehr das holde Kind oder kannst wenigstens nur im verborgenen mit ihr deine Freud' haben, nur verstohlen nach ihr blicken. – Inzwischen macht' ich eine neue Bekanntschaft mit ein paar Nachbarsbuben, die auch ihre Schätz' hatten – um etwa heimlich von ihnen zu erfahren, wie man mit diesen schönen Dingen umgehen und es machen müsse, wenn man ihnen gefallen wolle. Einmal nahm ich gar das Herz in beide Händ' und fragte sie darum; aber sie lachten mich aus und sagten mir so närrisches und unglaubliches Zeug, daß ich nun gar nicht mehr wußte, wo ich zu Haus war.

Inzwischen ward diese Liebesgeschicht', die ich doch gerne vor mir selber verborgen hätte, bald überall laut. Die ganze Nachbarschaft, und besonders die Weiber, gafften mir, wo ich stund und ging, ins Gesicht, als ob ich ein Eisländer wäre: „Ha, ha, Uli!" hieß es dann etwa, „du hast die Kindsschuh' auch verheyt[1]." Meine Eltern wurden's ebenfalls inne. Die Mutter lächelte dazu, denn Ännchen war ihr lieb. Aber der Vater blickte mich desto trüber an, doch ließ er sich kein Wörtgen verlauten, als ob er wirklich in meinem Busen Unrat lese. Das war nur desto peinigender für mich. Ich ging indessen überall umher wie der Schatten an der Wand und wünschte oft, daß ich Ännchen nie mit einem Aug' gesehen hätte. Auch meine Bauersleute rochen bald den Braten und spotteten meiner.

1. abgetragen, zerrissen.

Eines Abends kam mir Ännchen so in den Wurf, daß ich ihr nicht entwischen konnte. Ich stund da wie versteinert. „Uli!" sagte sie, „komm heut z'Nacht ein bißli zu mir, ich hab mit dir z'reden. Willst kommen, sag?" – „Ich weiß nicht", stotterte ich. – „Eh, komm! Ich muß notwendig mit dir reden; sag, versprich mir's!" „Ja, ja, gwiß, wenn ich kann!" Mir mußten scheiden. Ich rannte eilends nach Haus. Himmel! dacht' ich, was mag das sein? Kann das liebe Ännchen mir noch so freundlich begegnen? Soll ich, darf ich? – Ja, ich muß, ich will gehn. – Nun geriet ich – ob aus Ehrlichkeit oder List, weiß ich selbst nicht – auf den guten Einfall, das Ding der Mutter zu sagen. „Ja, ja, geh nur", sprach diese; „ich will dir nach dem Essen schon forthelfen, daß kein Hahn darnach krähen soll." Das war mir recht gekocht. Alles gesagt, getan. Ich ging hin und traf Ännchen, ihre Mutter und ihren Stiefätti (sie hielten sonst eine Schenke) ganz allein an. Ich ließ ein Glas Brenz[1] holen, um doch etwas zu tun, bis die Alten im Bett wären, weil ich nichts zu reden wußte. Aus lauter Furcht saß ich weit von Ännchen weg. – Aber darum mocht' ich's doch kaum erwarten, bis die Eltern zur Ruh' gingen. Endlich geriet's. Da fing denn mein Liebchen an, in einem fort zu schnättern, daß es lieblich und doch betrübt zu hören war – als sie mir jetzt über mein kaltes Bezeigen Vorwürf' über Vorwürf' machte und alles, was sie die Zeit her über mich schwatzen gehört, mir unter die Nase rieb. Ich faßte Mut, verantwortete mich, so gut ich konnte, und sagt' ihr auch gerad allen Kram heraus, was die Leut von ihr redeten und wofür man sie hielt – von meinen Gesinnungen hingegen kein Wort. „So!" sagte sie, „was schiert mich der Leute Reden! Ich weiß schon, wer ich bin – und hinter dir hätt' ich doch ein wenig mehr als soviel gesucht. Macht aber nichts, schad't gar nichts!" Nachdem

1. Brenz, Branz: Branntwein.

dieser Wortwechsel noch ein Weilchen fortgedauert hatte und mir das Brenz ein wenig in den Kopf stieg, wagt' ich's, ihr ein bißlin näher zu rücken, denn das zwar bös scheinende, aber verzweifelt artige Räsonieren gefiel mir in der Seele wohl. Ich erkühnte mich sogar, ihr einige läppische Lehrstücke von erznärrischen Liebkosungen zu machen. Sie wies mich aber frostig zurück und sagte: „Kannst mir warten! Wer hat dich das gelehrt?", und dergleichen. Dann schwieg sie eine Weile still, guckte steif ins Licht, und ich, ein gut Klafter von ihr entfernt, ihr ins Gesicht. O ihre zwei blauen Äuglin, die gelben Haarlocken, das nette Näschen, das lose Mäulchen, die sanftroten Bäcklin, das feine Ohrläpplin, das geründelte Kinn, das glänzend weiße Hälschen – O in meinem Leben hab ich so nichts gesehn – Kein Maler vom Himmel könnt's schöner malen. „Dürft' ich doch" (dacht' ich) „auch nur ein eineinziges Mal einen Kuß auf ihr holdes Mündlein tun. Aber nun hab ich's schon wieder – und ach! wohl gewiß auf ewig verdorben! Ich nahm also kurz und gut Abschied. Ganz frostig sagte sie: „Adieu!" Ich noch einmal: „Leb wohl, Anne!" – und im Herzen: Leb ewig wohl, herzallerliebstes Schätzgen! – – Aber vergessen konnt' ich sie nun einmal nicht. In der Kirch' sah ich sie mehr als den Pfarrer, und wo ich sie erblickte, war mir wohl ums Herz. Eines Sonntagabends sah ich einen Schneiderbursch Ännchen heimführen. Wie da urplötzlich mein Blut sich empörte und alle Säfte mir in allen Gliedern rebellierten! Halb sinnlos sprang ich ihnen auf dem Fuß nach. Ich hätte den Schneider erwürgen können, aber ein gebietender Blick von Ännchen hielt mich zurück. Inzwischen macht' ich ihr nachwärts bittre Vorwürf' drüber und eine ganze Litanei von räudigen Schneidern und Schneidereigenschaften. Dacht' halt: Verloren ist verloren! – Aber Anne blieb mir nichts schuldig, wie ihr's leicht denken könnt.

XXXI.

Immer noch Liebesgeschichten. Doch auch anders mitunter

Laßt mich, meine Kinder, Freunde, Leser! wer ihr sein mögt, ich bitt euch, laßt mich ein Tor sein! Es ist Wohllust – süße, süße Wohllust, so in diese seligen Tage der Unschuld zurückzugehn, sich all die Standorte wieder zu vergegenwärtigen und die schönen Augenblick' noch einmal zu fühlen, wo man – gelebt hat. Mir ist, ich werde von neuem jung, wenn ich an diese Dinge denke. Ich weiß alles noch so lebhaft, wie's mir war, wie's mich deuchte, empfinde noch jedes selige Weilchen, das ich mit meinem Ännchen zubrachte – möchte jeden Tritt beschreiben, den ich an ihrer Seite tat. Verzeiht mir's und überschlagt's, wenn's euch ekelt.

Ännchens Stiefätti war ein leichtsinniger Brenzwirt; ihm galt's gleichviel, wer kam und ihm sein Brenz absoff. Ich war nun in kurzem bei seinem Töchtergen wieder wohl am Brett und genoß dann und wann ein herrliches Viertelstündchen bei ihr. Das lag nun meinem Vater gar nicht recht. Er sprach mir ernstlich zu; es half aber alles nichts, Ännchen war mir viel zu lieb. Fürchterlich schimpft' er bisweilen auf dies verdammte Brenznest, wie er es nannte, und Anne sah er für eine liederliche Dirn' an, und doch, Gott weiß es! das war sie – wenigstens damals nicht, [sie,] das redlichste, brävste Mädchen, das ich je untern Händen gehabt, fast meiner Länge, so schlank und hübsch geformt, daß es eine Lust war. Aber ja, schwätzen konnt' sie wie eine Dohle. Ihre Stimme klang wie ein Orgelpfeifchen. Sie war immer munter und alert[1], um und um lauter Leben; und das macht' es eben, daß mancher Sauertopf so schlimm von ihr dachte. Wenn meine Mutter meinen

1. aufgeräumt, flink (frz. alerte).

Vater nicht bisweilen eines Bessern belehrt, er hätt' mit Stock und Stein dreingeschlagen.

So verstrich der Sommer. Noch in keinem hatten mir die Vögel, die ich alle Morgen mit Entzücken behorchte, so lieblich gesungen. Gegen den Herbst zogen wir in die Pulverstampfe. Herr Ammann H. nahm nämlich um diese Zeit meinen Vater zum Pulvermacher an. Der Meister, C. Gasser, wurde von Bern verschrieben und lehrt' uns dies Handwerk aus dem Fundament, so daß wir auch das Schwerste in wenig Wochen begreifen konnten. Unter anderm war mein Ätti froh, mich itzt ein Stück weit von Ännchen weg zu haben. Auch überwand ich mich ziemlich lang – als das liebe Kind einst unversehns zu uns zu Stubeten[1] kam. Ich erschrak sehr und dacht' wohl, da würd' ein Wetter losgehn. Solang sie da war, hingen des Vaters Augbraunen tief herunter, er schnaubte vor Grimm, red'te kein Wort – horchte aber, wie man leicht merken mochte, auf alle Scheltwort'. O, wie dauerte mich das herrliche Schätzchen! Würd's doch mein Vater wie ich kennen, wie ganz anders wär's da empfangen worden. Des Abends geleitete ich sie nach Haus. Noch war ich immer der alte blöde Junge. Sie neckte mich artlicher als sonst noch nie, aber doch mußt's geneckt sein. Morgens drauf, da erst ging des Ättis Predigt an: Was er an Ännchen Ungereimtes bemerkt – oder vielmehr bemerkt haben wollte – was er gehört – und nicht gehört, sondern nur vermutet, das alles kam in die Nutzanwendung dieser schönen Sermon. Allerhand Spottnamen – und kurz, alles, was Ännchen in meinen Augen verächtlich machen sollte, blieb per se nicht aus. Und wirklich, so lieb mir das Mädchen war, nahm ich mir itzund doch vor, von ihr abzustehn, weil mir der Vater sie schwerlich jemals lassen würde und inzwischen noch mancher Ehrenpfenning ihretwegen spazieren müßte. Gleich-

1. zu Besuch.

wohl darf ich zu ihrem Preis auch das nicht verschweigen, daß sie mich nie um Geld bringen wollte, ja daß sie sogar, wann ich für sie etwa ein Brenzlin zahlte, nicht selten die Ürte[1] mir heimlich wieder zusteckte. Eines Tags nun sagt' ich zum Ätti: „Ich will nicht mehr zur Anne gehn, ich versprich dir's." „Das wird mich freuen", sprach er, „und dich nicht gereuen. Uli, ich mein's gewiß gut mit dir. – Sei doch nicht so wohlfeil! – Du bist noch jung und kömmst noch alleweil früh gnug zum Schick. – Unterdessen geht's dir sicher mehr auf als ab. – So eine gibt's noch, wann der Markt vorbei ist. – Führ dich brav auf, bet und arbeite und bleib fein bei Haus, dann gibst ein rechter Kerl, ein Mann ins Feld, und ich wette, bekommst mit der Zeit ein braves Bauernmädle. Indessen will ich immer für dich sorgen", und so fort und fort.

So ging der Winter vorbei. Aber mein Wort hielt ich wenig und sah Ännchen, sooft es immer ingeheim geschehen konnte.

Von Gallitag[2] bis in März konnten wir kein Pulver machen. Ich verdient' also mein Brot mit Baumwollenkämmen, die andern mit Spinnen. Der Vater machte die Hausgeschäft', las uns etwa an den Abenden aus David Hollatz, Böhm und Meads[3] *Beynahe-Christ* die erbaulichsten Stellen vor und erklärte uns, was er für unverständlich hielt, aber eben auch nicht allemal am verständlichsten. Ich las auch für mich. Aber mein Sinn stund meist nicht im Buch, sondern in der weiten Welt.

1. Zeche. – 2. 16. Oktober, dem hl. Gallus, dem Gründer des Klosters St. Gallen, geweiht. – 3. Pietistische und theosophische Erbauungsschriftsteller.

XXXII.

Nur noch diesmal
(1755)

Im folgenden Frühling hieß es: Wohin nun mit so viel Buben? Jakob und Jörg wurden zum Pulvermachen bestimmt, ich zum Salpetersieden. Bei diesem Geschäft gab mir mein Vater Uli M., einen groben, aber geraden, ehrlichen Menschen zum Gehülfen, der ehemals Soldat gewesen und das Handwerk von seinem Vater her verstund, der in seinem Beruf aber elend genug verstorben, da er in einen siedenden Salpeterkessel fiel. Wir beide Ulis fingen also miteinander im März 1755 in der Schamatten unsern Gewerb an. Da gab's immer unter der Arbeit allerlei Gespräche, die dann M. durch irgendeinen Umweg – und wie ich nachwärts erfuhr, geflissen, vielleicht gar auf Anstiften meines Vaters – meist auf Heuratsmaterien zu lenken wußte und mir endlich eine gewisse schon ziemlich ältliche Tochter zur Frau empfahl, die bald auch meinen Eltern, dem Ätti besonders, eben ihres bestandenen Alters und stillen Wandels wegen, sehr wohl gefiel. Ihnen zu Gefallen führt' ich diese Ursel (so hieß sie) ein paarmal zum Wein. Mein Uli machte gar viel Rühmens von diesem Esaugesicht, das er nach seiner eignen Sag' schon vor zehn Jahren karessiert[1] hätte. Daß ich eben wenig Reizendes an ihr entdeckte, versteht sich schon. Eine Stunde bei ihr dünkte mich eine halbe Nacht, so gut sie mir immer begegnete, ja, je besser, desto schlimmer für mich. Übrigens trug sie eine ordentliche Bauerntracht. Aber mit Ännchen verglichen, war's halt wie Tag und Nacht. Als mich daher letztre eines Tags an der Straß' auffing, sprach sie mit bitterm Spott: „Pfui, Uli! So ein Haargesicht, so eine Iltishaut, so ein Tanzbär! Mir sollt' keiner mehr auf einen Büchsenschuß nahe

1. umworben, liebkost.

kommen, der sich an einer solchen Dreckpatsche beschmiert hätte! – Uhi! wie stinkst!" Das ging mir durch Mark und Bein. Ich fühlte, daß Ännchen recht hatte; aber dennoch verdroß es mich. Ich verbiß indessen meinen Unmut, schlug ein erzwungenes Gelächter auf und sagte: „Gut, gut, Ännchen! Aber nächstens will ich dir alles erklären!", und damit gingen wir voneinander. – Es währte kaum vierundzwanzig Stunden, so gab ich meiner grauen Ursel förmlichen Abschied. Sie sah mir wehmütig nach und rief immer hintendrein: „Ist denn nichts mehr zu machen? – Bin ich dir zu alt oder nicht hübsch genug? – Nur auch noch einmal", und dergleichen. Aber ein Wort, ein Mann.

Am nächsten Huheijatag, wo Ännchen auch gegenwärtig war, sah sie, daß ich allein trank. Sie kam freundlich gegen mir und lud mich auf den Abend ein. Voll Entzücken flog ich zu ihr hin und merkte bald, daß ich wieder recht willkomm' war, obschon mir das schlaue Mädle über meine Bekanntschaft mit Urseln aufs neue die bittersten Vorwürfe machte. Ich erzählte ihr haarklein alles, wie das Ding zugegangen. Sie schien sich zu beruhigen. Das machte mich herzhafter; ich wagte zum erstenmal, es zu versuchen, sie an meine Brust zu drücken und einen Kuß anzubringen. Aber potz Welt! da hieß es: „So! Wer hat dich das gelehrt? G'wiß die alte Hudlerin. Geh, geh, scher dich und sitz erst ins Bad, dir den Unrat abzuwaschen." – Ich: „Ha! Ich bitt dich, Schätzle! sei mir nicht kurios! Hab dich ja alleweil geliebt und lieb dich je länger, je stärker. Laß mich doch – nur auch eins!" Sie: „Abslut nicht! Um alles Geld und Gut nicht! Fort, fort, nimm deine Trallwatsch[1], die dir das Ding gewiesen!" – Ich: „Ach, Ännchen! Schätzchen! Laß mich doch! Hätt' dich schon lang schon, für mein Leben gern – ach mein Gott!" – Sie: „Laß mich doch gehn – ich bitt dich! – G'wiß nicht.

1. plumpe, einfältige Person.

– Einmal itzt nicht." – Endlich sagte sie freundlich lächelnd: „Wenn du wiederkommst!" Aber dreimal, wenn ich wiederkam, fing das verschmitzte Mädchen das nämliche Spiel an. Und so können diese schlauen Dinger die dummen Buben lehren. Endlich schlug die erwünschte Stunde: „Ännchen, Ännchen! liebstes Ännchen! Kannst's auch übers Herz bringen? Bist mir doch so herzinniglich lieb! Und ich sollt' kein einzig Mal dein holdes Mündchen küssen? Gelt, du erlaubst's mir? – Ich kann's nicht länger aushalten. Lieber will ich dich ganz und gar meiden." Itzt drückte sie mir freundlich die Hand, sagte aber wieder: „Nun gewiß, das nächstemal, wenn du wiederkommst!" Hier fing mir an die Geduld auszugehn. Ich ward wild und schnippisch. Sie hinwieder befürchtete glaublich Unrat, foppte mich zwar, wie es scheinen sollte, noch immer fort, daß es eine Lust war – aber mit eins kam ihr ein Tränchen ins Aug', und sie wurde zahm wie ein Täubchen. „Nun ja!" sagte sie, „'s ist wahr, du hast doch die Prob' ausgehalten – du solltest mir für deine Sünd' büßen. Aber die Straf' hat mich mehr gekostet als dich, liebes, herziges Üchelin[1]!" Dies sagte sie mit einem so süßen Ton, der mir itzt noch wie ein fernes Silberglöcklin ins Ohr läutet: Ha! (dacht' ich einen Augenblick) Itzt könnt' ich dich wieder strafen, loses Kind! – Aber ich bedacht' mich bald eines Bessern – riß mein Liebchen in meine Arme, gab ihr wohl tausend Schmätzchen auf ihr zartes Gesichtlin überall herum, von einem Ohr bis zum andern – und Ännchen blieb mir kein einziges schuldig; nur daß ich schwören wollte, daß die ihrigen noch feuriger als die meinigen waren. So ging's ohne Unterlaß fort mit Herzen und Schäkern und Plaudern bis zur Morgendämmerung. Itzt kehrt' ich jauchzend nach Haus und glaubte, der erste und glücklichste Mensch auf Gottes Erdboden zu sein. Aber bei allem dem

1. Diminutiv von Uchel (Ulrich).

fühlt' ich's lebhaft: Noch fehle mir – und dann wußt' ich doch nicht was. Meist aber kam's, glaub ich, darauf hinaus: O könnt' ich mein Ännchen – könnt' ich dies holde, holde Kind doch ganz, ganz besitzen – völlig, völlig mein heißen – und ich sein – sein Schätzgen, sein Liebchen. Wo ich darum stund und ging, waren meine Gedanken bei ihr. Alle Wochen durft' ich eine Nacht zu ihr wandeln; die schien mir eine Minute, die Zwischenzeit sechs Jahre zu sein. O der seligen Stunden! Da setzte es tausend und hunderterlei verliebte Gespräche – da eiferten wir in die Wette, einander in Honigwörtgen zu übertreffen, und jeder neue oder alte Ausdruck galt einen neuen Kuß. – Ich mag nicht schwören – und schwöre nicht –, aber das waren gewiß nicht nur die seligsten, sondern – auch die schuldlosesten Nächte meines Lebens! – Und doch – ich darf's noch einmal nicht verbergen –, aber Ännchens Ruf war nicht der beste. Dies hatte sie ohne Zweifel ihrem freien, geschwätzigen Mäulchen zu verdanken. Ich hingegen habe stets und immer mehr das redlichste, beste, züchtigste Mädchen an ihr gefunden. Freilich – von jenen mannigfaltigen eigentlichen Verführerkünsten braucht' ich und kannt' ich wirklich keine – und doch bin ich vollkommen überzeugt, daß sie auch dergleichen siegreich widerstanden wäre.

So ging der mir unvergeßliche Sommer des Jahrs 1755 wie eine Woche vorbei, und täglich gewann ich mein Ännchen lieber. Vor alle andern Mädels ekelte mir's, obgleich ich von Zeit zu Zeit Gelegenheit hatte, mit den artlichsten Töchtern des Lands bekannt zu werden. – Inzwischen war ich ein muntrer Salpetersieder, bald allein, bald in Gesellschaft mit jenem andern Uli, der sich noch immerfort große Mühe gab, mir die wunderbarsten Dinger anzukuppeln. Aber – puh! – davon war nun keine Rede mehr, nebendem daß ich jetzt noch überall an kein Heuraten denken durfte.

XXXIII.

Es geht auf Reisen

Es war im Herbste, als ich eines Tags meinem Vater eine hübsche Buche im Wald fällen half. Ein gewisser Laurenz Aller von Schwellbrunn, ein Rechen- und Gabelmacher, war uns auch dabei behülflich und kaufte uns nachwärts das schönste davon ab. Unter allerhand Gesprächen kam's auch auf mich: „Ei, ei, Hans!" sagte Laurenz, „du hast da einen ganzen Haufen Buben. Was willst auch mit allen anfangen? Hast doch kein Gut und kann keiner kein Handwerk. Schad', daß du nicht die größten in die Welt 'nausschickst. Da könnten sie ihr Glück gewiß machen. Siehst's ja an des Hans Joggelis seinen; die haben im Welsch-Berngebiet gleich Dienst' gefunden, sind noch kaum ein Jahr fort und kommen schon wie ganze Herren neumontiert, mit goldbordierten Hüten heim, sich zu zeigen, und wurden um kein Geld mehr hiezuland bleiben." „Ha!" sagte mein Vater, „aber meine Buben sind dazu viel zu läppisch und ungeschickt, des Hans Joggelis hingegen witzig und wohlgeschult, können lesen, schreiben, singen und geigen. Meine sind pur lauter Narren in Vergleichung, sie stehen, wo man's stellt, und tun's Maul auf." „Behüte Gott!" versetzte Laurenz, „mußt das nicht sagen, Hans! Sie wären gwiß wohl zu brauchen; sonderlich der Große da ist wohl gewachsen, kann ja auch lesen und schreiben und ist sicher kein Stockfisch – seh's ihm wohl an. Potz Wetter! wenn der recht getummelt wird, das gäb' ein Kerl! Würdst die Augen aufsperren! Hans, ich will dir Mann dafür sein, daß er nach Jahr und Tag heimkommt gestiefelt und gespornt und Geld hat wie Hünd', daß es dir ein' Ehr' und Freud' sein soll." Während diesem Gespräch sperrt' ich Maul und Augen auf, guckte dem Vater ins Gesicht und er mir und sprach: „Was meinst, Uli?" Aber eh' ich antworten konnte, fuhr Laurenz fort: „Potz Hagel! wenn ich noch so jung wär' und's Maul voll hübsche Zähn' hätte wie du, das ganze Tockenburg mit allen seinen Stricken und Seilern sollten mich nicht im Land behalten. Ich bin auch in der Welt 'rumkommen. Ha! da gibt's G'lobte Länder und Geld z'verdienen wie Dreck. Weiß, was ich da gesehen hab. Aber ich war halt ein liederlicher Narr, und nun ist's zu spät, wenn man dem Alter zuruckt und gar ein Weib hat. O, ich möchte noch brieggen* darob! Aber was ist zu machen?" „Alles gut", fiel itzt mein Vater ein, „aber da müßt' er Empfehlungsschreiben oder sonst jemand haben, der ihm in den Teich hülfe. Ich wollte freilich gern alle meine Kinder versorgt wissen und keinem vor dem Glück stehn. Aber –" „Aber, was aber?" unterbrach ihn Laurenz. „Da laß mich dafür sorgen; es soll dich nicht einen Heller kosten, Hans! und Bürg' will ich dir sein, dein Bub soll versorgt werden, daß er ein Mann, daß er ein Herr gibt. Ich kenne weit und breit angesehene Leut' genug, die solche Bursch' glücklich machen können; und da will ich dem Uli gwiß den besten aussuchen, daß er mir's sein Lebtag danken soll." – Mein Vater traute gegen seine Gewohnheit diesmal sehr geschwind; denn er war diesem Laurenz sonst gut. Und von mir kam's – einige Liebesskrupel ausgenommen, von denen wir bald reden werden – wohl gar nicht in die Frage. Sobald es einmal von des Ättis Seite wirklich hieß: „Wie, Uli, hättst Lust?", hieß es von meiner: „Ja!" Mein Vater mochte um so viel zufriedener sein, da er mich dergestalt vollends von Ännchen entfernen konnte. Der Mutter hingegen lag's gar nicht recht. Aber man weiß es schon: Wenn der Näbishans einmal einen Entschluß gefaßt, hätten ihn Himmel und Erde nicht mehr davon abwendig gemacht. Es

* So ein Mittelding zwischen Weinen und Heulen, so wie's etwa, nebst den Kindern – noch die erträglichern Weibsschälke tun. (Anm. d. Erstausg.)

ward also Tag und Stund' abgered't, wo ich mit Laurenz verreisen sollte, ohne weiter einem Menschen ein Wort davon zu sagen: denn es mache nur unnötigen Lärm, sagte mein Führer.

XXXIV.

Abschied vom Vaterland

Gute Nacht, Welt! Ich geh ins Tirol. So hieß es bei mir. Denn, einsteils wenigstens, war ich lauter Freude, meinte, der Himmel hange voll Geigen und Hackbrettlin, und hätt' ich Siegel und Brief in der Ficke[1], mein Glück sei schon gemacht. Andersteils aber ging's mir freilich entsetzlich nahe – nicht eben das Vaterland, aber das Land zu meiden, wo mein Liebstes wohnte. Ach! könnt' ich mein Ännchen nur mitnehmen, dacht' ich wohl hunderttausendmal. Aber dann wieder: Fünf, höchstens sechs Jahr' sind doch auch bald vorbei. Und wie wird's dann mein Schätzgen freuen, wenn ich, mit Ehr' und Gut beladen, wie ein Herr nach Haus kehren – oder es zu mir in ein Gelobt Land abholen kann.

Also, auf den 27. Herbstmonat, Samstagabends, ward's abgered't, den Weg in Gottes Namen unter die Füße zu nehmen. „Wir wollen bei Nacht und Nebel fort", sagte Laurenz, „es gibt sonst ein gar zu wunderfitzig Gelüg, und an einem Werktag hab ich nicht Zeit. Mach dich also reisfertig. Einen guten Rock, damit ist's getan." Samstagmorgens macht' ich also alles zurecht. Nun ging's an den Abschied. Mutter und Schwestern vergossen häufige Tränen und fingen schon um Mittag an, mir tausendmal: Gott behüt', Gott geleit' dich! zu sagen. Mein Vater aber, ebenfalls voll Wehmut, gab mir nebst etlichen Batzen folgendes auf den Weg:

1. Tasche.

„Uli!" sprach er zu mir, „du gehst fort, Uli! Ich weiß nicht wohin, und du weißt's ebensowenig. Aber Laurenz ist ein gereister Mann, und ich trau ihm die Redlichkeit zu, er werd' irgendwo ein gutes Nest kennen, wo er dich absetzen kann. Du von deiner Seite halt dich nur redlich und brav, so wird's, will's Gott! nicht übel fehlen. Itzt bist du noch wie ein ungebacknes Brötlin; gib Achtung und laß dich weisen, du bist gelehrig. Übrigens weißt du, ich hab dir das Ding nie mit keinem Wort weder geraten noch mißraten. Es war Laurenzens Einfall und dein Wille; denen fügt' ich mich, und zwar noch mit ziemlich schwerem Herzen. Denn am End' konnt' ich dir noch wie bisher Brot geben, wenn du dich weiter willig zu saurer und nicht saurer Arbeit, wie sie kommt, bequemt hättest. Aber darum werd' ich mich nicht minder freuen, wenn du itzt Speis' und Lohn dazu auf eine leichtere Art verdienen oder gar dein Glück machen kannst. Was mir am meisten Mühe macht, Uli, ist deine Jugend und dein Leichtsinn. Und doch, glaub mir's, du gehst in eine verführerische Welt hinaus, wo's Halunken und Schurken genug gibt, die auf die Unschuld solcher Buben lauern. Ich bitt dich, trau doch keinem Gesicht, bis du's kennst, und laß dich zu nichts bereden, was dich nicht recht dünkt. Bete fleißig, wie Daniel zu Babel, und vergiß nie, daß, wenn ich dich schon nicht mehr sehe und höre, dein beßrer Vater im Himmel in alle Winkel der Welt sieht und hört, was du denkest und tust. Du weißt ja die Bibel, das heißt Gottes Wort, in- und auswendig. Sinn ihm nach und vergiß es nie, wie wohl's den frommen Leuten, die Gott liebten, gegangen ist. Denk! Ein Abraham, Joseph, David. Und wie hingegen jenen nichtsnutzen gottlosen Buben, wie unglücklich sie worden sind. Um deiner Seelen willen, Uli! um deiner zeitlichen und ewigen Wohlfahrt willen, vergiß deines Gottes nicht. Wo der Himmel über dir steht, ist er stets bei dir. Ich kann weiter nichts als dich seinem allmächtigen Schutz anbefehlen, und das will ich tun, unablässig." – – So ging's noch eine kurze Weile fort. Mein Herz ward weich wie Wachs. Vor Schluchzen konnt' ich nichts sagen als: „Ja, Vater, ja!", und in meinem Inwendigen hallt' es wider: „Ja, Vater, ja!" Endlich, nach einer kurzen Stille, sprach er: „Nun, in Gottes Namen, geh!" Und ich: „Ja, ich will gehen!" und: „Liebe, liebe Mutter! tu doch nicht so, es wird mir nicht gänzlich fehlen. Behüt euch Gott! lieber Vater, liebe Mutter! Behüt euch Gott alle, liebe Geschwisterte! Folgt doch dem Vater und der Mutter! Ich will ihren guten Ermahnungen auch folgen in der weitsten weiten Ferne." Dann gab mir jedes die Hand. Die Zähren rollten ihnen über die feurroten Backen. Ich mußte fast ersticken. Drauf gab mir die Mutter den Reisbündel und ging dann beiseite. Mein Vater geleitete mich noch ein Stück Wegs. Es war schon Abenddämmerung. In der Schomatten begegnete mir Caspar Müller. Der gab mir ein artiges Reisgeldlin und Gottes Geleit auf die Straße.

XXXV.

Itzt noch vom Schätzle

Nun flog ich noch zu meinem Ännchen hin, welcher ich erst ein paar Nächte vorher mein Vorhaben entdeckt hatte. Sie ward darüber gewaltig verdrüßlich, wollt' sich's aber anfangs nicht merken lassen. „Meinethalben", sagte sie mit ihrem unnachahmlichen Bitterlächeln, „kannst gehen – hab gemeint – – Wer nur so liebt, mag sich packen, wo er will." „Ach! Liebchen", sprach ich, „du weißt wahrlich nicht, wie weh's mir tut; aber du siehst wohl, mit Ehren könnten wir's so nicht mehr lang aushalten. Und ans Heuraten darf ich itzt nur nicht denken. Bin noch zu jung; du bist noch jünger, und beide haben keines Kreuzers wert.

Unsre Eltern vermöchten uns nur nicht ein Nestlin zu schaffen; wir gäben ein ausgemachtes Bettelvölklin. Und wer weiß, das Glück ist kugelrund. Einmal ich lebe der guten Hoffnung" – – „Nun, wenn's so ist, was liegt mir dran?" fiel Ännchen ein. „Aber gelt, du kommst noch e'nmal zu mir, eh' du gehst?" „Ja freilich, warum nicht?" versetzt' ich, „das hätt' ich sonst getan!" Itzt ging ich, wie gesagt, wirklich, meinem Herzgen das letzte Lebewohl zu sagen. Sie stund an der Tür – sah mein Reispäckgen, hüllte ihr hold gesenktes Köpfgen in ihre Schürze und schluchzte, ohne ein Wort zu sagen. Das Herz brach mir schier. Es machte mich wirklich schon wankend in meinem Vorhaben, bis ich mich wieder ein wenig erholt hatte. Da dacht' ich: In Gottes Namen! Es muß dann doch sein, so weh es tut. Sie führt mich in ihr Kämmerlin, setzt sich aufs Bett, zieht mich wild an ihren Busen, und – ach! ich muß einen Vorhang über diese Szene ziehn, so rein sie übrigens war und so honigsüß mir noch heute ihre Vergegenwärtigung ist. Wer nie geliebt, kann's und soll's nicht wissen – und wer geliebt hat, kann sich's vorstellen. Gnug, wir ließen nicht ab, bis wir beide matt von Drücken – geschwollen von Küssen – naß von Tränen waren und die andächtige Nonne in der Nachbarschaft Mitternacht läutete. Dann riß ich mich endlich los aus Ännchens weichen, holden Armen. „Muß es dann sein?" sagte sie, „ist auf Himmel und Erde nichts dafür? – Nein! Ich laß dich nicht – geh mit dir, soweit der Himmel blau ist. Nein, in Ewigkeit laß ich dich nicht, mein Alles, Alles auf der Welt!" Und ich: „Sei doch ruhig, liebes, liebes Herzgen! Denk einmal ein wenig hinaus – was für Freude, wenn wir uns wiedersehen – und ich glücklich bin!" Und sie: „Ach! Ach! dann laßt du mich sitzen!" Und ich: „Ha! in alle Ewigkeit nicht – und sollt' ich der größte Herr werden und bei Tausenden gewinnen – in alle Ewigkeit laß ich dich nicht aus meinem Herzen. Und wenn ich fünf, sechs, zehn

Jahre wandern müßte, werd' ich dir immer, immer getreu sein. Ich schwör dir's!" (Wir waren itzt auf der Straße nach dem Dorf, wo Laurenz mich erwartete, fest umschlungen, und gaben uns Kuß und Kuß.) „Der blaue Himmel da ob uns mit allen seinen funkelnden Sternen, diese stille Mitternacht – diese Straße da sollen Zeugen sein!" Und sie: „Ja! Ja! Hier meine Hand und mein Herz – fühl hier meinen klopfenden Busen – Himmel und Erde sei'n Zeugen, daß du mein bist, daß ich dein bin, daß ich, dir unveränderlich getreu, still und einsam deiner harren will, und wenn's zehn und zwanzig Jahre dauern – und wenn unsre Haare drüber grau werden sollten; daß mich kein männlicher Finger berühren, mein Herz immer bei dir sein, mein Mund dich im Schlaf küssen soll, bis – – –" Hier erstickten ihr die Tränen alle Worte. Endlich kamen wir zu Laurenzens Haus; ich klopfte an. Wir setzten uns vors Haus aufs Bänkgen, bis er hinunterkam. Wir achteten seiner kaum. Wirklich fing Ännchen itzt wieder aufs neue an; die Scheue vor einem lebendigen Zeugen gab uns selber den Mut, uns besser zu fassen. Wir waren beide so beredt wie Landvögte. Aber freilich übertraf mich mein Schätzgen in der Redekunst, in Liebkosungen und Schwüren noch himmelweit. Bald ging's ein wenig bergauf. Nun wollte Laurenz Ännchen nicht weiter lassen: „Genug ist genug, ihr Bürschlin!" sagte er; „Uchel! so kämen wir ewig nicht fort. – Ihr klebt da aneinander wie Harz. – Was hilft itzt das Brieggen? – Mädel, es ist Zeit mit dir ins Dorf zurück; es gibt noch der Knaben mehr als genug!" Endlich (freilich währt' es lange genug) mußt' ich Ännchen noch selber bitten umzukehren: „Es muß – es muß doch sein!" Dann noch einen eineinzigen Kuß, aber einen, wie's in meinem Leben der erste und der letzte war – und ein paar Dutzend Händedrück' und: Leb-, lebwohl! vergiß mein nicht! – Nein, gewiß nicht – nie – in Ewigkeit nicht! – Wir gingen; sie stand still, verhüllte ihr Gesicht und weinte überlaut – ich nicht viel minder. Soweit wir uns noch sehen konnten, schweiten[1] wir die Schnupftücher und warfen einander Küsse zu. Itzt war's vorbei: wir kamen ihr aus dem Gesicht. – O wie's mir da zumute war! – Laurenz wollte mir Mut einsprechen und fing eine ganze Predigt an: Wie's in der Fremde auch schöne Engel gebe, gegen welche mein Ännchen nur ein Rotznäschen sei, und dergleichen. Ich ward böse auf ihn, sagte aber kein Wort dazu, ging immer staunend[2] hinter ihm her, sah wehmütig ans Siebengestirn hinauf – zwei kleine Sternen gegen Mittag sah ich, wie mir's deuchte, so nahe beisammen, als wenn sie sich küssen wollten, und der ganze Himmel schien mir voll liebender Wehmut zu sein. So ging's denn fort, ohne meinerseits zu wissen wohin, und ohne den mindesten Gedanken an Gutes oder Böses, das mir etwa bevorstehen könnte. Laurenz plauderte beständig; ich hörte wenig und betete in meinem Inwendigen fast unaufhörlich: Gott behüte meine liebe Anne! Gott segne meine lieben Eltern. Gegen Tagesanbruch kamen wir nach Herisau. Ich seufzte noch immer meinem Schätzgen nach: Ännchen, Ännchen, liebstes Ännchen! – und nun (vielleicht für lange das letztemal) schreib ich's noch mit großen Buchstaben: ÄNNCHEN.

XXXVI.

Es geht langsam weiters

Es war ein Sonntag. Wir kehrten beim Hecht ein und blieben da den ganzen Tag über. Alles gaffte mich an, als wenn sie nie einen jungen Tockenburger oder Appenzeller gesehen hätten, der in die Fremde ging – und doch nicht wußte wohin und noch viel minder

1. schwenkten. – 2. in Gedanken versunken.

recht warum. An allen Tischen hört' ich da viel von Wohlleben und lustigen Tagen reden. Man setzte uns wacker zu trinken vor. Ich war des Weins nicht gewohnt und darum bald aufgeräumt und recht guter Dingen.

Wir machten uns erst bei anbrechender Nacht wieder auf den Weg. Ein fuchsroter Herisauer, und wie Laurenz ein Müller, war unser Gefährte. Es ging auf Gossau und Flohweil[1] zu. An letzterm Orte kamen wir bei einem Schopf[2] vorbei, wo etliche Mädel beim Licht Flachs schwungen. „Laßt mich e'nmal", sagt' ich, „ich muß die Dinger sehn, ob keine meinem Schatz gleiche." Damit setzt' ich mich unter sie hin und spaßte ein wenig mit ihnen. Aber eben, da war wenig zu vergleichen. Indessen musterten mich meine Führer fort, sagten, ich werde derlei Zeug noch genug bekommen, und machten allerlei schmutzige Anmerkungen, daß ich rot bis über die Ohren ward. Dann kamen wir auf Rickenbach, Frauenfeld, Nünforn. Hier überfiel mich mit eins eine entsetzliche Mattigkeit. Es war (des Marschierens und Trinkens nicht e'nmal zu gedenken) das erstemal in meinem Leben, daß ich zwo Nächte nacheinander nicht geschlafen hatte. Allein die Kerls wollten nichts vom Rasten hören, pressierten gewaltig auf Schaffhausen zu und gaben mir endlich, da ich schwur, ich könnte nun einmal keinen Schritt weiter, ein Pferd. Das gefiel mir nicht unfein. Unterwegs ging's an ein Predigen, wie ich mich in Schaffhausen verhalten, hübsch gradstrecken, frisch antworten sollte, und dergleichen. Dann flismeten[3] sie zwei miteinander (doch mit Fleiß so, daß ich's hören mußte) von galanten Herren, die sie kennten, deren Diener es so gut hätten als die Größten im Tockenburg. „Sonderlich", sagte Laurenz, „kenn ich einen Deutschländer, der sich dort inkognito aufhält, gar ein vornehmer Herr von Adel,

1. Flawil. – 2. überdachter Vorplatz. – 3. halblaut reden.

der allerlei Bediente braucht, wo's der geringste besser hat als ein Landammann." „Ach!" sagt' ich, „wenn ich nur nicht zu ungeschickt wäre, mit solchen Herren zu reden!" – – „Nur gradzu gered't, wie's kömmt", sagten sie; „so haben's dergleichen vornehme Leut' am liebsten."

XXXVII.

Ein nagelneues Quartier

Wir kamen noch bei guter Zeit in Schaffhausen an und kehrten beim Schiff ein. Als ich vom Pferd eher fiel als stieg, war ich halb lahm und stund da wie ein Hosendämpfer. Da ging's von Seite meiner Führer an ein Mustern, das mich bald wild machte, da ich nicht begreifen konnte, was endlich draus werden sollte. Als wir die Stiege hinaufkamen, hießen sie mich ein wenig auf der Laube warten, traten in die Stube und riefen mich dann nach wenigen Minuten auch hinein. Da sah ich einen großen hübschen Mann, der mich freundlich anlächelte. Sofort hieß man mich die Schuh' ausziehn, stellte mich an eine Saul[1] unter ein Maß und betrachtete mich vom Kopf bis zun Füßen. Dann red'ten sie etwas Heimliches miteinander, und hier stieg mir armen Bürschgen der erste Verdacht auf, die zwei Kerls möchten's nicht am besten mit mir meinen; und dieser Argwohn verstärkte sich, als ich deutlich die Worte vernahm: „Hier wird nichts draus, wir müssen also weiter gehn." „Heut setz ich keinen Fuß mehr aus diesem Haus", sagt' ich zu mir selber, „ich hab noch Geld!" Meine Führer gingen hinaus. Ich saß am Tische. Der Herr spazierte das Zimmer auf und ab und guckte mich unterweilen an. Neben mir schnarchte ein großer Bengel auf der Bank, der wahrscheinlich im

1. Säule.

Rausch in die Hosen geschwitzt, daß es kaum zu erleiden war. Als der Herr während der Zeit einmal aus der Stube ging, nahm ich die Gelegenheit wahr, die Wirtsjungfer zu fragen, wer denn wohl dieser Bursche sein möchte. „Ein Lumpenkerl", sagte sie; „erst heute hat ihn der Herr zum Bedienten angenommen, und schon sauft sich der H. blindsternvoll und macht e'n Gestank, puh!" – „Ha!", sagt' ich, eben als der Herr wieder hereintrat, „so ein Bedienter könnt' ich auch werden." Dies hört' er, wandte sich gegen mir und sprach: „Hättst du zu so was Lust?" „Nachdem es ist", antwortet' ich. „Alle Tag' neun Batzen", fuhr er fort, „und Kleider, soviel du nötig hast." „Und was dafür tun?" versetzt' ich. Er: Mich bedienen. Ich: Ja! wenn ich's könnte. Er: Will dich's schon lehren. Pursch, du gefällst mir. Wir wollen's vierzehn Tag' probieren. Ich: Es bleibt dabei. – Damit war der Markt richtig. Ich mußt' ihm meinen Namen sagen. Er ließ mir Essen und Trinken vorsetzen und tat allerlei gutmütige Fragen an mich. Unterdessen waren meine Gefährten (wie ich nachwärts erfuhr) zu ein paar andern preußischen Werboffizieren gegangen (es befanden sich damals fünf dergleichen auf einmal in Schaffhausen) und machten bei ihrer Zurückkonft große Augen, als sie mich so drauflos zechen sahen. „Was ist das?" sagte Laurenz. „Geschwind, komm! Itzt haben wir dir einen Herrn gefunden." – „Ich hab schon einen", antwortet' ich. Und er: „Wie, was? Ohne Umständ'" – – und wollten schon Gewalt brauchen. „Das geht nicht an, ihr Leute!" sagte mein Herr: „Der Bursch soll bei mir bleiben!" „Das soll er nicht", versetzte Laurenz; „er ist uns von seinen Eltern anvertraut." „Lirum! Larum!" erwiderte der Herr; „er hat nun einmal zu mir gedungen, und damit auf und holla!" Nach einem ziemlich heftigen Wortwechsel gingen sie miteinander in ein Nebenkabinett, wo Laurenz und der Herisauer, wie ich im Verfolg hörte, sich mit drei Dukaten abspeisen ließen, von denen eine meinem Vater werden sollte – – der er aber nie ansichtig ward. Damit brachen sie ganz zornig auf, ohne nur mit einem Wort von mir Abschied zu nehmen. Anfangs sollen sie bis auf zwanzig Louisd'or für mich gefodert haben.

Den folgenden Tag ließ mein Herr einen Schneider kommen und mir das Maß von einer Montierung nehmen. Alle andern Beitaten folgten in kurzem. Da stand ich nun gestiefelt und gespornt, nagelfunkelneu vom Scheitel bis an die Sohlen: ein hübscher bordierter Hut, samtene Halsbinde, ein grüner Frack, weißtücherne Weste und Hosen, neue Stiefel, nebst zwei Paar Schuhen; alles so nett angepaßt. – – Sackerlot! Da bildet' ich mir kein kaltes Kraut ein. Und mein Herr reizte mich noch dazu, nur ein wenig stolz zu tun: „Ollrich!" sagte er, „wenn du die Stadt auf und ab gehst, mußt du hübsch gravitätisch marschieren – – den Kopf recht in die Höhe, den Hut ein wenig aufs eine Ohr." Mit eigner Hand gürtete er mir einen Ballast[1] an die Seite. Als ich so das erstemal über die Straße ging, war's mir, als ob ganz Schaffhausen mein wäre. Auch rückte alles den Hut vor mir. Die Leut' im Haus begegneten mir wie einem Herrn. Wir hatten in unserm Gasthof hübsch möblierte Zimmer, und ich selber ein ganz artiges. Ich sah aus meinem Fenster alle Stunden des Tags das frohe Gewimmel der durchs Schifftor aus- und eingehnden Menschen, Pferden, Wagen, Kutschen und Chaisen; und, was mir nicht wenig schmeichelte – man sah und bemerkte auch mich. Mein Herr, der mir bald so gut war, als ob ich sein eigener Sohn wäre, lehrte mich frisieren, frisierte mich anfangs selbst und flocht mir einen tüchtigen Haarzopf. Ich hatte nichts zu tun, als ihn bei Tisch zu servieren, seine Kleider auszuklopfen, mit ihm spazierenzufahren, auf die Vögeljagd zu gehn, und dergleichen. Ha! Das war ein Leben für

1. Pallasch: langer Kürassierdegen.

mich. Die meiste Zeit durft' ich vollends allein wandeln, wohin es mir beliebte. Alle Tag' ging ich bald durch alle Gassen in dem hübschen Schaffhausen; denn außert Lichtensteig hatt' ich bisher noch keine Stadt gesehn und kein größer Wasser als die Thur. Ich spazierte also bald alle Abend an den Rhein hinaus und konnte mich an diesem mächtigen Fluß kaum satt sehen. Als ich den Sturz bei Laufen das erstemal sah und hörte, ward mir's braun und blau vor den Augen. Ich hatte mir's, wie so viele, ganz anders, aber so furchtbar majestätisch nie eingebildet. Was ich mir da für ein klein winziges Ding schien! Nach einem stundenlangen Anstaunen kehrt' ich ordentlich wie beschämt nach Haus. Bisweilen ging's auf den Bonenberg, der schönen Aussicht wegen. An der Lände half ich den Schiffleuten und fuhr bald selbst mit Plaisir hin und her.

XXXVIII.

Ein unerwarteter Besuch

So stund's, und mir war himmelwohl, als, ohne Zweifel durch meine wackern Begleiter, das Gerücht in meine Heimat kam, man hätte mich aufs Meer verkauft; und namentlich sollte dies ein Mann ausgesagt haben, der mich mit eignen Augen anschmieden und den Rhein hinunterführen gesehn. Schon stellte man mich allen Kindern zum Exempel vor, daß sie fein bei Haus bleiben und sich nicht in die böse Welt wagen sollten. Zwar glaubte mein Vater kein Wort hievon; weil aber die Mutter so grämlich tat, ihm Vorwürf' über Vorwürfe machte und Tag und Nacht keine Ruhe ließ, entschloß er sich endlich, auf Schaffhausen zu kehren und sich selbst nach dem Grund oder Ungrund dieser Märe zu erkundigen. Also an einem Abend, welche Freude für uns beide, als mein innigstgeliebter Vater so ganz unerwartet, daß ich meinen Augen kaum trauen durfte, in meine Kammer trat, er mir erzählte, was ihn hergeführt, und ich ihm, wie glücklich ich sei, ihm meinen Kasten zeigte, die scharmanten Kleider darin, alles Stück vor Stück bis auf die Hemderknöpflin, dann ihn meinem guten Herrn vorstellte, der ihn freundlich bewillkommte und bestens zu traktieren befahl, und so fort und fort. Nun aber traf's sich, daß man gerade den Abend nach dem Nachtessen in unserm Gasthof tanzte und mein Herr, als ein Liebhaber von allen Lustbarkeiten, sich solches auch schmecken ließ – so wie mein Vater und ich am Tischgen in einem Winkel der großen Gaststube unsern Braten. Ganz unversehns kam er auf mich zu: „Ollrich! komm, mußt auch eins mit den jungen Leuten da tanzen." Vergebens entschuldigt' ich mich und bezeugte auch mein Vater, daß ich mein Lebtag nie getanzt hätte. Da half alles nichts. Er riß mich hinterm Tisch hervor und gab mir die Köchin im Haus, ein artiges Schwabenmeitlin, an die Hand. Der Schweiß tropfte mir von der Stirn vor Scham, daß ich in Gegenwart meines Vaters tanzen sollte. Das Mädchen inzwischen riß mich so vertummelt herum, daß ich in kurzem sinnlos von einer Wand zu der andern platschte und damit allen Zuschauern zum Spektakel ward. Mein lieber Ätti red'te zwar bei dieser ganzen Szene kein Wort; aber von Zeit zu Zeit warf er auf mich einen wehmütigen Blick, der mir durch die Seele ging. Wir legten uns doch noch zeitig genug zu Bette. Ich ward nicht müde, ihm nochmals eine ganze Predigt zu machen, wie wohl ich mich befinde, was ich vor einen gütigen Herrn habe, wie freundlich und väterlich er mir begegne, und so fort. Er gab mir nur mit abgebrochenen Worten Bescheid: Ja – So – es ist gut – und schlief ein, ziemlich unruhig, und ich nicht minder. Des Morgens nahm er Abschied, sobald mein Herr erwacht war. Derselbe zahlte ihm die Reiskosten, gab ihm noch einen Taler auf den Weg und versicherte ihn hoch und teuer, ich sollt' es gewiß gut bei ihm haben und wohl versorgt sein, wenn ich mich nur weiter treu und redlich betragen würde. Mein redlicher Vater, der nun schon wieder Mut und Zutrauen faßte, dankte höflich und empfahl mich aufs beste. Ich gab ihm das Geleit bis zum Kloster Paradies. Auf der Straße sprachen wir so herzlich miteinander, als es seit jener Krankheit in meiner Jugend sonst nie geschehn. Er gab mir vortreffliche Erinnerungen: „Vergiß deine Pflichten, deine Eltern und deine Heimat nicht, so wird dich Gottes Vaterhand gewiß auf gute Wege leiten, welche freilich weder ich noch du jetzt voraussehn." Beim Abschied zerdrückten wir uns fast. Ich konnte vor Schluchzen kaum ein: Behüte, behüte Gott! herstammeln und dachte nur immer: Ach! könnt' ich doch mein gegenwärtiges Glück ungetrennt von meinem guten Ätti genießen, jeden Bissen mit ihm teilen, und dergleichen.

XXXIX.

Was weiters

Meines Diensts war ich bald gewohnt. Mein Herr hatte ohne mein Wissen etlichemal meine Treu auf die Probe gestellt und hie und da im Zimmer Geld liegen lassen. Als bald nachher einem andern von den preußischen Werboffizieren sein Bedienter mit dem Schelmen davonging und ihm über achtzig fl. enttrug, sagte mein Herr zu mir: „Willst du mir's auch e'nmal so machen, Ollrich?" Ich versetzte lachend, wenn er mir so was zutraue, soll er mich lieber fortjagen. Ich hatte aber wirklich sein Vertrauen so sehr gewonnen, daß er mir den ganzen Winter durch die Schlüssel zu seiner Stube und Kammer ließ, wenn er etwa ohne Bedienten kleine Tours machte. Hinwieder ehrte und liebte ich ihn wie einen Vater. Aber er war auch freundlich und gütig darnach. Nur zu viel konnt' ich spazieren und müßig gehn, und fuhr ich, besonders im Herbst, oft über Rhein auf Feurthalen (denn die alte Brücke war kurz vorher eingefallen und die neue mit H. Grubenmann[1] in unserm Gasthof akkordiert worden) in die Weinlese. Dort half ich dem jungen Volk Trauben – essen, bis ans Halszäpflin. Einmal bei einer solchen Überfahrt sagte mir jemand: „Nun, wie geht's, Ulrich? Weißt du auch, daß dein Herr ein preußischer Offizier ist?" Ich: „Ja! meinetwegen, er ist ein herzguter Herr." „Ja, ja!" sagte jener, „wart nur, bis d'enmal in Preußen bist, da mußt Soldat sein und dir den Buckel braun und blau gerben lassen. Um tausend Taler möcht' ich nicht in deiner Haut stecken." Ich sah dem Burschen starr ins Gesicht und dachte bloß, der Kerl rede so aus Bosheit oder Neid, ging dann geschwind nach Hause und erzählte meinem Herrn alles haarklein, worauf derselbe versetzte: „Ollrich, Ollrich! Du mußt nicht so einem jeden Narrn und Flegel dein Ohr geben. Ja! es ist wahr, ein preußischer Offizier bin ich – und was ist's denn? – von Geburt ein polnischer Edelmann; und, damit ich dir alles auf die Nase binde, heiß ich Johann Markoni. Bisher nanntest du mich Herr Lieutenant! Aber eben dieser Grobiane wegen sollst du mich könftig Ihr Gnaden! schelten. Übrigens sei nur getrost und guten Muts, dir soll's, bei Edelmanns Parole! nie fehlen, wenn du anderst ein wackrer Bursche bleibst. Soldat solltest werden? Nein! bei meiner Seel' nicht! Ich konnt' dich ja haben; um ein paar schlichtige Louisd'or wollten deine beiden saubern Landsleut' dich verkaufen. Aber du warst mir dazu etwas zu kurz; von deiner Länge nimmt man noch keinen an, und ich behielt dir was Besseres vor." Nun, dacht' ich, bin ich Leibs und Guts sicher – Ha, der gute Herr! – Er hätt' mich können haben – Die Schurken! – Jawohl, mich

1. Brücken- und Kirchenbauer (1709-88).

verkaufen? – Der Henker lohn's ihnen! – Aber komm' mir mehr so einer, ich will ihm das Maul mit Erde stopfen. Jawohl! – Was für ein vornehmer Herr muß nicht Markoni sein, und dabei so gut! Kurz, ich glaubte von nun an ihm alles, wie ein Evangelium.

XL.

O die Mütter, die Mütter

Markoni machte bald hernach eine Reise auf Rothweil am Neckar, zwölf Stunden von Schaffhausen entlegen. Ich mußte mit, und zwar in der Chaise. In meinem Leben war ich in keinem solchen Ding gesessen. Der Kutscher sprengte die Stadt hinauf bis ans Schwabentor, daß es donnerte. Ich meinte alle Augenblick', es müsse umschlagen, und wollt' mich an allen Wänden halten. Markoni lachte sich die Haut voll: „Du fällst nicht, Ollrich! Nur hübsch gerade!" Ich war's bald gewohnt, und das Fuhrwerk, sowie überhaupt diese ganze Tour, machte mir viel Vergnügen. Indessen begegnete mir während der Zeit ein fataler Streich. Meine Mutter war wenige Tage nach unsrer Abreise gen Schaffhausen gekommen und mußte, da ihr der Wirt nicht sagen konnte, wenn wir zurückkämen, noch welchen Weg wir genommen, wieder nach Haus kehren, ohne ihr liebes Kind gesehen zu haben. Sie hatte mir mein Neues Testament und etliche Hembder gebracht und dem Wirt befohlen, mir's nachzuschicken, falls ich nicht wieder auf Schaffhausen käme. O die gute Mutter! Es war eine kleine Buße für ihren Unglauben; sie wollte dem Vater nicht trauen, daß er mich angetroffen, sondern mit eignen Augen sehen und erst dann glauben. Ganz trostlos und unter tausend Tränen soll sie wieder von Schaffhausen heimgegangen sein. Dies schrieb mir, auf ihr Ansuchen, bald darauf Herr Schulmeister Ambühl zu Wattweil, mit dem Beifügen, sie lasse mir, da sie keine Hoffnung habe, mich jemals wieder zu sehen, hiemit ihr letztes Lebewohl sagen und gebe mir ihren Segen. Es war ein sehr schöner Brief, er rührte mich innig. Unter anderm stand auch darin: Als das Gerücht in meine Heimat gekommen, ich müsse über Meer, hätten meine jungen Schwesterchen all ihr armes Gewändlin dahingeben wollen, mich loszukaufen; die Mutter desgleichen. Damals waren ihrer neun Geschwisterte bei Hause. Man sollte denken, das wären ihrer doch noch genug. Aber eine rechte Mutter will keins verlieren, denn keins ist das andre. Wirklich war sie drei Wochen vorher noch im Kindbett gelegen und kaum aufgestanden, als sie meinetwegen auf Schaffhausen kam. O die Mütter, die Mütter!

XLI.

Hin und her, her und hin

Da wir uns einstweilig in Rothweil im Gasthof zum Armbrust niederließen, schrieb mein Herr auf Schaffhausen, wo er wäre, damit, wenn seine Wachtmeisters Rekruten machten, man ihm solche nachschicken könnte. Er bekam bald Antwort. Derselben war auch das Geschenk meiner Mutter, das Schreiben des Herrn Ambühls und – ich sprang hoch auf! eines von Ännchen beigebogen: dieses letztre offen, denn es sollte ein Zürchgulden zum Grüßchen drin stecken, und der war fort. Was schierte mich das? Die süßen Fuchswörtlin in dem Briefgen entschädigten mich reichlich. Meiner unverschobnen ausführlichen Antworten auf diese Zuschriften will ich nicht gedenken. Die an Ännchen zumal war lang wie ein Nestelwurm[1]. – Diesmal blieben

1. Bandwurm.

wir nur kurze Zeit zu Rothweil, gingen wieder nach dem lieben Schaffhausen zurück und machten dann von Zeit zu Zeit kleine Tours auf Dießenhofen, Stein am Rhein, Frauenfeld und so fort. Alle Wochen kamen Säumer[1] aus dem Tockenburg herunter. Schon als Landskraft[2] waren sie mir lieb, und ich freute mich immer, sobald ich nur die Schellen ihrer Tiere hörte. Itzt machte ich noch nähere Bekanntschaft mit ihnen und gab ihnen ein paarmal Briefe und kleine Geschenke an mein Liebchen und an meine Geschwister mit, erhielt aber keine Antwort. Ich wußte nicht, wo es fehlte. Das drittemal bat ich einen solchen Kerl, mir doch alles richtig zu bestellen. Er guckte das Päckgen an, runzelte die Stirn und wollte weder ja noch nein sagen. Ich gab ihm einen Batzen. „So, so", sprach jetzt mein Herr Landsmann, „das Ding soll richtig bestellt werden." Und wirklich bekam ich nun bald ordentliche Empfangscheine. Meine ältern Brief' und schweren Sachen hingegen waren natürlich nach Holland geschwommen.

In Schaffhausen lagen damals fünf preußische Werboffiziers in verschiedenen Wirtshäusern. Alle Tag' traktierte[3] einer die andern. So kam's auch je den fünften Tag an uns. Das kostete jedesmal einen Louisd'or; dafür gab's denn freilich Burgunder und Champanier gnug zu trinken. Aber bald hernach wurde ihnen ihr Handwerk niedergelegt; wie die Sag' ging, weil ein junger Schaffhauser, der in Preußen seine Jahre ausgedient, keinen Abschied kriegen konnte. Und kurz, sie mußten alle fort und neue Nester suchen. Mein Herr hatte ohnehin hier schlechte Beute gemacht, drei einzige Erzschurken ausgenommen, die sich Verbrechen wegen auf flüchtigen Fuß setzen mußten. Wir begaben uns wieder nach Rothweil. Hier kriegten wir in etlichen Wochen vollends einen einzigen Kerl, einen Deserteur

1. Saumtierhalter. – 2. Landsleute. – 3. bewirtete.

aus Piemont, der aber Markoni viel Freude machte, weil er sein Landsmann war und mit ihm Polnisch parlen konnte. Sonst war's in Rothweil ein lustig Leben. Besonders gingen wir oft mit einem andern Werboffizier, nebst unserm braven Wirt und etlichen Geistlichen, in die Nachbarschaft aufs Jagen. Im Hornung 1756 machten wir eine Reise nach Straßburg. Auf dem Weg nahmen wir zu Haßlach im Kinzingertal unser Schlafquartier. In derselben Nacht war das entsetzliche Erdbeben, welches man durch ganz Europa verspürte. Ich aber empfand nichts davon, denn ich hatte mich Tags vorher auf einem Karrngaul todmüd geritten. Am Morgen aber sah ich alle Gassen voll Schorsteine[1], und im nächsten Wald war die Straße mit umgeworfenen Bäumen in die Kreuz und Quer so verhackt, daß wir mehrmals Umwege nehmen mußten. – In Straßburg mußt' ich Maul und Augen aufsperren; denn da sah ich erstens die erste große Stadt, zweitens die erste Festung, drittens die erste Garnison, viertens am dortigen Münster das erste Kirchengebäud', bei dessen Anblick ich nicht lächeln mußte, wenn man es einen Tempel nannte. Wir brauchten acht Tag' zu dieser Tour. Mein Herr hielt mich auch diesmal gastfrei und zahlte mir gleich meinen Sold. Da hätt' ich Geld machen können wie Heu, wär' ich nicht ein liederlicher Tropf gewesen. Er selbst indessen hielt nicht viel besser Haus. Bei unsrer Rückkehr hatten wir zu Rothweil alle Tag' Ball, bald in diesem, bald in jenem Wirtshause. Fast alle Hochzeiten richtete man, Markoni zu Gefallen, in dem unsrigen an. Der beschenkte alle Bräute und trillerte dann eins mit ihnen herum. Auch für mich war dies jetzt ein ganzes Fressen. Zwar hatt' ich mir's fest vorgenommen, meinem Ännchen treu zu bleiben, und hielt wirklich mein Wort; gleichwohl aber macht' ich mir auch kein Gewissen daraus, hie und da mit

1. Schornsteine.

einem hübschen Kind zu schäkern, wie mich denn auch die Dinger recht wohl leiden mochten. Mein Herr, der war nun vollends gar ein Liebhaber des schönen Geschlechts bis zum Entsetzen und im Notfall jede Köchin ihm gut genug. Mich bewahre Gott dafür! dacht' ich oft, so ein armes, bisher ehrliches Mädchen zu besudeln und dann heut oder morgens wegzureisen und es sitzenzulassen. Eine von den beiden Köchinnen im Wirtshause, Mariane, dauerte mich innig. Sie liebte mich heftig, gab und tat mir, was sie mir in den Augen ansah. Ich hingegen bezeigte mich immer schnurrig; sie ließ sich's aber nicht anfechten und blieb gegen mich stets dieselbe. Schön war sie nicht, aber herzlich gut. Die andere Köchin, Hanne, machte mir schon mehr Anfechtungen. Diese war zierlich hübsch, und ich vermutlich darum eine Zeitlang sterblich verliebt in sie. Hätt' sie meine Aufwart williger angenommen, wär' ich wirklich an ihr zum Narrn geworden. Aber ich sah bald, daß sie gut mit Markoni stund. Ich merkte, daß sie alle Morgen zu ihm aufs Zimmer schlich. Damit tat sie mir einen doppelten Dienst: erstlich verwandelte sich meine Liebe in Haß; zweitens stand nun mein Herr nicht mehr so frühe als gewöhnlich auf, also konnt' auch ich hinwieder um so viel länger schlafen. Bisweilen kam er schon gestiefelt und gespornt auf meine Kammer und traf mich noch im Bett an, ohne mir Vorwürf' zu machen; denn er merkte, daß ich wußte, wo die Katz' im Stroh lag. Nichtsdestoweniger warnte er mich, nach solcher Herren Weise, oft vor seinen eignen Sünden mit großem Ernst. „Ollrich!“ hieß es da, „hörst, mußt dich mit den Mädels nicht zu weit einlassen, du könntst die schwere Not kriegen!“ Übrigens hatt' ich's in allen Dingen bei und mit ihm wie von Anfang: viel Wohlleben für wenig Geschäfte und meist einen Patron wie die liebe Stunde, zwei einige Mal ausgenommen; einmal, da ich den Schlüssel zum Halsband seines Pudels nicht auf der

Stell' finden konnte, das andre Mal, da ich einen Spiegel sollte zerbrochen haben. Beidemal war ich unschuldig. Aber das hätt' mir wenig geholfen, sondern nur durch demütiges Schweigen entging ich der zumal des Schlüssels wegen schon über mir gezogenen Fuchtel. Derlei Geschichtgen, kurz alles, was mir Süßes oder Sauers widerfuhr (meine Liebesmücken ausgenommen), schrieb ich dann fleißig nach Haus und predigte bei solchen Anlässen meinen Geschwistern ganze Litaneien voll: Wie sie Vater, Mutter und andern Fürgesetzten ja nie widerbefzgen[1], sondern, auch wo sie Unrecht zu leiden vermeinen, sich fein hübsch gewöhnen sollten, das Maul zu halten, damit sie's nicht von fremden Leuten erst zu spät lernen müssen. Alle meine Briefe ließ ich meinen Herrn lesen; nicht selten klopfte er mir während der Lektur auf die Schulter: Bravo, Bravo! sagte er dann, verpitschierte sie mit seinem Siegel und hielt mich hinwieder in Ansehung aller an mich eingehnden Depeschen portfrei.

XLII.

Noch mehr dergleichen Zeug

Mir ist so wohl beim Zurückdenken an diese glücklichen Tage – Heute noch schreib ich mit so viel innigem Vergnügen davon – bin jetzt noch so wohl zufrieden mit meinem damaligen Ich – so geneigt, mich über alles zu rechtfertigen, was ich in diesem Zeitraum tat und ließ. Freilich vor dir nicht, Allwissender! Aber vor Menschen doch darf ich's sagen: Damals war ich ein guter Bursch ohne Falsch – vielleicht für die arge Welt nur gar zu redlich. Harmlos und unbekümmert bracht' ich meine Tage hin, heut wie gestern und morgens wie

1. widersprechen.

heute. Nur kein Gedanke stieg in mir auf, daß es mir jemals anderst als gut gehen könnte. In allen Briefen schrieb ich meinen Eltern, sie sollten zwar für mich beten, aber nicht für mich sorgen, der Himmel und mein guter Herr sorgten schon für mich. Man glaube mir's oder nicht, der einzige Kummer, der mich bisweilen anfocht, war dieser: Es dürft' mir noch zu wohl werden, und dann möcht' ich Gottes vergessen. Aber nein! (beruhigte ich mich bald wieder) das werd ich nie: War Er's nicht, der mir durch Mittel, die nur seine Weisheit zum besten lenken konnte, zu meinem jetzigen erwünschten Los half? Mein erster Schritt in die Welt geriet unter seiner leitenden Fürsorge so gut; warum sollten die folgenden nicht noch besser gelingen? Auf irgendeinem Fleck der Erde werd ich vollends mein Glück baun. Dann hol ich Ännchen, meine Eltern und Geschwister zu mir und mache sie des gleichen Wohlstands teilhaft. Aber durch welche Wege? – Dies fragt' ich mich nie; und hätt' ich daran gedacht, so wär's mir nicht schwer gewesen, drauf zu antworten – denn damals war mir alles leicht. Zudem kam mein Herr tagtäglich mit allerlei Exempeln von Bauern, die zu Herren worden, und andern Fortunaskindern angestochen (der Herren, die zu Bettlern worden, tat er keine Meldung) und versprach selber, an meinem fernern Fortkommen wie ein treuer Vater zu arbeiten, und dergleichen. Was hätt' ich weiter befürchten sollen, oder vielmehr, was nicht alles hoffen dürfen? Von einem Herrn wie Markoni – einem so großen Herrn, dacht' ich Esel –, dem zweit- oder drittnächsten vielleicht auf den König, der Länder und Städte, geschweige Gelds zu vergeben hat, soviel er will. Aus seiner jetzigen Güte zu schließen, was wird er erst für mich in der Zukonft tun? Oder warum sollt' er auf mich groben ungeschliffenen Flegel jetzt schon so viel wenden, wenn er nicht große Dinge mit mir im Sinn hätte? Konnt' er mich nicht gleich andern Rekruten geradezu nach Berlin transportieren lassen, wenn er je im Sinn hätte, mich zum Soldaten zu machen, wie mir's ehemals ein paar böse Mäuler aufbinden wollten? Nein! Das wird in Ewigkeit nicht geschehn, darauf will ich leben und sterben. So dacht' ich, wenn ich vor lauter Wohlbehagen je Zeit zu denken hatte. Gesund war ich wie ein Fisch. Die Traktament[1] konnt' ich nach meinem Geschmack wählen, und Mariane ließ mir's per se an guten Bissen nie fehlen. Tanz und Jagd beföderten die Dauung; denn ohne das hätt's mir freilich an Bewegung gefehlt. Markoni besuchte, bald hie, bald da, alle Edelleut' in der Runde. Ich mußte überall mit; und es tat mir freilich in der Seele wohl, wenn ich sah, wie er ordentlich Hoffart mit mir trieb. Sonst waren solche Ausritte zu diesen meist armen Schmalzgrafen seinem Geldbeutel eben wenig nutz. Dann kostete ihn das Tarockspiel mit Pfaffen und Laien auch schöne Batzen. Einst mußt' ich darum die Karten vor seinen Augen in kleine Stück' zerreißen und dem Vulkan zum Opfer bringen – aber morgens drauf ihm schon wieder neue holen. Ein andermal hatt' er auch eine ziemliche Summ' verloren und kam abends um neun Uhr mit einem tüchtigen Räuschgen ganz verdrüßlich nach Haus. „Ollrich!" sagte er, „geh, schaff mir Spielleut', es koste, was es will." „Ja, Ihr Gnaden!" antwortet' ich, „wenn ich dergleichen wüßte; und dann ist's schon so spät und stockfinster." „Fort, Racker!" fuhr er fort, „oder –" und machte ein fürchterlich wildes Gesicht. Ich mußte mich packen, stolperte nun im Dunkeln durch alle Straßen und spitzte die Ohren, ob ich nirgends keine Geige höre. Als ich endlich zuoberst im Städtgen an die Müller- und Beckenherberg[2] kam, merkt' ich, daß es da etwas Herumspringens absetzen wollte, schlich mich hinauf und ließ einen Spielmann hinausrufen. Die Bursch' in der Stube schmeckten den Braten; ein

1. Verköstigung. – 2. Bäckerherberge.

paar von ihnen kamen ihm auf dem Fuß nach – und husch! mit Fäusten über mich her. Dem Wirt hatt' ich's zu danken, daß sie mich nicht fast zu Tod geschlagen. Der Apollossohn hatte mir zwar ins Ohr geraunt, sie wollten bald aufwarten. Jetzt aber zweifelt' ich, ob er mir Wort halten könnte. Dennoch war ich Tropfs genug, sobald ich nach Haus kam, mit den Worten ins Zimmer zu treten: „Ihr Gnaden! innert einer Viertelstund' werden sie da sein!" – Die Furcht vor neuen Prügeln, eh' noch die alten versaust hätten, verführten mich zu diesem Wagestück. Aber nun stand ich vollends Höllenangst aus, bis ich wußte, ob ich nicht aus Übel Ärger gemacht. Mittlerweile erzählt' ich Markoni, was ich seinetwegen gelitten – um per Avanzo[1] sein Mitleid rege zu machen, wenn der Guß fehlen sollte. Die tausendslieben Leute kamen, eh' wir's uns versahen. Unser Wirt hatte inzwischen etliche lustige Brüder und ein paar Jungfern rufen lassen. Jetzt kommandierte Markoni Essen und Trinken, was Küche und Keller vermochten, warf den Musikanten zum voraus einen Dukaten hin und tanzte einen Menuett und einen Polnischen. Bald aber fing er auf seinem Stuhl an zu schnarchen, dann erwacht' er wieder und rief: „Ollrich! mir ist's so hundsf...!" – Ich mußt' ihn also zu Bett bringen. Im Augenblick schlief er ein wie ein Stock. Das war uns übrigen recht gekocht. Wir machten uns lustig wie die Vögel im Hanfe – alles so durcheinander, Herren und Dienstboten. Es währte bis morgens um vier Uhr. Mein Herr erwachte um fünfe. Seine ersten Worte waren: „Ollrich! sein' Tage trau' Er keinem Menschen nicht; 's ist alles falsch wie'n Teufel. Wenn der Kujon von R. kömmt, so sag Er, ich sei nicht zu Hause."

1. zum voraus.

XLIII.

Noch einmal, und dann: Adieu Rothweil!
Adieu auf ewig!

Dieser von R. war einer von Markonis faulen Debitoren, wie er deren viel hatte. Nun fürchtete er zwar nicht, daß derselbe ihm Geld bringen, aber wohl, daß er noch mehr bei ihm holen möchte; denn mein Herr konnte keinem Menschen nichts abschlagen. Indessen wollt' er mich von Zeit zu Zeit dazu brauchen, ihm dergleichen Schulden wieder einzutreiben; dazu aber taugt' ich in Grundsboden nicht: Die Kerls gaben mir gute Wort', und ich ging zufrieden nach Haus. Aber länger mocht' eine solche Wirtschaft nicht dauern. Dazu kam, daß Markoni am End' das Ärgste befürchten mußte, wenn er bedachte, wie wenig Bursche er für so viel Geldverzehrens seinem König geliefert hatte; denn der Große Friedrich, wußt' er wohl, war zugleich der genaueste Rechenmeister seiner Zeit. Er strengte darum mich, unsern Wirt und alle seine Bekannten an, uns doch umzusehn, ob wir ihm nicht noch ein paar Kerls ins Garn bringen könnten. Aber alles vergebens. Auch die beiden Wachtmeisters Hevel und Krüger langten um die gleiche Zeit ebenfalls mit leeren Händen wieder zu Rothweil an. Nun mußten wir uns sämtlich reisfertig machen. Vorher aber gab's noch ein paar lustige Tägel. Hevel war ein Virtuos auf der Cithar, Krüger eine gute Violine; beide feine Herren, solang sie auf der Werbung lagen, beim Regiment aber magere Korporals. Ein dritter endlich, Labrot, ein großer handfester Kerl, ließ ebenfalls jetzt seinen Schnurrbart wieder wachsen, den er als Werber geschoren trug. Diese drei Bursche belustigten noch zu guter Letze ganz Rothweil mit ihren Sprüngen. Es war eben Fasnacht, wo die sogenannte Narrenzunft (ein ordentliches Institut in dieser Stadt, bei welchem über zweihundert Personen von allen Ständen eingeschrieben sind) ohnehin ihre Gaukeleien machte, die meinen Herrn schwer Geld kosteten. Und kurz, es war hohe Zeit, den Fleck zu räumen. Jetzt ging's an ein Abschiednehmen. Mariane flocht mir einen zierlichen Strauß von kostbaren künstlichen Blumen, den sie mir mit Tränen gab und den ich ebensowenig mit trockenem Aug' abnehmen konnte. – Und nun ade! Rothweil, liebes friedsames Städtchen! liebe tolerante katholische Herren und Bürger! Wie war's mir so tausendswohl bei euern vertrauten brüderlichen Zechen! – Ade! ihr wackern Bauern, die ich an den Markttagen in unserm Wirtshaus so gern von ihren Geschäften plaudern hörte und so vergnügt auf ihren Eseln heimreiten sah! Wie trefflich schmeckten mir oft Milch und Eier in euern Strohhütten! Wie manche Lust genoß ich auf euern schönen Fluren, wo Markoni so viel Dutzend singende Lerchen aus der Luft schoß, die mich in die Seele dauerten! Wie entzückt war ich, sooft mein Herr mir's vergönnte, in euern topfebnen Wäldern, an des Neckars reizenden Ufern* auf und nieder zu schlendern, wo ich ihm Hasen ausspähen sollte – aber lieber die Vögel behorchte und das Schwirren des Wests in den Wipfeln der Tannen! – Nochmal also ade! Rothweil, wertes, teures Nestgen! Ach! vielleicht auf ewig! Ich hab seit der Zeit so viel Städte gesehn, zehnmal größer und zwanzigmal saubrer und netter, als du bist! Aber mit aller deiner Kleinheit und mit allen deinen Miststöcken warst du mir zehn- und zwanzigmal lieber als sie! Adie, Marianchen! Tausend Dank für deine innige und doch so unverdiente Liebe zu mir! Adie, Sebastian Zipfel, lieber guter Armbrustwirt, und deine zarte Mühle desgleichen! Lebt alle, alle wohl!

* Und nirgends so lustig als um Hefendorf und dann bei dem auf einem schauerlich schönen Felsenberg gelegenen Schlosse Rotenstein, welches der dasselbe fast rund umrauschende Neckar zu einer höchst romantischen Halbinsel macht. (Anm. d. Verf.)

XLIV.

Reise nach Berlin

Den 15. März 1756 reisten wir in Gottes Namen, Wachtmeister Hevel, Krüger, Labrot, ich und Kaminski, mit Sack und Pack und, den letztern ausgenommen, alle mit Unter- und Übergewehr von Rothweil ab. Marianchen nähete mir den Strauß auf'n Hut und schluchzte; ich drückte ihr einen Neunbätzner in die Hand und konnt's auch kaum vor Wehmut. Denn so entschlossen ich zu dieser Reis' war und sowenig Arges ich vermutete, fiel's mir doch ungewohnt schwer auf die Brust, ohne daß ich eigentlich wußte warum. War's Rothweil oder Marianchen, oder daß ich ohne meinen Herrn reisen sollte, oder die immer weitere Entfernung vom Vaterland und Ännchen? – ich hatte allen zu Hause mein letztes Lebewohl geschrieben – oder ich denke wohl, ein bißchen von allem. Markoni gab mir 20 fl. auf den Weg; was ich mehr brauche, sagte er, werde mir Hevel schießen[1]. Dann klopfte er mir auf die Schulter: „Gott bewahre dich, mein Sohn, mein lieber, lieber Ollrich! auf allen deinen Wegen. In Berlin sehen wir uns bald wieder." Dies sprach er auch sehr wehmütig, denn er hatte gewiß ein weiches Herz. Unsre erste Tagreise ging sieben Stunden weit bis ins Städtgen Ebingen, meist über schlechte Wege durch Kot und Schnee. Die zweite bis auf Obermarkt neun Stunden. Auf der erstgenannten Station logierten wir beim Rehe; auf der zweiten weiß ich selbst nicht mehr, was es vor ein Tier war. An beiden Orten gab's nur kalte Küche und ein Gesöff ohne Namen. Den dritten Abend bis Ulm wieder neun Stunden. Diesen Tag fing ich an, die Beschwerlichkeiten der Reise zu fühlen; schon hatt' ich Schwielen an den Füßen und war mir's sonst sterbensübel. Im Städtgen Egna setzten wir uns

1. vorschießen.

ein Stück Wegs auf einen Bauernwagen, da denn das gewaltige Schütteln dieses Fuhrwerks, zumal bei mir, seine gewohnte herzbrechende Wirkung tat. Als wir unweit Ulm abstiegen, ward's mir schwarz und blau vor den Augen. Ich sank zu Boden: „Um Gottes Barmherzigkeit willen", sagt' ich, „weiter kann ich nicht; lieber laßt mich auf der Gasse liegen." Ein barmherziger Samariter lud mich endlich auf seine nackte Mähre, auf der ich mich vollends bis ins Städtgen so lahmritt, daß ich weder mehr stehen noch gehen konnte. Zu Ulm logierten wir beim Adler und hatten dort unsern ersten Rasttag. Meine Kameraden besorgten da ihre alten Herzensangelegenheiten; ich legte mich lieber auf die faule Haut. Nur sah ich an diesem Ort einen Leichenzug, der mir sehr wohl gefiel. Das Weibsvolk ging ganz weiß bis auf die Füße. Den fünften Tag marschierten wir bis auf Gengen sieben Stunden. Den sechsten auf Nördlingen, wieder sieben Stunden, und hielten da den zweiten Rasttag. Hevel hatte dort beim Wilden Mann ein liebs Lisel. Sie spielte artig die Cithar, er sang Lieder dazu. Sonst weiß ich von diesem und so vielen andern Orten, wo wir durchkamen, eben nichts zu erzählen. Meist erst nachts langten wir müd und schläfrig an, und morgens früh mußten wir wieder fort. Wer wollte da etwas recht sehen und beobachten können? Ach Gott! dacht' ich oft, wenn ich nur einmal an Ort und Stell' wäre, mein Lebtag wollt' ich nicht mehr eine so lange Reis' antreten. Kaminski war, wie ich schon einmal verdeutet, ein lustiger Polacke, ein Mann wie ein Baum, ein Paar Beine wie zwo Säulen und lief wie ein Elefant. Labrot hatte auch seinen tüchtigen Schritt. Krüger, Hevel und ich hingegen schonten ihrer Füße; und bald alle sechs Tage mußte man uns flicken oder versohlen. Am achten Tag ging's nach Gonzenhausen acht Stunden. Gegen Mittag sahen wir Hevels Lisgen über ein Feld dahertrippeln; das arme Ding rannte ihm durch andre Wege bis hieher nach und wollte sich nicht abweisen lassen, ihn wenigstens bis auf unsre Station zu begleiten. Den neunten auf Schwabach acht Stunden. Den zehnten über Nürnberg bis Bayersdorf neun Stunden. Den eilften bis Tropach zehn Stunden. Den zwölften über Bareuth bis Bernig sieben Stunden. Den dreizehnten bis Hof acht Stunden. Den vierzehnten bis Schletz sieben Stunden. Hier hielten wir wieder einmal Rasttag, und es war hohe Zeit. Von Gonzenhausen an hatten wir in keinen Betten gelegen, sondern, wenn's gut ging, auf elendem Stroh. Und überhaupt, obschon wir viel Denari[1] verzehrten, war's ein miserabel Leben, meist schlecht Wetter und oft abscheuliche Wege. Krüger und Labrot fluchten und pestierten[2] den ganzen Tag; Hevel hingegen war ein feiner sittlicher[3] Mann, der uns immer Geduld und Mut einsprach. Den sechszehnten ging's bis Cistritz zwölf Stunden. Darauf wieder ein Rasttag. Den achtzehnten bis Weißenfeld sieben Stunden. Den neunzehnten über die Elbe bis auf Halle. Als wir den breiten Strom passiert hatten, bezeugten die Sergeanten große Freude, denn nun betraten wir Brandenburger Boden. Zu Halle logierten wir bei Hevels Bruder, einem Geistlichen, der aber nichtsdestominder den ganzen Abend mit uns spielte und haselierte[4], so daß ich glaube, sein Bruder Sergeant war frömmer als er. Inzwischen war mein Geld alle; Hevel mußte mir noch zehn fl. herschießen. Den zwanzigsten bis vierundzwanzigsten ging's über Zerbst, Dessau, Görz, Ustermark, Spandau, Charlottenburg und so fort auf Berlin vierundvierzig Stunden. An den drei letztern Orten zumal wimmelte es von Militär aller Gattungen und Farben, daß ich mich nicht satt gucken konnte; die Türme von Berlin zeigte man uns schon, eh' wir nach Spandau kamen. Ich dachte, wir hätten's in einer Stunde erreicht; wie erstaunt' ich darum, als es hieß, wir gelangten erst morgens hin.

1. Geld. – 2. schimpften (frz. pester). – 3. feingesitteter. – 4. scherzte, lärmte.

Und nun, wie war ich so herzlich froh, als wir endlich die große herrliche Stadt erreicht. Wir gingen zum Spandauer Tor ein, dann durch die melancholisch angenehme Lindenstraße und noch ein paar Gassen durch. Da, dacht' ich Einfaltspinsel, bringt man dich dein Lebtag nicht mehr weg. Da wirst du dir dein Glück bauen. Dann schickst du einen Kerl mit Briefen ins Tockenburg; der muß dir dann deine Eltern und Ännchen zurückbringen; da werden sie die Augen aufsperren, und so fort. Nun bat ich meine Führer, sie sollten mich zu meinem Herrn führen. „Ei!" erwiderte mir Krüger, „wir wissen ja nur nicht, ob er schon angelangt ist, und noch viel minder, wo er Quartier nimmt!" „Der Henker!" sagt' ich, „hat er denn kein eigen Haus hier?" Über diese Frage lachten sie sich die Haut voll. Mögen sie immer lachen, dacht' ich: Markoni wird doch, will's Gott! ein eigen Haus haben.

XLV.

's gibt ander Wetter!

Es war den 8. April, da wir zu Berlin einmarschierten und ich vergebens nach meinem Herrn fragte, der doch, wie ich nachwärts erfuhr, schon acht Tage vor uns dort angelangt war – als Labrot (denn die andern verloren sich nach und nach von mir, ohne daß ich wußte, wo sie hinkamen) mich in die Krausenstraße in Friedrichsstadt transportierte, mir ein Quartier anwies und mich dann kurz mit den Worten verließ: „Da, Mussier! bleib Er bis auf fernere Ordre!" Der Henker! dacht' ich, was soll das? Ist ja nicht einmal ein Wirtshaus. Wie ich so staunte, kam ein Soldat, Christian Zittemann, und nahm mich mit sich auf seine Stube, wo sich schon zwei andre Martissöhne[1] befanden. Nun ging's an ein

1. Söhne des Kriegsgottes Mars.

Wundern und Ausfragen: Wer ich sei, woher ich komme, und dergleichen. Noch konnt' ich ihre Sprache nicht recht verstehen. Ich antwortete kurz, ich komme aus der Schweiz und sei Sr. Exzellenz des Herrn Lieutenant Markonis Lakai, die Sergeanten hätten mich hieher gewiesen, ich möchte aber lieber wissen, ob mein Herr schon in Berlin angekommen sei und wo er wohne. Hier fingen die Kerls ein Gelächter an, daß ich hätte weinen mögen, und keiner wollte das geringste von einer solchen Exzellenz wissen. Mittlerweile trug man eine stockdicke Erbsekost auf. Ich aß mit wenigem Appetit davon. Wir waren kaum fertig, als ein alter hagerer Kerl ins Zimmer trat, dem ich doch bald ansah, daß er mehr als Gemeiner sein müsse. Es war ein Feldweibel. Er hatte eine Soldatenmontur auf dem Arm, die er über den Tisch ausspreitete, ein Sechsgroschenstück dazulegte und sagte: „Das ist vor dich, mein Sohn! Gleich werd ich dir noch ein Kommißbrot[1] bringen." „Was? vor mich", versetzt' ich, „von wem, wozu?" „Ei, deine Montierung und Traktament, Bursche! Was gilt's da Fragens? Bist ja ein Rekrute." „Wie, was? Rekrute?" erwidert' ich; „behüte Gott! da ist mir nie kein Sinn daran kommen. Nein! in meinem Leben nicht. Markonis Bedienter bin ich. So hab ich gedungen, und anderst nicht. Da wird mir kein Mensch anders sagen können!" „Und ich sag dir, du bist Soldat, Kerl! Ich steh dir dafür. Da hilft itzt alles nichts." Ich: Ach! wenn nur mein Herr Markoni da wäre. Er: Den wirst du so bald nicht zu sehen kriegen. Wirst doch lieber wollen unsers Königs Diener sein als seines Lieutenants. – Damit ging er weg. „Um Gottes willen, Herr Zittemann!" fuhr ich fort, „was soll das werden?" „Nichts, Herr!" antwortete dieser, „als daß Er, wie ich und die andern Herren da, Soldat und wir folglich alle Brüder sind und daß Ihm alles Wider-

1. Soldatenbrot.

setzen nichts hilft, als daß man Ihn auf Wasser und Brot nach der Hauptwache führt, kreuzweis schließt und Ihn fuchtelt, daß Ihm die Rippen krachen, bis Er content[1] ist!" Ich: Das wär', beim Sacker! unverschämt, gottlos! Er: Glaub Er mir's auf mein Wort, anderst ist's nicht und geht's nicht. Ich: So will ich's dem Herr König klagen. – Hier lachten alle hoch auf. – Er: Da kömmt Er sein Tage nicht hin. Ich: Oder wo muß ich mich sonst denn melden? Er: Bei unserm Major, wenn Er will. Aber das ist alles alles umsonst. Ich: Nun so will ich's doch probieren, ob's – ob's so gelte. – Die Bursche lachten wieder; ich aber entschloß mich wirklich, morgens zum Major zu gehn und meinem treulosen Herrn nachzufragen.

Sobald also der Tag an Himmel brach, ließ ich mir dessen Quartier zeigen. Potz Most! das dünkte mich ein königlicher Palast – und der Major der König selbst zu sein, so majestätisch kam er mir vor, ein gewaltig großer Mann, mit einem Heldengesicht und ein Paar feurigen Augen wie Sternen. Ich zitterte vor ihm, stotterte: „Herr ... Major! Ich bin ... Herrn Lieutenant Markonis Be ... Bedienter. Fü ... fü ... für das bi ... bi ... bin ich angewo ... worben und sonst wei ... weiters für ni ... ni ... nichts. Si ... Si ... Sie können ihn selbst fra ... gen. I ... Ich weiß nicht, wo er i ... i ... ist. Itzt sagen's da, ich müsse So ... o ... oldat sei ... ei ... ei ... ein, ich wolle o ... der wolle nicht." – „So", unterbrach er mich, „so ist Er das saubre Bürschgen! Sein feiner Herr, der hat uns gewirtschaftet, daß es eine Lust ist; und Er wird wohl auch Seinen Teil gezogen haben. Und kurz, itzt soll Er dem König dienen, da ist's aus und vorbei." – Ich: Aber, Herr Major ... – Er: Kein Wort, Kerl! oder die Schwernot! Ich: Aber ich hab ja weder Kapitulation[2] noch Handgeld! Au! Könnt' ich doch mit meinem Herrn reden! –

1. zufrieden (frz.). – 2. Dienstvertrag.

Er: Den wird Er so bald nicht zu sehen kriegen; und Handgeld hat Er mehr gekost't als zehn andre. Sein Lieutenant hat eine saubere Rechnung, und Er steht darin obenan. Eine Kapitulation hingegen, die soll Er haben. – Ich: Aber – – Er: Fort, Er ist ja ein Zwerg, daß – – Ich: Ich bi . . . bi . . . bitte. – – Er: Canaille! scher Er sich zum Teufel. – Damit zog er die Fuchtel – ich zum Haus hinaus wie ein Dieb und nach meinem Quartier hin, das ich vor Angst und Not kaum finden konnte. Da klagt' ich Zittemann mein Elend in den allerhöchsten Tönen. Der gute Mann sprach mir Mut ein: „Geduld, mein Sohn! Noch wird schon alles besser gehn. Itzt mußt' dich leiden; viel hundert brave Bursche aus guten Häusern müssen das gleiche tun. Denn gesetzt auch, Markoni könnte und wollte dich behalten, so müßt' er dich doch unter sein Regiment abgeben, sobald es hieß': Ins Feld, marsch! Aber wirklich einstweilig würd' er kaum einen Bedienten zu nähren imstand sein, da er auf der Werbung ungeheure Summen verzehrt und dafür so wenig Kerls eingeschickt haben soll, wie ich unsern Oberst und Major schon oft drüber lamentieren gehört, und wird man ihn gewiß nicht mehr so geschwind zu derlei Geschäften brauchen." So tröstete mich Zittemann, und ich mußt's wohl annehmen, da mir kein besserer Trost übrigblieb. Nur dacht' ich dabei: Die Größern richten solche Suppen an, und die Kleinern müssen sie aufessen.

XLVI.

So bin ich denn wirklich Soldat?

Des Nachmittags brachte mir der Feldweibel mein Kommißbrot, nebst Unter- und Übergewehr und so fort, und fragte, ob ich mich nun eines Bessern bedacht. „Warum nicht?" antwortete Zittemann für mich, „er ist der beste Bursch von der Welt." Itzt führte man mich in die Montierungskammer und paßte mir Hosen, Schuh' und Stiefeletten an, gab mir einen Hut, Halsbinde, Strümpfe und so fort. Dann mußt' ich mit noch etwa zwanzig andern Rekruten zum Herrn Oberst Latorf. Man führte uns in ein Gemach, so groß wie eine Kirche, brachte etliche zerlöcherte Fahnen herbei und befahl jedem, einen Zipfel anzufassen. Ein Adjutant, oder wer er war, las uns einen ganzen Sack voll Kriegsartikel her und sprach uns einige Worte vor, welche die mehrern nachmurmelten; ich regte mein Maul nicht, dachte dafür, was ich gern wollte – ich glaube an Ännchen, schwung dann die Fahne über unsre Köpfe und entließ uns. Hierauf ging ich in eine Garküche[1] und ließ mir ein Mittagessen nebst einem Krug Bier geben. Dafür mußt' ich zwei Groschen zahlen. Nun blieben mir von jenen sechsen noch viere übrig; mit diesen sollt' ich auf vier Tage wirtschaften – und sie reichten doch bloß für zweene hin. Bei dieser Überrechnung fing ich gegen meine Kameraden schrecklich zu lamentieren an. Allein Cran, einer derselben, sagte mir mit Lachen: „Es wird dich schon lehren. Itzt tut es nichts, hast ja noch allerlei zu verkaufen! Per Exempel deine ganze Dienermontur. Dann bist du gar itzt doppelt armiert, das läßt sich alles versilbern. Dann kriegen solch junge Bursche oft noch eine Traktamentszulage, und kannst dich deswegen nur beim Obrist melden." „O, o! Da geh ich mein' Tage nicht mehr hin", sagt' ich. „Potz Velten[2]!" antwortete Cran, „du mußt mal des Donnerns gewohnt werden, sei's itzt ein wenig früher oder später. Und dann des Menage wegen nur fein aufmerksam zugesehn, wie's die andern machen. Da heben's drei, vier bis fünf miteinander an, kaufen Dinkel[3], Erbsen, Erdbirn[4] und dergleichen und

1. Öffentliche Küche, in der man immer Speisen fertig findet. – 2. Valentin. – 3. mindere Weizenart (Spelz). – 4. Erdäpfel, Erdbirnen: Kartoffeln.

kochen selbst. Des Morgens um e'n Dreier Fusel und e'n Stück Kommißbrot. Mittags holen sie in der Garküche um e'n andern Dreier Suppe und nehmen wieder e'n Stück Kommiß. Des Abends um zwei Pfenning Kovent oder Dünnbier und abermals Kommiß." „Aber das ist, beim Strehl[1], ein verdammtes Leben", versetzt' ich; und Er: Ja, so kommt man aus und anderst nicht. Ein Soldat muß das lernen; denn es braucht noch viel andre War': Kreide, Puder, Schuhwar', Öl, Schmirgel, Seife und was der hundert Siebensachen mehr sind. – Ich: Und das muß einer alles aus den sechs Groschen bezahlen? Er: Ja! und noch viel mehr, wie z.B. den Lohn für die Wasche, für das Gewehrputzen und so fort, wenn er solche Dinge nicht selber kann. – Damit gingen wir in unser Quartier, und ich machte alles zurecht, so gut ich konnte und mochte.

Die erste Woche indessen hatt' ich noch Vakanz, ging in der Stadt herum auf alle Exerzierplätze, sah, wie die Offiziere ihre Soldaten musterten[2] und prügelten, daß mir schon zum voraus der Angstschweiß von der Stirne troff. Ich bat daher Zittemann, mir bei Haus die Handgriffe zu zeigen. „Die wirst du wohl lernen!" sagte er, „aber auf die Geschwindigkeit kömmt's an. Da geht's dir wie e'n Blitz!" Indessen war er so gut, mir wirklich alles zu weisen: wie ich das Gewehr rein halten, die Montur anpressen, mich auf Soldatenmanier frisieren sollte, und so fort. Nach Crans Rat verkaufte ich meine Stiefel und kaufte dafür ein hölzernes Kästgen für meine Wäsche. Im Quartier übte ich mich stets im Exerzieren, las im Hallischen Gesangbuch oder betete. Dann spaziert' ich etwa an die Spree und sah da hundert Soldatenhände sich mit Aus- und Einladen der Kaufmannswaren beschäftigen, oder auf die Zimmerplätze, da steckte wieder alles voll arbeitender

1. In ostschweizerischen Mundarten euphemistische Form für ‚beim Strahl' (Blitzstrahl). (Vgl. Schweiz. Idiotikon XI, 2219.) – 2. zurechtweisen, antreiben.

Kriegsmänner. Ein andermal in die Kasernen, und so fort. Da fand ich überall auch dergleichen, die hunderterlei Hantierungen trieben – von Kunstwerken an bis zum Spinnrocken. Kam ich auf die Hauptwache, so gab's da deren, die spielten, soffen und haselierten, andre, welche ruhig ihr Pfeifgen schmauchten und diskurierten; etwa auch einer, der in einem erbaulichen Buch las und's den andern erklärte. In den Garküchen und Bierbrauereien ging's ebenso her. Kurz, in Berlin hat's unter dem Militär – wie, denk ich freilich, in großen Staaten überall – Leute aus allen vier Weltteilen, von allen Nationen und Religionen, von allen Charaktern und von jedem Berufe, womit einer noch nebenzu sein Stücklein Brot gewinnen kann. Das dachte auch ich zu verdienen – wenn ich nur erst recht exerzieren könnte. – Etwa an der Spree? – Doch nein, da lärmt's gar zu stark – Aber z. E. auf einem Zimmerplatz, da ich mich so ziemlich auf die Axt verstund. So war ich wieder fix und fertig, neue Plane zu machen, ungeachtet ich mit meinem erstern so schändlich gescheitert hatte. Gibt's doch hier (damit schläferte ich mich immer ein) selbst unter den gemeinen Soldaten ganze Leute, die ihre hübschen Kapitalien haben, Wirtschaft, Kaufmannschaft treiben, und so fort. Aber dann erwog ich nicht, daß man vor Zeiten ganz andere Handgelder gekriegt als heutzutag, daß dergleichen Bursche bisweilen ein Namhaftes mochten erheuratet haben, und dergleichen. Besonders aber, daß sie ganz gewiß mit dem Schilling gut hausgehalten und nur darum den Gulden gewinnen konnten – ich hingegen weder mit dem Schilling noch mit dem Gulden umzugehen wisse. – Und endlich, wenn alles fehlen sollte, fand ich auch da noch einen elenden Trost in dem Gedanken: Geht's einmal zu Felde, so schont das Blei jenen Glückskindern sowenig als dir armen Hudler! – Also – bist du so gut wie sie.

XLVII.

Nun geht der Tanz an

Die zweite Woche mußt' ich mich schon alle Tage auf dem Paradeplatz stellen, wo ich unvermutet drei meiner Landleute, Schärer, Bachmann und Gästli, fand, die sich zumal alle mit mir unter gleichem Regimente (Itzenblitz), die beiden erstern vollends unter der nämlichen Kompagnie (Lüderitz) befanden. Da sollt' ich vor allen Dingen unter einem mürrischen Korporal mit einer schiefen Nase (Mengke mit Namen) marschieren lernen. Den Kerl nun mocht' ich vor den Tod nicht vertragen; wenn er mich gar auf die Füße klopfte, schoß mir das Blut in den Gipfel. Unter seinen Händen hätt' ich mein' Tage nichts begreifen können. Dies bemerkte einst Hevel, der mit seinen Leuten auf dem gleichen Platze manövrierte, tauschte mich gegen einen andern aus und nahm mich unter sein Plouton[1]. Das war mir eine Herzensfreude. Itzt kapiert' ich in einer Stunde mehr als sonst in zehn Tagen. Von diesem guten Manne vernahm ich auch bald, wo Markoni wohne, aber, bat er um Gottswillen, ich soll ihn nicht verraten. Des folgenden Tags, sobald das Exerzitium vorbei war, flog ich nach dem Quartier, das mir Hevel verdeutet hatte, und murmelte immer vor mir her: Ja, ja, Markoni! wart nur, ich will dir deinen an mir verübten Lumpenstreich, deine verfluchte Verräterei so unter die Nase reiben, daß es dich gereuen soll! Nun weiß ich schon, daß du hier nur Lieutenant und nirgends Ihr Gnaden bist! – Bei geringer Nachfrage fand ich das mir benannte Haus. Es war eben eins von den geringsten in ganz Berlin. Ich pochte an; ein kleines, magres, fuchsrotes Bürschgen öffnete mir die Türe und führte mich eine Treppe hinauf in das Zimmer meines Herrn. Sobald er mich erblickte, kam er auf mich zu, drückte

1. Peloton.

mir die Hand und sprach zu mir mit einem so holden Engelsgesicht, das in einem Nu allen meinen Grimm entwaffnete und mir die Tränen in die Augen trieb: „Ollrich! mein Ollrich! mach mir keine Vorwürf'! Du warst mir lieb, bist's noch und wirst mir's immer bleiben. Aber ich mußte nach meinen Umständen handeln. Gib dich zufrieden. Ich und du dienen nun einem Herrn." – „Ja, Ihr Gnaden." – – „Nichts Gnaden!" sagte er. „Beim Regiment heißt es nur: Herr Lieutenant!" Itzt klagt' ich ihm nach aller Ausführlichkeit meine gegenwärtige große Not. Er bezeugte mir sein ganzes Mitleid. „Aber", fuhr er fort, „hast ja noch allerlei Sachen, die du versilbern kannst, wie z. E. die Flinte von mir, die Reisemütze, die dir Lieutenant Hofmann in Offenburg verehrt, und dergleichen. Bring sie nur mir, ich zahl dir dafür, soviel sie je wert sind. Dann könntst du dich wie andre Rekruten um Gehaltserhöhung beim Major –" „Potz Wetter!" fiel ich ein, „nein, den sah ich einmal und nimmermehr!" Drauf erzählt' ich ihm, wie dieser Sir mir begegnet habe. „Ha!" versetzte er, „die Lümmels meinen, man könn' auf Werbung von Luft leben und Kerle im Strick fangen." „Ja!" sagt' ich, „hätt' ich's gewußt, wollt' ich mir wenigstens in Rothweil auch einen Notpfenning erspart haben." „Alles hat seine Zeit, Ollrich!" erwiderte er, „halt dich nur brav! Wenn einmal die Exerzitien vorbei sind, kannst du wohl was verdienen. Und wer weiß – vielleicht geht's bald ins Feld, und dann –" – Weiter sagte er nichts; ich merkte aber wohl, was er damit wollte, und ging vergnügt, als ob ich mit meinem Vater geredet hätte, nach Haus. Nach etlichen Tagen trug ich Flinte, Ballast und die samtene Mütze wirklich zu ihm hin; er zahlte mir etwas weniges dafür, aber von Markoni war ich alles zufrieden. Bald darauf verkauft' ich auch meinen Tressenhut, den grünen Frack und so fort und fort und ließ mir nichts mangeln, solang ich was anzugreifen hatte. Schärer war ebenso arm als ich; allein er bekam ein paar Groschen Zulage und doppelte Portion Brot; der Major hielt ein gut Stück mehr auf ihm als auf mir. Indessen waren wir Herzensbrüder; solang einer etwas zu brechen hatte, konnte der andere mitbeißen. Bachmann hingegen, der ebenfalls mit uns hauste, war ein filziger Kerl und harmonierte nie recht mit uns; und doch schien immer die Stunde ein Tag lang, wo wir nicht beisammen sein konnten. G.[1] mußten wir in den H . . .-häusern suchen, wenn wir ihn haben wollten; er kam bald hernach ins Lazarett. Ich und Schärer waren auch darin völlig gleichgesinnt, daß uns das Berliner Weibsvolk ekelhaft und abscheulich vorkam, und wollt' ich für ihn so gut wie für mich einen Eid schwören, daß wir keine mit einem Finger berührt. Sondern sobald das Exerzieren vorbei war, flogen wir miteinander in Schottmanns Keller, tranken unsern Krug Ruhiner- oder Gottwitzer-Bier, schmauchten ein Pfeifgen und trillerten ein Schweizerlied. Immer horchten uns da die Brandenburger und Pommeraner mit Lust zu. Etliche Herren sogar ließen uns oft expreß in eine Garküche rufen, ihnen den Kuhreihen zu singen. Meist bestand der Spielerlohn bloß in einer schmutzigen[2] Suppe; aber in einer solchen Lage nimmt man mit noch weniger vorlieb.

XLVIII.

Nebst anderm meine Beschreibung von Berlin

Berlin ist der größte Ort in der Welt, den ich gesehen; und doch bin ich bei weitem nie ganz darin herumgekommen. Wir drei Schweizer machten zwar oft den Anschlag zu einer solchen Reise; aber bald gebrach's uns an Zeit, bald an Geld, oder wir waren von Stra-

1. Gästli. – 2. fettigen.

pazen so marode, daß wir uns lieber der Länge nach hinlegten.

Die Stadt Berlin – doch viele sagen, sie bestehe aus sieben Städten; aber unsereinem hat man nur drei genennt: Berlin, Neustadt und Friedrichsstadt. Alle drei sind in der Bauart verschieden. In Berlin – oder Cöl[1] sagt man auch – sind die Häuser hoch wie in den Reichsstädten, aber die Gassen nicht so breit wie in Neu- und Friedrichsstadt, wo hingegen die Häuser niedriger, aber egaler gebauen sind; denn da sehen auch die kleinsten derselben, oft von sehr armen Leuten bewohnt, doch wenigstens sauber und nett aus. An vielen Orten gibt es ungeheuer große leere Plätze, die teils zum Exerzieren und zur Parade, teils zu gar nichts gebraucht werden; ferners Äcker, Gärten, Alleen, alles in die Stadt eingeschlossen. – Vorzüglich oft gingen wir auf die lange Brücke, auf deren Mitte ein alter Markgraf von Brandenburg[2] zu Pferd in Lebensgröße, von Erzt gegossen, steht und etliche Enakssöhne[3] mit krausen Haaren zu seinen Füßen gefesselt sitzen – dann der Spree nach aufs Weidendamm, wo's gar lustig ist – und dann ins Lazarett zu G. und B. – um dort das traurigste Spektakel unter der Sonne zu sehn, wo einem, der nicht gar ein Unsinniger ist, die Lust zu Ausschweifungen bald vergehen muß: In diesen Gemächern, so geräumig wie Kirchen, wo Bett an Bett gereihet steht, in deren jedem ein elender Menschensohn auf seine eigene Art den Tod und nur wenige ihre Genesung erwarten, hier ein Dutzend, die unter den Händen der Feldscherer ein erbärmliches Zetergeschrei erheben, dort andre, die sich unter ihren Decken krümmen wie ein halbzertretener Wurm; viele mit an- und weggefaulten Gliedern, und so fort. Meist mochten[4] wir's da nur wenige Minuten aushalten und gingen dann wieder an Gottes Luft, setzten uns auf

1. Kölln. – 2. Friedrich Wilhelm, der Große Kurfürst (1620 bis 1688). – 3. Riesensöhne (4. Mose 13). – 4. vermochten.

einen Rasenplatz, und da führte unsre Einbildungskraft uns fast immer unwillkürlich in unser Schweizerland zurück, und erzählten wir einander unsre Lebensart bei Hause: wie wohl's uns war, wie frei wir gewesen, was es hingegen hier vor ein verwünschtes Leben sei, und dergleichen. Dann machten wir Plane zu unsrer Entledigung. Bald hatten wir Hoffnung, daß uns heut oder morgens einer derselben gelingen möchte; bald hingegen sahen wir vor jedem einen unübersteiglichen Berg, und noch am meisten schreckte uns die Vorstellung der Folgen eines allenfalls fehlschlagenden Versuches. Bald alle Wochen hörten wir nämlich neue ängstigende Geschichten von eingebrachten Deserteurs, die, wenn sie noch so viele List gebraucht, sich in Schiffer und andre Handwerksleute oder gar in Weibsbilder verkleid't, in Tonnen und Fässer versteckt und dergleichen, dennoch ertappt wurden. Da mußten wir zusehen, wie man sie durch zweihundert Mann achtmal die lange Gasse auf und ab Spießruten laufen ließ, bis sie atemlos hinsanken – und des folgenden Tags aufs neue dran mußten, die Kleider ihnen vom zerhackten Rücken heruntergerissen und wieder frisch drauflosgehauen wurde, bis Fetzen geronnenen Bluts ihnen über die Hosen hinabhingen. Dann sahen Schärer und ich einander zitternd und todblaß an und flüsterten einander in die Ohren: „Die verdammten Barbaren!" Was hiernächst auch auf dem Exerzierplatz vorging, gab uns zu ähnlichen Betrachtungen Anlaß. Auch da war des Fluchens und Karbatschens von prügelsüchtigen Jünkerlins und hinwieder des Lamentierens der Geprügelten kein Ende. Wir selber zwar waren immer von den ersten auf der Stelle und tummelten uns wakker. Aber es tat uns nicht minder in der Seele weh, andre um jeder Kleinigkeit willen so unbarmherzig behandelt und uns selber so jahrein, jahraus kujoniert zu sehn, oft ganzer fünf Stunden lang, in unsrer Montur eingeschnürt, wie geschraubt stehn, in die Kreuz und Quere pfahlgerad marschieren und ununterbrochen blitzschnelle Handgriffe machen zu müssen, und das alles auf Geheiß eines Offiziers, der mit einem furiosen Gesicht und aufgehobnem Stock vor uns stund und alle Augenblick' wie unter Kabisköpfe dreinzuhauen drohete. Bei einem solchen Traktament[1] mußte auch der starknervigste Kerl halb lahm und der geduldigste rasend werden. Und kamen wir dann todmüde ins Quartier, so ging's schon wieder über Hals und Kopf, unsre Wäsche zurechtzumachen und jedes Fleckgen auszumustern, denn bis auf den blauen Rock war unsre ganze Uniform weiß. Gewehr, Patrontasche, Kuppel[2], jeder Knopf an der Montur, alles mußte spiegelblank geputzt sein. Zeigte sich an einem dieser Stücke die geringste Untat oder stand ein Haar in der Frisur nicht recht, so war, wenn er auf den Platz kam, die erste Begrüßung eine derbe Tracht Prügel. Das währte so den ganzen Mai und Juni fort. Selbst den Sonntag hatten wir nicht frei, denn da mußten wir auf das properste Kirchenparade machen. Also blieben uns zu jenen Spaziergängen nur wenige zerstreute Stunden übrig, und wir hatten kurz und gut zu nichts Zeit übrig – als zum Hungerleiden. – Wahr ist's, unsre Offiziere erhielten gerade damals die gemessenste Ordre, uns über Kopf und Hals zu mustern[3]; aber wir Rekruten wußten den Henker davon und dachten halt, das sei sonst so Kriegsmanier. Alte Soldaten vermuteten wohl so etwas, schwiegen aber mausstill. – Indessen waren Schärer und ich blutarm geworden, und was uns nicht an den Hintern gewachsen war, hatten wir alles verkauft. Nun mußten wir mit Brot und Wasser (oder Kovent, das nicht viel besser als Wasser ist) vorliebnehmen. Mittlerweile war ich von Zittemann weg zu Wolfram und Meewis ins Quartier kommen, von denen der erstre ein Zimmermann, der andre ein Schu-

1. Behandlung. – 2. Koppel. – 3. prüfend besichtigen.

ster war und beide einen guten Verdienst hatten. Mit diesen macht' ich anfangs ebenfalls Menage. Sie hatten so ihren Bauerntisch: Suppen und Fleisch, mit Erdapfeln und Erbsen. Jeder schoß zu einem Mittagsmahl zwei Dreier; abends und zum Frühstück lebte jeder für sich. Ich aß besonders gern einen Ochsenpfoten, einen Hering oder ein Dreierkäsgen. Nun aber konnt' ich's nicht mehr mit ihnen halten; zu verkaufen hatt' ich nichts mehr, und mein Sold ging meist für Wäsche, Puder, Schuhwar', Kreide, Schmirgel, Öl und anderes Plunderzeug auf. Jetzt fing ich erst recht an, Trübsal zu blasen, und keinem Menschen konnt' ich so recht von Herzensgrund meine Not klagen. Des Tags ging ich umher wie der Schatten an der Wand. Des Nachts legt' ich mich ins Fenster, guckte weinend in den Mond hinauf und erzählte dem mein bitteres Elend: „Du, der jetzt auch überm Tockenburg schwebt, sag es meinen Leuten daheim, wie armselig es um mich stehe – meinen Eltern, meinen Geschwisterten – meinem Ännchen sag's, wie ich schmachte – wie treu ich ihr bin – daß sie alle Gott für mich bitten. Aber du schweigst so stille, wandelst so harmlos deinen Weg fort? Ach! könnt' ich ein Vöglein sein und dir nach in meine Heimat fliegen! Ich armer, unbesonnener Mensch! Gott erbarm' sich mein! Ich wollte mein Glück bauen, und baute mein Elend! Was nützt mir dieser herrliche Ort, worin ich verschmachten muß! Ja, wenn ich die Meinigen hier hätte, und so ein schön Häusgen, wie dort grad gegenüber steht – und nicht Soldat sein müßte, dann wär's hier gut wohnen; dann wollt' ich arbeiten, handeln, wirtschaften und ewig mein Vaterland meiden! – Doch nein! Denn auch so müßt' ich den Jammer so vieler Elenden täglich vor Augen sehn! Nein, geliebtes, liebes Tockenburg! Du wirst mir immer vorzüglich wert bleiben! – Aber, ach! vielleicht seh ich dich in meinem Leben nicht wieder – verliere sogar den Trost, von Zeit zu Zeit an die Lieben zu schreiben, die in dir wohnen! Denn jedermann erzählt mir von der Unmöglichkeit, wenn's einmal ins Feld gehe, auch nur eine Zeile fortzubringen, worin ich mein Herz ausschütten könnte. Doch, wer weiß? Noch lebt mein guter Vater im Himmel; dem ist's bekannt, wie ich nicht aus Vorsatz oder Lüderlichkeit dies Sklavenleben gewählt, sondern böse Menschen mich betrogen haben. Ha! Wenn alles fehlen sollte – Doch nein! desertieren will ich nicht. Lieber sterben als Spießrute laufen. Und dann kann sich's ja auch ändern. Sechs Jahre sind noch wohl auszuhalten. Freilich eine lange, lange Zeit; wenn's zumal wahr sein sollte, daß auch dann kein Abscheid zu hoffen wäre! – Doch, was? Kein Abscheid? Hab ich doch eine, und zwar mir aufgedrungene Kapitulation! – Ha! Dann müßten sie mich eher töten! Der König müßte mich hören! Ich wollte seiner Kutsche nachrennen, mich anhängen, bis er mir sein Ohr verlieht. Da wollt' ich ihm alles sagen, was der Brief ausweist. Und der gerechte Friedrich wird nicht gegen mich allein ungerecht sein", und so fort. – Das waren damals so meine Selbstgespräche.

XLIX.

Nun geht's bald weiters

In diesen Umständen flogen Schärer und ich zusammen, wo wir konnten, klagten, überlegten, beschlossen, verwarfen. Schärer zeigte mehr Standhaftigkeit als ich, hatte aber auch mehr Sold. Ich gab jetzt, wie so viele andre, den letzten Dreier um Genevre[1], meinen Kummer zu vertreiben. Ein Mecklenburger, der nahe bei mir im Quartier und mit mir in gleichen Umständen war, machte es ebenso. Aber wenn der seinen

1. Genever, Wacholderbranntwein.

Brand im Kopf hatte, setzte er sich in der Abenddämmerung vors Haus hin, fluchte und haselierte da mutterseelsallein, schimpfte auf seine Offiziere und sogar auf den König, wünschte Berlin und allen Brandenburgern tausend Millionen Schwernot auf den Hals und fand (wie der arme Teufel, sooft er wieder nüchtern ward, behauptete) in diesem unvernünftigen Rasen seinen einzigen Trost im Unglück. Wolfram und Meewis warnten ihn oft; denn sonst war er noch vor kurzem ein recht guter umgänglicher Bursche: „Kerl!" sagten sie dann zu ihm, „gewiß wirst du noch ins Tollhaus wandern." Dieses war nicht weit von uns. Oft sah ich dort einen Soldat vor dem Gegitter auf einem Bänkgen sitzen und fragte einst Meewis, wer er wäre, denn ich hatte ihn bei der Kompagnie gesehn. „Just so einer wie der Mecklenburger", antwortete Meewis; „darum hat man ihn hier versorgt, wo er anfangs brüllte wie ein ungarscher Stier. Aber seit etlichen Wochen soll er so geschlacht[1] wie ein Lamm sein." Diese Beschreibung machte mich lüstern, den Menschen näher kennenzulernen. Er war ein Anspacher. Anfangs ging ich nur so wie verstohlen bei ihm hin und wieder, sah mit wehmütigem Vergnügen, wie er, seinen Blick bald zum Himmel gerichtet, bald auf den Boden geheftet, melancholisch dasaß, bisweilen aber ganz vor sich sanft lächelte und übrigens meiner nicht zu achten schien. Schon aus seiner Physiognomie war mir ein solcher Erdensohn in seiner Lage recht heilig. Endlich wagt' ich es, mich zu ihm hinzusetzen. Er sah mich starr und ernst an und schwatzte zuerst lange meist unverständiges Zeug, das ich doch gerne hörte, weil mitunter immer etwas höchst Vernünftiges zum Vorschein kam. Was ihm am meisten Mühe zu machen schien, war, soviel ich merken mochte, daß er von gutem Haus und nur durch Verdruß in diese Umstände gekommen sein

1. ruhig.

mußte, jetzt aber von Nachreu' und Heimweh erbärmlich litt. Nun entdeckt' ich ihm so durch Umwege auch meine Gemütsstimmung, hauptsächlich in der Absicht, zu horchen, was er allenfalls zu meiner Entweichung sagen würde; denn der Mann schien mir ordentlich einen Geist der Weissagung zu haben. „Brüderchen!" sprach er aus Veranlassung eines solchen Diskurses einst zu mir, „Brüderchen, halt du still! Deine Schuld ist's sicher, daß du leidest, und was du leidest also gewiß mehr oder minder wohl verdiente Züchtigung. Durch Zappeln machst du's wahrlich nur ärger. Es wird schon noch anders und immer anders kommen. Der König allein ist König; seine Generals, Obersten, Majoren sind selber seine Bedienten – und wir, ach! wir – so hingeworfene verkaufte Hunde – zum Abschmieren im Frieden, zum Totstechen und Totschießen im Krieg bestimmt. Aber all eins, Brüderchen! Vielleicht kömmst du nahe an eine Türe; geht sie dir auf – so tu, was du willst. Aber halt still, Brüderchen! – nur nichts erfrettet[1] oder erzwungen – sonst ist's mit einmal aus!" Dergleichen und noch viel anderes Ähnliches sagte er öfters zu mir. Aller Welt Priester und Leviten hätten mir nicht so gut predigen und mich zugleich so gut trösten können wie er.

Indessen murmelte es immer stärker vom Kriege. In Berlin kamen von Zeit zu Zeit neue Regimenter an; wir Rekruten wurden auch unter eins gesteckt. Da ging's nun alle Tag' vor die Tore zum Manövrieren, links und rechts avancieren, attackieren, retirieren, ploutons- und divisionsweise chargieren, und was der Gott Mars sonst alles lehrte. Endlich gedieh es zur Generalrevue; und da ging's zu und her, daß dies ganze Büchelgen nicht klecken[2] würde, das Ding zu beschreiben; und wenn ich's wollte, so könnt' ich's nicht. Erstlich wegen der schweren Menge aller Arten

1. überstürzt erlangen (ital. fretta = Eile). – 2. ausreichen.

Kriegsgrümpel, die ich hier großenteils zum erstenmal sah. Zweitens hatt' ich immer Kopf und Ohren so voll von dem entsetzlichen Lärm der knallenden Büchsen, der Trommeln und Feldmusik, des Rufens der Kommandeurs und so fort, daß ich oft hätte bersten mögen. Drittens war mir das Exerziz seit einiger Zeit so widerlich geworden, daß ich nur nicht mehr bemerken mochte, was all die Korps zu Fuß und zu Pferde für Millionszeug machten. Freilich kam mich hernach manchmal großer Reuen an, daß ich diese Dinge nicht besser in Obacht genommen; denn allen meinen Freunden und allen Leuten hierzulande wünscht' ich, daß sie solches nur einen Tag sehen möchten, es würde ihnen zu hundert und aber hundert vernünftigen Betrachtungen Anlaß geben. Also nur dies wenige. Da waren unübersehbare Felder mit Kriegsleuten bedeckt, viele tausend Zuschauer an allen Ecken und Enden. Hier stehen zwei große Armeen in künstlicher Schlachtordnung; schon brüllt von den Flanken das grobe Geschütz aufeinander los. Sie avancieren, kommen zum Feuer und machen ein so entsetzliches Donnern, daß man seinen nächsten Nachbar nicht hören und vor Rauch nicht mehr sehen kann. Dort versuchen etliche Bataillons ein Heckenfeuer; hier fallen's einander in die Flanke, da blockieren sie Batterien, dort formieren sie ein doppeltes Kreuz. Hier marschieren sie über eine Schiffbrücke, dort hauen Kürassiers und Dragoner ein und sprengen etliche Schwadrons Husaren von allen Farben aufeinander los, daß Staubwolken über Roß und Mann emporwallen. Hier überrumpeln's ein Lager; die Avantgarde, unter deren ich zu manövrieren die Ehre hatte, bricht Zelten ab und flieht. – Doch noch einmal: Ich müßte ein Narr sein, wenn ich glaubte, hier eine preußische Generalrevue beschrieben zu haben. Ich hoffe also, man nimmt mit diesem Wenigen vorlieb – oder vielmehr verzeiht's mir um der Freude willen, mein Gewäsch nicht länger anzuhören.

L.

Behüte Gott Berlin! – Wir sehen einander nicht mehr

Endlich kam der erwünschte Zeitpunkt, wo es hieß: Allons, ins Feld! Schon im Heumonat marschierten etliche Regimenter von Berlin ab und kamen hinwieder andre aus Preußen und Pommern an. Jetzt mußten sich alle Beurlaubten stellen, und in der großen Stadt wimmelte alles von Soldaten. Dennoch wußte noch niemand eigentlich, wohin alle diese Bewegungen zielten. Ich horchte wie ein Schwein am Gatter. Einiche sagten, wenn's ins Feld gehe, könnten wir neue Rekruten doch nicht mit, sondern würden unter ein Garnisonsregiment gesteckt. Das hätte mir himmelangst gemacht; aber ich glaubte es nicht. Indessen bot ich allen meinen Leibs- und Seelenkräften auf, mich bei allen Manövers als einen fertigen tapfern Soldaten zu zeigen (denn einige bei der Kompagnie, die älter waren als ich, mußten wirklich zurückbleiben). Und nun den 21. August, erst abends spät, kam die gewünschte Ordre, uns auf morgen marschfertig zu halten. Potz Wetter! wie ging es da her mit Putzen und Packen! Einmal, wenn's mir auch an Geld nicht gebrochen, hätt' ich nicht mehr Zeit gehabt, einem Bäcker zwei geborgte Brote zu bezahlen. Auch hieß es, in diesem Fall dürfte kein Gläubiger mehr ans Mahnen denken; doch ich ließ mein Wäschkistgen zurück, und wenn es der Bäcker nicht abgefodert hat, hab ich heutigen Tages noch einen Kreditor in Berlin – auch etliche Debitoren für ein paar Batzen – und geht's ungefähr so wett auf. – Den 22. August morgens um drei Uhr ward Alarm geschlagen, und mit Anbruch des Tages stund unser Regiment (Isenblitz, ein herrlicher Name! sonst nannten's die Soldaten im Scherz auch Donner und Blitz, wegen unsers Obristen gewaltiger Schärfe) in der Krausenstraße schon Parade. Jede seiner zwölf

Kompagnien war 150 Mann stark. Die in Berlin nächst um uns einquartierte Regimenter, deren ich mich erinnere, waren Vokat, Winterfeld, Meyring und Kalkstein; dann vier Prinzenregimenter: Prinz von Preußen, Prinz Ferdinand, Prinz Carl und Prinz von Würtenberg, die alle teils vor, teils nach uns abmarschierten, nachwärts aber im Feld meist wieder zu uns gestoßen sind. Itzt wurde Marsch geschlagen; Tränen von Bürgern, Soldatenweibern, H... und dergleichen flossen zu Haufen. Auch die Kriegsleute selber, die Landskinder nämlich, welche Weiber und Kinder zurückließen, waren ganz niedergeschlagen, voll Wehmut und Kummers; die Fremden hingegen jauchzten heimlich vor Freuden und riefen: Endlich gottlob ist unsre Erlösung da! Jeder war bebündelt wie ein Esel, erst mit einem Degengurt umschnallt, dann die Patrontasche über die Schulter mit einem fünf Zoll langen Riemen, über die andre Achsel den Tornister, mit Wäsche und so fort bepackt, item[1] der Habersack, mit Brot und andrer Fourage gestopft. Hiernächst mußte jeder noch ein Stück Feldgerät tragen: Flasche, Kessel, Hacken oder so was, alles an Riemen; dann erst noch eine Flinte, auch an einem solchen. So waren wir alle fünfmal übereinander kreuzweis über die Brust geschlossen, daß anfangs jeder glaubte, unter solcher Last ersticken zu müssen. Dazu kam die enge gepreßte Montur und eine solche Hundstagshitze, daß mir's manchmal deuchte, ich geh auf glühenden Kohlen, und wenn ich meiner Brust ein wenig Luft machte, ein Dampf herauskam wie von einem siedenden Kessel. Oft hatt' ich keinen trockenen Faden mehr am Leib und verschmachtete bald vor Durst.

1. desgleichen, ferner.

LI.

Marschroute bis Pirna

So marschierten wir den ersten Tag (22. Aug.) zum Köpenicker Tor aus und machten noch vier Stunden bis zum Städtchen Köpenick, wo wir zu dreißig bis fünfzig zu Burgern eingequartiert waren, die uns vor einen Groschen traktieren mußten. Potz Plunder, wie ging's da her! Ha! da wurde gefressen. Aber denk' man sich nur so viele große hungrige Kerls! Immer hieß es da: Schaff her, Kanaille! was d' im hintersten Winkel hast. Des Nachts wurde die Stube mit Stroh gefüllt; da lagen wir alle in Reihen, den Wänden nach. Wahrlich, eine kuriose Wirtschaft! In jedem Haus befand sich ein Offizier, welcher auf guter Mannszucht halten sollte; sie waren aber oft die Fäulsten[1]. – Den zweiten Tag (23.) ging's zehn Stunden bis auf Fürstenwald; da gab's schon Marode, die sich auf Wagen mußten packen lassen; das auch kein Wunder war, da wir diesen ganzen Tag nur ein einzig Mal haltmachten und stehndes Fußes etwas Erfrischung zu uns nehmen durften. An letztgedachtem Orte ging es wie an dem erstern, nur daß hier die meisten lieber soffen als fraßen und viele sich gar halbtot hinlegten. Den dritten Tag (24.) ging's sechs Stunden bis Jakobsdorf, wo wir nun (25., 26. und 27.) drei Rasttage hielten, aber desto schlimmer hantiert und die armen Bauern bis aufs Blut ausgesogen wurden. Den siebenten Tag (28.) marschierten wir bis Mühlrosen vier Stunden. Den achten (29.) bis Guben, vierzehn Stunden. Den neunten (30.) hielten wir dort Rasttag. Den zehnten (31.) bis Forste sechs Stunden. Den eilften (1. Sept.) bis Spremberg sechs Stunden. Den zwölften (2.) bis Hayerswerde sechs Stunden und da wieder Rasttag. Den vierzehnten (4.) bis Kamenz, dem letzten Örtchen, wo wir einquartiert

1. die Schlimmsten.

wurden. Denn von da an kampierten wir im Felde und machten Märsche und Contremärsche, daß ich selbst nicht weiß, wo wir all durchkamen, da es oft bei dunkeler Nacht geschah. Nur so viel erinnr' ich mich noch, daß wir am fünfzehnten (5.) vier Stunden marschiert und bei Bilzem ein Lager aufgeschlagen, worin wir zwei Tage (6. u. 7.) Rasttag hielten; dann den achtzehnten (8.) wieder sechs Stunden machten, uns bei Stolp lagerten und dort einen Tag (9.) blieben; endlich am zwanzigsten Tag (10.) noch vier Stunden bis Pirna zurücklegten, wo noch etliche Regimenter zu uns stießen, und nun ein weites, fast unübersehbares Lager aufgeschlagen und das über Pirna gelegene Schloß Königstein dies- und Lilienstein jenseits der Elbe besetzt wurden. Denn in der Nähe dieses letztern befand sich die sächsische Armee. Wir konnten gerade übers Tal in ihr Lager hinübersehn; und unter uns im Tal an der Elbe lag Pirna, das jetzt ebenfalls von unserm Volke besetzt ward.

LII.

Mut und Unmut

Bis hieher hat der Herr geholfen! Diese Worte waren der erste Text unsers Feldpredigers bei Pirna. O ja! dacht' ich, das hat er und wird ferner helfen – und zwar hoffentlich mir in mein Vaterland – denn was gehen mich eure Kriege an?

Mittlerweile ging's – wie's bei einer marschierenden Armee zu gehen pflegt – bunt übereck und kraus, daß ich alles zu beschreiben nicht imstand, auch solches, wie ich denke, zu wenig Dingen nütz wäre. Unser Major Lüderiz (denn die Offiziere gaben auf jeden Kerl besonders Achtung) mag mir oft meinen Unmut aus dem Gesicht gelesen haben. Dann drohete er mir mit dem

Finger: „Nimm dich in acht, Kerl!“ Schärern hingegen klopfte er bei den nämlichen Anlässen auf die Schulter und nannte ihn mit lächelnder Miene einen braven Bursch; denn der war immer lustig und wohlgemuts und sang bald seine Mäurerlieder, bald den Kühreih'n, obschon er im Herzen dachte wie ich, aber es besser verbergen konnte. Ein andermal freilich faßt' ich dann wieder Mut und dachte: Gott wird alles wohl machen! Wenn ich vollends Markoni – der doch keine geringe Schuld an meinem Unglück war – auf dem Marsch oder im Lager erblickte, war's mir immer, ich sehe meinen Vater oder meinen besten Freund; wenn er mir zumal vom Pferd herunter seine Hand bot, die meinige traulich schüttelte – mir mit liebreicher Wehmut gleichsam in die Seele 'neinguckte: „Wie geht's, Ollrich! wie geht's? 's wird schon besser kommen!“ zu mir sagte und, ohne meine Antwort zu erwarten, dieselbe aus meinem tränenschimmernden Aug' lesen wollte. Oh! ich wünsche dem Mann, wo er immer tot oder lebendig sein mag, noch auf den heutigen Tag alles Gute; denn von Pirna weg ist er mir nie mehr zu Gesicht gekommen. – Mittlerweile hatten wir alle Morgen die gemessene Ordre erhalten, scharf zu laden; dieses veranlaßte unter den ältern Soldaten immer ein Gerede: „Heute gibt's was! Heut setzt's gewiß was ab!“ Dann schwitzten wir Jungen freilich an allen Fingern, wenn wir irgend bei einem Gebüsch oder Gehölz vorbeimarschierten und uns verfaßt halten mußten. Da spitzte jeder stillschweigend die Ohren, erwartete einen feurigen Hagel und seinen Tod und sah, sobald man wieder ins Freie kam, sich rechts und links um, wie er am schicklichsten entwischen konnte; denn wir hatten immer feindliche Kürassiers, Dragoner und Soldaten zu beiden Seiten. Als wir einst die halbe Nacht durch marschierten, versuchte Bachmann den Reißaus zu nehmen und irrte etliche Stunden im Wald herum; aber am Morgen war er wieder hart bei uns und kam noch eben recht mit der Ausflucht weg, er habe beim Hosenkehren in der Dunkelheit sich von uns verloren. Von da an sahen wir andern die Schwierigkeit, wegzukommen, alle Tag' deutlicher ein – und doch hatten wir fest im Sinn, keine Bataille abzuwarten, es koste auch, was es wolle.

LIII.

Das Lager zu Pirna

Eine umständliche Beschreibung unsers Lagers zwischen Königstein und Pirna, sowohl als des gerade vor uns überliegenden sächsischen bei Lilienstein, wird man von mir nicht erwarten. Die kann man in der Helden-, Staats- und Lebensgeschichte des Großen Friedrichs suchen. Ich schreibe nur, was ich gesehen, was allernächst um mich her vor- und besonders was mich selbst anging. Von den wichtigsten Dingen wußten wir gemeine Hungerschlucker am allerwenigsten und kümmerten uns auch nicht viel darum. Mein und so vieler andrer ganzer Sinn war vollends allein auf: Fort, fort! Heim, ins Vaterland! gerichtet.

Von 11.–22. Sept. saßen wir in unserm Lager ganz stille, und wer gern Soldat war, dem mußt' es damals recht wohl sein. Denn da ging's vollkommen wie in einer Stadt zu. Da gab's Marketender und Feldschlächter zu Haufen. Den ganzen Tag, ganze lange Gassen durch, nichts als Sieden und Braten. Da konnte jeder haben, was er wollte, oder vielmehr, was er zu bezahlen vermochte: Fleisch, Butter, Käs, Brot, aller Gattung Baum- und Erdfrüchte und so fort. Die Wachten ausgenommen, mochte jeder machen, was ihm beliebte: kegeln, spielen, in und außer dem Lager spazierengehn, und so fort. Nur wenige hockten müßig in ihren Zelten; der eine beschäftigte sich mit Gewehrputzen, der andre mit Waschen, der dritte kochte, der vierte flickte Hosen, der fünfte Schuhe, der sechste schnifelte[1] was von Holz und verkauft' es den Bauern. Jedes Zelt hatte seine sechs Mann und einen Überkompleten. Unter diesen sieben war immer einer gefreit, dieser mußte gute Mannszucht halten. Von den sechs übrigen ging einer auf die Wache, einer mußte kochen, einer Proviant herbeiholen, einer ging nach Holz, einer nach Stroh, und einer machte den Seckelmeister, alle zusammen aber eine Haushaltung, ein Tisch und ein Bett aus. Auf den Märschen stopfte jeder in seinen Habersack, was er – versteht sich in Feindes Land – erhaschen konnte: Mehl, Rüben, Erdbirn, Hühner, Enten und dergleichen, und wer nichts aufzutreiben vermochte, ward von den übrigen ausgeschimpft, wie denn mir das zum öftern begegnete. Was das vor ein Mordiogeschrei gab, wenn's durch ein Dorf ging, von Weibern, Kindern, Gänsen, Spanferkeln und so fort. Da mußte alles mit, was sich tragen ließ. Husch! den Hals umgedreht und eingepackt. Da brach man in alle Ställ' und Gärten ein, prügelte auf alle Bäume los und riß die Äste mit den Früchten ab. Der Hände sind viel, hieß es da; was einer nicht kann, mag der ander. Da durfte keine Seel' Mux machen, wenn's nur der Offizier erlaubte oder auch bloß halb erlaubte. Da tat jeder sein Devoir[2] zum Überfluß. Wir drei Schweizer, Schärer, Bachmann und ich (es gab unsrer Landsleute beim Regiment noch mehr, wir kannten sie aber nicht), kamen zwar keiner zum andern ins Zelt, auch nie zusammen auf die Wache. Hingegen spazierten wir oft miteinander außer das Lager bis auf die Vorposten, besonders auf einen gewissen Bühel[3], wo wir eine weite zierliche Aussicht über das sächsische und unser ganzes Lager und durchs Tal hinab bis auf Dresden hatten. Da hielten wir unsern Kriegsrat: Was wir machen, wo

1. schnitzelte. – 2. Pflicht. – 3. Anhöhe.

hinaus, welchen Weg wir nehmen, wo wir uns wieder treffen sollten. Aber zur Hauptsache, zum Hinaus fanden wir alle Löcher verstopft. Zudem wären Schärer und ich lieber einmal an einer schönen Nacht allein, ohne Bachmann davongeschlichen; denn wir trauten ihm nie ganz, und sahen dabei alle Tag' die Husaren Deserteurs einbringen, hörten Spießrutenmarsch schlagen und was es solcher Aufmunterungen mehr gab. Und doch sahen wir alle Stunden einem Treffen entgegen.

LIV.

Einnahme des sächsischen Lagers und so fort

Endlich den 22. Sept. ward Alarm geschlagen und erhielten wir Ordre aufzubrechen. Augenblicklich war alles in Bewegung; in etlichen Minuten ein stundenweites Lager – wie die allergrößte Stadt – zerstört, aufgepackt und allons, marsch! Itzt zogen wir ins Tal hinab, schlugen bei Pirna eine Schiffbrücke und formierten oberhalb dem Städtchen, dem sächsischen Lager en front, eine Gasse, wie zum Spießrutenlaufen*, deren eines End' bis zum Pirnaer Tor ging und durch welche nun die ganze sächsische Armee zu vieren hoch spazieren, vorher aber das Gewehr ablegen und – man kann sich's einbilden – die ganze lange Straße durch Schimpf- und Stichelreden genug anhören mußten. Einiche gingen traurig, mit gesenktem Gesicht daher, andre trotzig und wild, und noch andre mit einem Lächeln, das den preußischen Spottvögeln gern nichts schuldig bleiben wollte. Weiter wußten ich und so viele tausend andre nichts von den Umständen der eigentlichen Übergabe dieses großen Heers. – An dem nämlichen Tage marschierten wir noch ein Stück Wegs fort und schlugen

* Was man doch im Schrecken nicht alles sieht! (Anm. d. Erstausg.)

jetzt unser Lager bei Lilienstein auf. – Den 23. mußte unser Regiment die Proviantwagen decken. – Den 24. machten wir einen Contremarsch und kamen bei Nacht und Nebel an Ort und Stelle hin, daß der Henker nicht wußte, wo wir waren. – Den 25. früh ging's schon wieder fort, vier Meilen bis Aussig. Hier schlugen wir ein Lager, blieben da bis auf den 29. und mußten alle Tag' auf Fourage aus. Bei diesen Anlässen wurden wir oft von den kaiserlichen Panduren[1] attackiert, oder es kam sonst aus einem Gebüsch ein Karabinerhagel auf uns los, so daß mancher tot auf der Stelle blieb und noch mehrere blessiert wurden. Wenn denn aber unsre Artilleristen nur etliche Kanonen gegen das Gebüsch richteten, so flog der Feind über Kopf und Hals davon. Dieser Plunder hat mich nie erschreckt, ich wäre sein bald gewohnt worden, und dacht' ich oft: Poh! wenn's nur denweg[2] hergeht, ist's so übel nicht. – Den 30. marschierten wir wieder den ganzen Tag und kamen erst des Nachts auf einem Berg an, den ich und meinesgleichen abermals so wenig kannten als ein Blinder. Inzwischen bekamen wir Ordre, hier kein Gezelt aufzuschlagen, auch kein Gewehr niederzulegen, sondern immer mit scharfer Ladung parat zu stehn, weil der Feind in der Nähe sei. Endlich sahen und hörten wir mit anbrechendem Tag unten im Tal gewaltig blitzen und feuern. – In dieser bangen Nacht desertierten viele, neben andern auch Bruder Bachmann. Für mich wollt' es sich noch nicht schicken, so wohl's mir sonst behagt hätte.

1. durch ihren Kriegseifer bekannte ungarische Soldaten. – 2. auf solche Weise.

LV.

Die Schlacht bei Lowositz
(1. Oktober 1756)

Frühmorgens mußten wir uns rangieren und durch ein enges Tälchen gegen dem großen Tal hinuntermarschieren. Vor dem dicken Nebel konnten wir nicht weit sehen. Als wir aber vollends in die Plaine[1] hinunterkamen und zur großen Armee stießen, rückten wir in drei Treffen weiter vor und erblickten von ferne durch den Nebel, wie durch einen Flor, feindliche Truppen auf einer Ebene, oberhalb dem böhmischen Städtchen Lowositz. Es war kaiserliche Kavallerie, denn die Infanterie bekamen wir nie zu Gesicht, da sich dieselbe bei gedachtem Städtchen verschanzt hatte. Um sechs Uhr ging schon das Donnern der Artillerie sowohl aus unserm Vordertreffen als aus den kaiserlichen Batterien so gewaltig an, daß die Kanonenkugeln bis zu unserm Regiment (das im mittlern Treffen stund) durchschnurrten. Bisher hatt' ich immer noch Hoffnung, vor einer Bataille zu entwischen; jetzt sah ich keine Ausflucht mehr, weder vor noch hinter mir, weder zur Rechten noch zur Linken. Wir rückten inzwischen immer vorwärts. Da fiel mir vollends aller Mut in die Hosen; in den Bauch der Erde hätt' ich mich verkriechen mögen, und eine ähnliche Angst, ja Todesblässe las man bald auf allen Gesichtern, selbst deren, die sonst noch soviel Herzhaftigkeit gleichsneten[2]. Die geleerten Branzfläschgen (wie jeder Soldat eines hat) flogen unter den Kugeln durch die Lüfte; die meisten soffen ihren kleinen Vorrat bis auf den Grund aus, denn da hieß es: Heute braucht es Courage und morgens vielleicht keinen Fusel mehr! Itzt avancierten wir bis unter die Kanonen, wo wir mit dem ersten Treffen abwechseln mußten. Potz Himmel! wie sausten da die

1. Ebene. – 2. heuchelten.

Eisenbrocken ob unsern Köpfen weg – fuhren bald vor, bald hinter uns in die Erde, daß Stein und Rasen hoch in die Luft sprang – bald mitten ein und spickten uns die Leute aus den Gliedern weg, als wenn's Strohhälme wären. Dicht vor uns sahen wir nichts als feindliche Kavallerie, die allerhand Bewegungen machte, sich bald in die Länge ausdehnte, bald in einem halben Mond, dann in ein Drei- und Viereck sich wieder zusammenzog. Nun rückte auch unsre Kavallerie an; wir machten Lücke und ließen sie vor, auf die feindliche losgaloppieren. Das war ein Gehagel, das knarrte und blinkerte, als sie nun einhieben! Allein kaum währte es eine Viertelstunde, so kam unsere Reuterei, von der österreichischen geschlagen und bis nahe unter unsre Kanonen verfolgt, zurücke. Da hätte man das Spektakel sehen sollen: Pferde, die ihren Mann im Stegreif hängend, andre, die ihr Gedärm der Erde nach schleppten. Inzwischen stunden wir noch immer im feindlichen Kanonenfeuer bis gegen eilf Uhr, ohne daß unser linke Flügel mit dem kleinen Gewehr zusammentraf, obschon es bereits auf dem rechten sehr hitzig zuging. Viele meinten, wir müßten noch auf die kaiserlichen Schanzen Sturm laufen. Mir war's schon nicht mehr so bange wie anfangs, obgleich die Feldschlangen Mannschaft zu beiden Seiten neben mir wegraffeten und der Walplatz bereits mit Toten und Verwundeten übersäet war – als mit eins ungefähr um zwölf Uhr die Ordre kam, unser Regiment nebst zwei andern (ich glaube Bevern und Kalkstein) müßten zurückmarschieren. Nun dachten wir, es gehe dem Lager zu und alle Gefahr sei vorbei. Wir eilten darum mit muntern Schritten die gähen Weinberge hinauf, brachen unsre Hüte voll schöne rote Trauben, aßen vor uns her nach Herzenslust; und mir und denen, welche neben mir stunden, kam nichts Arges in Sinn, obgleich wir von der Höhe herunter unsre Brüder noch in Feuer und Rauch stehen sahen, ein fürchterlich donnerndes Gelärm hörten und nicht entscheiden konnten, auf welcher Seite der Sieg war. Mittlerweile trieben unsre Anführer uns immer höher den Berg hinan, auf dessen Gipfel ein enger Paß zwischen Felsen durchging, der auf der andern Seite wieder hinunterführte. Sobald nun unsre Avantgarde den erwähnten Gipfel erreicht hatte, ging ein entsetzlicher Musketenhagel an, und nun merkten wir erst, wo der Has' im Stroh lag. Etliche tausend kaiserliche Panduren waren nämlich auf der andern Seite den Berg hinauf beordert, um unsrer Armee in den Rücken zu fallen; dies muß unsern Anführern verraten worden sein, und wir mußten ihnen darum zuvorkommen. Nur etliche Minuten später, so hätten sie uns die Höhe abgewonnen und wir wahrscheinlich den kürzern gezogen. Nun setzte es ein unbeschreibliches Blutbad ab, ehe man die Panduren aus jenem Gehölz vertreiben konnte. Unsre Vordertruppen litten stark, allein die hintern drangen ebenfalls über Kopf und Hals nach, bis zuletzt alle die Höhe gewonnen hatten. Da mußten wir über Hügel von Toten und Verwundeten hinstolpern. Alsdann ging's hudri hudri mit den Panduren die Weinberge hinunter, sprungweise über eine Mauer nach der andern herab in die Ebene. Unsre geborne Preußen und Brandenburger packten die Panduren wie Furien. Ich selber war in Jast[1] und Hitze wie vertaumelt und, mir weder Furcht noch Schreckens bewußt, schoß ich eines Schießens fast alle meine sechzig Patronen los, bis meine Flinte halb glühend war und ich sie am Riemen nachschleppen mußte; indessen glaub ich nicht, daß ich eine lebendige Seele traf, sondern alles ging in die freie Luft. Auf der Ebene am Wasser vor dem Städtchen Lowositz postierten sich die Panduren wieder und pülverten tapfer in die Weinberge hinauf, daß noch mancher vor und neben mir ins Gras biß. Preußen und Panduren lagen überall durch-

1. Ungestüm.

einander, und wo sich einer von diesen letztern noch regte, wurde er mit der Kolbe vor den Kopf geschlagen oder ihm ein Bajonett durch den Leib gestoßen. Und nun ging in der Ebene das Gefecht von neuem an. Aber wer wird das beschreiben wollen, wo jetzt Rauch und Dampf von Lowositz ausging, wo es krachte und donnerte, als ob Himmel und Erde hätten zergehen wollen, wo das unaufhörliche Rumpeln vieler hundert Trommeln, das herzzerschneidende und herzerhebende Ertönen aller Art Feldmusik, das Rufen so vieler Kommandeurs und das Brüllen ihrer Adjutanten, das Zeter- und Mordiogeheul so vieler tausend elenden, zerquetschten, halbtoten Opfer dieses Tages alle Sinnen betäubte! Um diese Zeit – es mochte etwa drei Uhr sein – da Lowositz schon im Feuer stand, viele hundert Panduren, auf welche unsre Vordertruppen wieder wie wilde Löwen einbrachen, ins Wasser sprangen, wo es dann auf das Städtgen selber losging –, um diese Zeit war ich freilich nicht der Vorderste, sondern unter dem Nachtrapp noch etwas im Weinberg droben, von denen indessen mancher, wie gesagt, weit behender als ich von einer Mauer über die andere hinuntersprang, um seinen Brüdern zu Hülf' zu eilen. Da ich also noch ein wenig erhöht stand und auf die Ebene wie in ein finsteres Donner- und Hagelwetter hineinsah – in diesem Augenblick deucht' es mich Zeit, oder vielmehr mahnte mich mein Schutzengel, mich mit der Flucht zu retten. Ich sah mich deswegen nach allen Seiten um. Vor mir war alles Feuer, Rauch und Dampf, hinter mir noch viele nachkommende, auf die Feinde loseilende Truppen, zur Rechten zwei Hauptarmeen in voller Schlachtordnung. Zur Linken endlich sah ich Weinberge, Büsche, Wäldchen, nur hie und da einzelne Menschen, Preußen, Panduren, Husaren, und von diesen mehr Tote und Verwundete als Lebende. Da, da, auf diese Seite, dacht' ich, sonst ist's pur lautere Unmöglichkeit!

LVI.

Das heißt – wo nicht mit Ehren gefochten – doch glücklich entronnen

Ich schlich also zuerst mit langsamem Marsch ein wenig auf diese linke Seite, die Reben durch. Noch eilten etliche Preußen bei mir vorbei: „Komm, komm, Bruder!" sagten sie, „Viktoria!" Ich rispostierte[1] kein Wort, tat nur ein wenig blessiert, und ging immer noch allgemach fort, freilich mit Furcht und Zittern. Sobald ich mich indessen so weit entfernt hatte, daß mich niemand mehr sehen mochte, verdoppelte, verdrei-, vier-, fünf-, sechsfachte ich meine Schritte, blickte rechts und links wie ein Jäger, sah noch von weitem – zum letzten Mal in meinem Leben – morden und totschlagen, strich dann in vollem Galopp ein Gehölze vorbei, das voll toter Husaren, Panduren und Pferde lag, rannte e i n e s Rennens gerade dem Fluß nach herunter und stand jetzt an einem Tobel. Jenseits desselben kamen soeben auch etliche kaiserliche Soldaten angestochen, die sich gleichfalls aus der Schlacht weggestohlen hatten, und schlugen, als sie mich so daherlaufen sahen, zum drittenmal auf mich an, ungeachtet ich immer das Gewehr streckte und ihnen mit dem Hut den gewohnten Wink gab. Doch brannten sie niemals los. Ich faßte also den Entschluß, gerad auf sie zuzulaufen. Hätt' ich einen andern Weg genommen, würden sie, wie ich nachwärts erfuhr, unfehlbar auf mich gefeuert haben. Ihr H . . ., dacht' ich, hättet ihr euer Courage bei Lowositz gezeigt! Als ich nun zu ihnen kam und mich als Deserteur angab, nahmen sie mir das Gewehr ab, unterm Versprechen, mir's nachwärts schon wieder zuzustellen. Aber der, welcher sich dessen impatroniert[2] hatte, verlor sich bald darauf und nahm das Füsil mit sich. Nun so sei's! Als-

1. antwortete (ital. risposto = geantwortet). – 2. bemächtigt (ital. impadronirsi = sich bemächtigen).

dann führten sie mich ins nächste Dorf, Scheniseck (es mochte eine starke Stunde unter Lowositz sein). Hier war eine Fahrt über das Wasser, aber ein einziger Kahn zum Transporte. Da gab's ein Zetermordiogeschrei von Männern, Weibern und Kindern. Jedes wollte zuerst in dem Teich sein, aus Furcht vor den Preußen, denn alles glaubte sie schon auf der Haube zu haben. Auch ich war keiner von den letzten, der mitten unter eine Schar von Weibern hineinsprang. Wo nicht der Fährmann etliche derselben hinausgeworfen, hätten wir alle ersaufen müssen. Jenseits des Flusses stand eine Panduren-Hauptwache. Meine Begleiter führten mich auf dieselbe zu, und diese roten Schnurrbärte begegneten mir aufs manierlichste, gaben mir, ungeachtet ich sie und sie mich kein Wort verstunden, noch Tobak und Branntwein und Geleit bis auf Leutmeritz, glaub ich, wo ich unter lauter Stockböhmen übernachtete und freilich nicht wußte, ob ich da mein Haupt sicher zur Ruhe legen konnte – aber – und dies war das Beste – von dem Tumult des Tags noch einen so vertaumelten Kopf hatte, daß dieser Kapitalpunkt mir am allermindesten betrug. Morgens darauf (2. Okt.) ging ich mit einem Transport ins kaiserliche Hauptlager nach Budin ab. Hier traf ich bei zweihundert andrer preußischer Deserteurs an, von denen so zu reden jeder seinen eigenen Weg und sein Tempo in Obacht genommen hatte; neben andern auch unsern Bachmann. Wie sprangen wir beide hoch auf vor Entzücken, uns so unerwartet wieder in Freiheit zu sehn! Da ging's an ein Erzählen und Jubilieren, als wenn wir schon zu Haus hinterm Ofen säßen. Einzig hieß es bisweilen: Ach, wäre nur auch der Schärer von Weil bei uns! Wo mag der doch geblieben sein? Wir hatten die Erlaubnis, alles im Lager zu besichtigen. Offiziers und Soldaten stunden dann bei Haufen um uns her, denen wir mehr erzählen sollten, als uns bekannt war. Etliche indessen wußten Winds genug zu machen und, ihren diesmaligen

Wirten zu schmeicheln, zur Verkleinerung der Preußen hundert Lügen auszuhecken. Da gab's denn auch unter den Kaiserlichen manchen Erzprahler, und der kleinste Zwerge rühmte sich, wer weiß wie manchen langbeinigten Brandenburger – auf seiner eignen Flucht in die Flucht geschlagen zu haben. Drauf führte man uns zu etwa fünfzig Mann Gefangener von der preußischen Kavallerie; ein erbärmlich Spektakel! Da war kaum einer von Wunden oder Beulen leer ausgegangen, etliche übers ganze Gesicht heruntergehauen, andre ins Genick, andre über die Ohren, über die Schultern, die Schenkel und so fort. Da war alles ein Ächzen und Wehklagen! Wie priesen uns diese armen Wichte selig, einem ähnlichen Schicksal so glücklich entronnen zu sein, und wie dankten wir selber Gott dafür! Wir mußten im Lager übernachten und bekamen jeder seinen Dukaten Reisgeld. Dann schickte man uns mit einem Kavallerietransport, es waren unser an die zweihundert, auf ein böhmisches Dorf, wo wir nach einem kurzen Schlummer folgenden Tags auf Prag abgingen. Dort verteilten wir uns und bekamen Pässe, je zu sechs, zehn bis zwölf hoch, welche e i n e n Weg gingen; denn wir waren ein wunderseltsames Gemengsel von Schweizern, Schwaben, Sachsen, Bayern, Tirolern, Welschen, Franzosen, Polacken und Türken. Einen solchen Paß bekamen unser sechs zusammen bis Regenspurg. In Prag selber war indessen ebenfalls ein Zittern und Beben vor den Preußen ohne seinesgleichen. Man hatte dort den Ausgang der Schlacht bei Lowositz bereits vernommen und glaubte nun den Sieger schon vor den Toren zu sehn. Auch da stunden ganze Truppen Soldaten und Bürger um uns her, denen wir sagen sollten, was der Preuß' im Sinn habe. Einige von uns trösteten diese neugierigen Hasen; andre hingegen hatten noch ihre Freude daran, sie tapfer zu schrecken, und sagten ihnen, der Feind werde spätstens in vier Tagen anlangen und sei ergrimmt wie der Teufel. Dann schlugen viele die Händ' überm Kopf zusammen; Weiber und Kinder wälzten sich gar heulend im Kot herum.

LVII.

Heim! heim! Nichts als heim!

Den 5. Okt. traten wir nun unsre wirkliche Heimreise an. Es war schon abends, als wir von Prag ausmarschierten. Es ging bald über eine Anhöhe, von welcher wir eine unvergleichliche Aussicht über das ganze schöne königliche Prag hatten. Die liebe Sonne vergüldete seine mit Blech bedeckten zahllosen Turmspitzen zum Entzücken. Wir stunden eine Weile dort still, unter allerhand Gesprächen und mannigfaltigen Empfindungen dieses herrlichen Anblicks zu genießen. Einige bedauerten den prächtigen Ort, wenn er sollte bombardiert werden; andre hätten mögen dabei sein, wenigstens währendem Plündern. Ich konnte mich kaum satt sehn; sonst aber war mein einziges Sehnen wieder nach Haus, zu den Meinigen, zum Anneli. Wir kamen noch bis auf Schibrack, den 6. bis Pilsen. Dort hatte der Wirt eine Tochter, das schönste Mädchen, das ich in meinem Leben gesehn. Mein Herr Bachmann wollte mit ihr hübsch tun, und fast einzig ihr zulieb hielten wir da Rasttag. Aber der Wirt verdeutete ihm, sein Kind sei keine Berlinerin! Den 8. bis 12. ging's über Stab, Lensch, Kätz, Kien und so fort auf Regenspurg, wo wir zum zweitenmal rasteten. Bisher hatten wir nur kurze Tagreisen von zwei bis drei Meilen gemacht, aber desto längere Zechen. Mein Dukaten Reisgeld war schon dünn wie ein Laub worden, sonst hatt' ich keinen Heller in der Ficke und ward also genötigt, auf den Dörfern zu fechten. Da bekam ich oft beide Taschen voll Brot, aber nie keinen Heller bar. Bachmann hingegen hatte noch von seinem Handgeld übrig, ging in die Schenke und ließ sich's wohl schmecken; nur etwa zu vornehmen Häusern, Pfarrhöfen und Klöstern kam er auch mit. Da mußten wir oft halbe Stunden dastehn und den Herren alle Hergangenheit erzählen; des wurde besonders Bachmann meist überdrüssig, sonderlich wo denn für die Geschichte einer ganzen Schlacht, deren er nicht beigewohnt, nur ein paar Pfenninge flogen. Er gab immer für, daß er bei Lowositz auch dabeigewesen, und ich mußt' ihm diese Lüge noch frisieren helfen; dafür hätt' er mir die ganze Reis' über nur keinen Krug Bier bezahlt. In den Klöstern indessen gab's Suppen, oft auch Fleisch. Zu Regenspurg oder vielmehr im bayerschen Hof verteilten wir uns wieder. Bachmann und ich erhielten dort einen Paß nach der Schweiz. Die andern, ein Bayer, zween Schwaben und ein Franzose, von denen ich nichts weiter zu sagen weiß, als daß sie alle viere rüstige Kerls und uns Tölpeln weit überlegen waren, nahmen jeder auch seine Straße. Die unsrige ging den 14. bis 24. Okt., der kleinern Orte nicht zu gedenken, über Ingolstadt, Donauwerth, Dillingen, Buxheim, Wangen, Hohentwiel, Bregenz, Rheineck, Roschach (vierzig Meilen). Oberhalb Rheineck begegnete mir bald ein trauriger Spaß. Bisher waren wir unter lauter muntern Gesprächen über unsre glückliche Flucht, über unsre ältern und neuern Schicksale und unsre Aussichten vor die Zukunft ganz brüderlich gereist. Bachmann, dem von vorigen Zeiten her fast alle Tag' Hünd' und Hasen wieder in den Sinn stiegen, hatte sich, sobald wir von Prag weg waren, eine Jagdflinte gekauft, die er nun mit sich trug. Ich war seiner ewigen Diskurse von Hetzen und Treiben schon längst müde geworden, als wir, wie gesagt, oberhalb Rheineck in den Weinbergen Hunde jagen hörten. Hier machte mein Urian[1] vor Entzücken ordentliche Purzelsprünge und behauptete, es wären, beim Himmel! seine alten Bekannten; er

1. Teufel, verächtlicher Mensch.

kenne sie noch am Bellen! Ich lachte ihn aus. Hierüber ward er böse, befahl mir stillzustehn und der schönen Musik zuzuhorchen. Jetzt spottete ich vollends seiner und stampfte mit den Füßen. Das hätt' ich freilich sollen bleibenlassen. Er war rasend, stand ganz schäumend mit aufgehabner Flinte vor mich hin und setzte sie mir zähnknirschend vor den Kopf, als wenn er mich den Augenblick töten wollte. Ich erschrak; er war bewaffnet, ich nicht; und auch dies und seine Wut ungerechnet, glaub ich kaum, daß ich dem ohnehin verzweifelt wilden, handfesten Kerl, der beinahe zwei Zoll höher als ich war, hätte gewachsen sein können. Doch, ich weiß nicht, ob aus Mut oder Furcht, stand ich ihm bockstill und guckte indessen auf alle Seite herum, ob ich niemand zu Hülf' rufen konnte. Aber – es war an einem einsamen Ort auf einer Allmend – ich sah kein Mäusgen. „Sei kein Narr!" sagt' ich zu ihm, „wirst wohl auch Spaß verstehn." Damit legte sich seine Wut schon um ein ziemliches. Wir gingen stillschweigend weiters, und ich war froh, als wir so unvermerkt ins Städtgen Rheineck traten. Jetzt flattierte er mich wieder, eines Talers wegen, den ich auf dem Weg von ihm geborgt hatte; und ich dachte oft, dies Lumpenstück Geld hab mir das Leben gerettet. Aber von diesem Augenblick an schwand auch alles Vertrauen unter uns. Doch hab ich mich nie gerochen, obgleich's der Anlässen viele gab, und mein Vater zahlte ihm den Taler willig, als er wenig Tage nach meiner Heimkunft in unser Haus kam. Wir kamen noch bis Roschach und des folgenden Tags (25. Okt.) auf Herisau; denn mein Herr Bachmann mochte nicht eilen, und ich merkte wohl, daß er sich nicht recht nach Haus getraute, bis er sich erkundigt hätte, wie seiner vorigen Frevel wegen der Wind blies.

LVIII.

O des geliebten süßen Vaterlands!

Länger konnt' ich dem Burschen nicht abpassen; denn so nahe bei meiner Heimat, brannt' ich vor Begierde, dieselbe völlig zu erreichen. Also den 26. Okt. morgens früh nahm ich den Weg zum letztenmal unter die Füße, rannte wie ein Reh über Stock und Stein, und die lebhafte Vorstellung des Wiedersehns von Eltern, Geschwisterten und meinem Liebchen ging mir einstweilig für Essen und Trinken. Als ich nun dergestalt meinem geliebten Wattweil immer näher und näher und endlich auf die schöne Anhöhe kam, von welcher ich seinen Kirchturm ganz nahe unter mir erblickte, bewegte sich alles in mir, und große Tränen rollten haufenweis über meine Wangen herab. O du erwünschter, gesegneter Ort! so hab ich dich wieder, und niemand wird mich weiter von dir nehmen, dacht' ich so im Heruntertrollen wohl hundertmal und dankte dabei immer Gottes Vorsehung, die mich aus so vielen Gefahren, wo nicht wunderbar, doch höchst gütig gerettet hat. Auf der Brücke zu Wattweil red'te mich ein alter Bekannter, Gämperle, an, der vor meinem Weggehn um meine Liebesgeschichte gewußt hatte und dessen erstes Wort war: „Je gelt! deine Anne ist auch verplempert; dein Vetter Michel war so glückselig, und sie hat schon ein Kind." – Das fuhr mir ja durch Mark und Bein; indessen ließ ich's den argen Unglücksboten nicht merken: „Eh nun", sagt' ich, „hin ist hin!" Und in der Tat, zu meinem größten Erstaunen faßt' ich mich sehr bald und dachte wirklich: „Nun freilich, das hätt' ich nicht hinter ihr gesucht! Aber wenn's so sein muß, so sei's, und hab sie eben ihren Michel!" Dann eilt' ich unserm Wohnort zu. Es war ein schöner Herbstabend. Als ich in die Stube trat (Vater und Mutter waren nicht zu Hause), merkt' ich bald, daß auch nicht eines von meinen Geschwisterten mich erkannte und sie über dem ungewohnten Spektakel eines preußischen Soldaten nicht wenig erschraken, der so in seiner vollen Montierung, den Tornister auf dem Rücken, mit 'runtergelaßnem Zottenhut und einem tüchtigen Schnurrbart sie anred'te. Die Kleinern zitterten, der Größte griff nach einer Heugabel und – lief davon. Hinwieder wollt' auch ich mich nicht zu erkennen geben, bis meine Eltern da wären. Endlich kam die Mutter. Ich sprach sie um Nachtherberg an. Sie hatte viele Bedenklichkeiten, der Mann sei nicht da, und dergleichen. Länger konnt' ich mich nicht halten, ergriff ihre Hand und sagte: „Mutter, Mutter! kennst mich nicht mehr?" O da ging's zuerst an ein lärmendes, von Zeit zu Zeit mit Tränen vermengtes Freudengeschrei von Kleinen und Großen, dann an ein Bewillkommen, Betasten und Begucken, Fragen und Antworten, daß es eine Tausendslust war. Jedes sagte, was es getan und geraten, um mich wieder bei ihnen zu haben. So wollte z. E. meine älteste Schwester ihr Sonntagskleid verkaufen und mich daraus heimholen lassen. Mittlerweile langte auch der Vater an, den man ziemlich aus der Ferne rufen mußte. Dem guten Mann rannten auch Tropfen die Backen herunter: „Ach! Willkomm', willkomm', mein Sohn! Gottlob, daß du gesund da bist und ich einmal alle meine Zehne wieder beisammen habe. Obschon wir arm sind, gibt's doch alleweil Arbeit und Brot." Jetzt brannte mein Herz lichterloh und fühlte tief die selige Wonne, so viele Menschen auf einmal – und zwar die Meinigen – zu erfreuen. Dann erzählt' ich ihnen noch denselben und etlich folgende Abende haarklein meine ganze Geschichte. Da war's mir wieder so ungewohnt herzlich wohl! Nach ein paar Tagen kam Bachmann, holte, wie gesagt, seinen Taler und bestätigte alle meine Aussagen. Sonntags frühe putzt' ich meine Montur, wie in Berlin zur Kirchenparade. Alle Bekannten bewillkommten mich, die andern gafften mich an wie einen Türken.

Auch – nicht mehr meine, sondern Vetter Michels Anne tat es, und zwar ziemlich frech, ohne zu erröten. Ich hinwieder dankte ihr hohnlächelnd und trocken. Dennoch besucht' ich sie eine Weile hernach, als sie mir sagen ließ, sie wünschte allein mit mir zu reden. Da machte sie freilich allerlei kahle Entschuldigungen, z. E., sie hab mich auf immer verloren geglaubt, der Michel hab sie übertölpelt, und dergleichen. Dann wollte sie gar meine Kupplerin abgeben. Aber ich bedankte mich schönstens und ging.

LIX.

Und nun, was anfangen

Graben mag ich nicht; doch schäm ich mich zu betteln[1]. – Nein! vor mein Brot war ich nie besorgt, und itzt am allerwenigsten. Denn, dacht' ich, nun bist du wieder an deines Vaters Kost, und arbeiten willst du nun auch wieder lernen. Doch merkt' ich, daß mein Vater meinetwegen ein bißchen verlegen war und vielleicht obige Textesworte auf mich anwandte, obschon er nichts davon sagte. In der Tat war mir auch die schwarze und gefährliche Kunst eines Pulvermachers höchst zuwider, denn dergleichen Spezerei hatt' ich nun genug gerochen. Itzt sollt' ich auch wieder Kleider haben, und der gute Ätti strengte alles an, mir solche zu verschaffen. Den Winter über konnt' ich Holz zügeln und Baumwollen kämmen. Allein im Frühjahr

1757

beorderte mich mein Vater zum Salpetersieden; da gab's schmutzige und zum Teil auch strenge Arbeit. Doch blieb mir immer so viel Zeit übrig, meinen Geist

1. Luk. 16, 3.

wieder in die weite Welt fliegen zu lassen. Da dacht' ich dann: „Warst doch als Soldat nicht so ein Schweinskerl und hattest bei all deiner Angst und Not manch lustiges Tägel!" Ha! wie veränderlich ist das Herz des Menschen. Denn itzt ging ich wirklich manche Stunde mit mir zu Rat, ob ich nicht aufs neue den Weg unter die Füße nehmen wollte; stunden doch Frankreich, Holland, Piemont, die ganze Welt – außer Brandenburg – vor mir offen. Mittlerweile wurde mir ein Herrndienst im Johanniterhaus Bubickheim[1], Zürchergebiets, angetragen. Ich ging zwar hin, mich zu erkundigen. Allein ich gefiel oder, was weiß ich, man gefiel mir nicht; und so blieb ich wieder bei meinem Salpeter, war ein armer Tropf, hatte kein Geld und mochte gleichwohl auch gern mit andern Burschen laichen. Mein Vater gab mir zwar bisweilen, wenn ein Trinktag oder andrer Ehrenanlaß einfiel, etliche Batzen in den Sack[2]; allein die waren bald über die Hand geblasen. Der ehrliche Kreuztrager hatte eben sonst immer mehr auszugeben als einzunehmen, und Kummer und Sorgen machten ihn lange vor der Zeit grau. Denn, die Wahrheit zu sagen: Keins von allen seinen zehn Kindern wollte ihm recht ans Rad stehn. Jedes sah vor sich, und doch mochte keines was vor sich bringen. Die einten waren zu jung. Von den zwei Brüdern, die nächst auf mich folgten, gab sich der ältere mit Baumwollen-Kämmen ab und zahlte dem Ätti das Tischgeld; der andere half ihm zwar in der Pulvermühle. Überhaupt aber ließ der liebe Mann jedes sozusagen machen, was es wollte, erteilte uns viel guter Lehren und Ermahnungen und las uns aus gottseligen Büchern allerlei vor; aber dabei ließ er's dann bewenden und brauchte, kurz, keinen Ernst. Die Mutter mit den Töchtern machte es ebenso und war gar zu gut; so gerade davon, was's gibt, so gibt's. O! wie wenig Eltern

1. Bubikon. – 2. Tasche.

verstehen die rechte Erziehungskunst – und wie unbesonnen ist die Jugend! Wie spät kömmt der Verstand! Bei mir sollte er damals schon längst gekommen und ich meines Vaters beste Stütze geworden sein. Ja! wenn das sinnliche Vergnügen nicht so anziehend wäre. An guten Vorsätzen fehlte es nie. Aber da hieß es:

Zwar billig' ich nicht mehr das Böse, das ich tue –
Doch tu ich nicht das Gute, das ich will[1].

Und so stolpert' ich immer meinem wahren Glück vorbei.

LX.

Heuratsgedanken
(1758)

Schon im vorigen Jahre geriet ich bei meinem Herumpatrouillieren hie und da an eine sogenannte Schöne, und es gab deren nicht wenig, die mir herzlich gut waren, aber meist ohne Vermögen. Ich nichts, sie nichts, dacht' ich dann, ist doch auch zu wenig; denn so unbedachtsam war ich doch nicht mehr wie im zwanzigsten. Auch sprach der Vater immer zu uns: „Buben! seid doch nicht so wohlfeil. Seht euch wohl für. Ich will's euch zwar nicht wehren; aber werft den Bengel[2] nur ein bißlin hoch, er fällt schon von selbst wieder tief; in diesem Punkt darf sich einer alleweil was Rechtes einbilden." Nun, das war schön und gut; aber es muß einer denn doch durch, wo's ihm geschaufelt ist. Gleichwohl dacht' ich etwas zu erhaschen und glaubte mich eigentlich zum Ehestand bestimmt, sonst wär' ich um diese Zeit sicher in die weite Welt gegangen. Inzwischen war, aller meiner obenbelobten Bedächtlichkeit ungeachtet, der Geiz wirklich nicht meine Sache. Ein Mäd-

1. s. Röm. 7, 14 f. Hier wohl ein Gesangbuchvers. – 2. Stock, Stab.

chen ganz nach meinem Herzen hätt' ich nackend genommen. Aber da leuchtete mir eben keine vollkommen recht ein, wie weiland mein Ännchen. Mit einem gewissen Lisgen von K. war ich ein paarmal auf dem Sprung. Erst machte das Ding Bedenklichkeiten, nachwärts bot es sich selber an. Aber meine Neigung zu ihr war zu schwach; und doch glaub ich nicht, daß ich unglücklich mit ihr gefahren wäre. Aber zu stockig ist zu stockig. Bald darauf kam ich fast ohne mein Wissen und Willen mit der Tochter einer katholischen Witwe in einen Handel, welcher ziemliches Aufsehen machte, obschon ich nur ein paarmal mit ihr spazierengegangen, ein Glas Wein mit ihr getrunken, und dergleichen, alles ohne sonderliche Absicht und vornehmlich ohne sonderliche Liebe. Aber da blies man meinem Vater ein, ich wolle katholisch, und Marianchens Mutter, sie wolle reformiert werden; und doch hatte keins von uns nur nicht an den Glauben, geschweige an eine Änderung desselben gedacht. Das arme Dinge kam wirklich darüber in eine Art geheimer Inquisition von Geist- und Weltlichen, erzählte mir dann alles haarklein, und ihr ward himmelangst. Ich hingegen lachte im Herzen des dummen Lärms, um so viel mehr, da mein Vater solider zu Werk ging, mich zwar freundernstlich examinierte, aber mir dann auch auf mein Wort glaubte, da ich ihm sagte, daß ich so steif und fest auf meinem Bekenntnis leben und sterben wollte als Lutherus oder unsre Landskraft, Zwinglin. Inzwischen wurde die Sache doch auf Marianchens Seite ernsthafter, als ich glaubte. Das gute Kind ward so vernarrt in mich wie ein Kätzgen und befeuchtete mich oft mit seinen Tränen. Ich glaube, das Närrchen wär' mit mir ans End' der Welt gelaufen; und wenn ihm schon sein mütterlicher Glaube sehr ans Herz gewachsen war, meint' ich doch fast, ich hätt' in der Waagschal' überwogen. Auch setzte mir itzt das Mitleid fast mehr zu als je zuvor die Liebe. Und doch mußt' ich, wenn ich alles und alles überdachte, durchaus allmählich abbrechen, und tat es wirklich. Hier falle eine mitleidige Träne auf das Grab dieses armen Töchtergens! Es zehrte sich nach und nach ab und starb nach wenig Monaten im Frühling seines zarten Lebens. Gott verzeihe mir meine große schwere Sünde, wenn ich je an diesem Tod einige Schuld trug. Und wie sollt' ich mir dies verbergen wollen?

LXI.

Itzt wird's wohl Ernst gelten

Indem ich so hin und wieder meinen Salpeter brannte, sah ich eines Tags ein Mädchen so mit einem Amazonengesicht vorbeigehn, das mir als einem alten Preußen nicht übel gefiel und das ich bald nachher auch in der Kirche bemerkte. Dieser fragte ich erst nur ganz verstohlen nach, und was ich von ihr vernahm, behagte mir ziemlich, einen Kapitalpunkt ausgenommen, daß es hieß, sie sei verzweifelt böse – doch im bessern Sinn; und dann glaubten einiche, sie habe schon einen Liebhaber. Nun, mit alledem, dacht' ich, 's muß doch einmal gewagt sein! Ich sucht' ihr also näherzukommen und mit ihr bekannt zu werden. Zu dem End' kauft' ich im Eggberg, wo meine Dulzinee[1] daheim war, etwas Salpetererde und zugleich ihres Vaters Gaden – ihr zulieb viel zu teuer, denn es war fast verloren Geld, und schon bei diesem Handel merkt' ich, daß sie gern den Herr und Meister spiele; aber der Verstand, womit sie's tat, war mir denn doch nicht zuwider. Nun hatt' ich alle Tag' Gelegenheit, sie zu sehen, doch ließ ich ihr lange meine Absichten unentdeckt und dachte: Du mußt sie erst recht ausstudieren. Die Böse[2], wovon man mir so

1. Dulzinea: Don Quijotes Geliebte. – 2. Hier das schweiz. abstrakte Substantiv (wie ‚die Güte'); vgl. auch S. 244: in der Beste ihrer Jahren.

viel Wesens gemacht, konnt' ich eben nicht an ihr finden. Aber der Henker hol' ein lediges Mädchen aus! Meine Besuche wurden indessen immer häufiger. Endlich leert' ich den Kram aus und gewahrte bald, daß ihr mein Antrag nicht unerwartet fiel. Dennoch hatte sie viele Bedenken, und ihr Ziel ging offenbar dahin, mich auf eine lange Probe zu setzen. Setz' du nur! dacht' ich, wanderte unterdessen mit meinem Salpeterplunder von einem Ort zum andern und machte noch mit verschiedenen andern Mädchen Bekanntschaft, welche mir, die Wahrheit zu gestehen, vielleicht besser gefielen, von denen aber denn doch keine so gut für mich zu taugen schien als sie – begriff aber endlich, oder vielmehr gab mir's mein guter Genius ein, daß ich nicht bloß meiner Sinnlichkeit folgen sollte. Inzwischen setzte es itzt schon bald allemal, wenn ich meine Schöne sah, irgendeinen Strauß oder Wortwechsel ab, aus denen ich leicht wahrnehmen konnte, daß unsre Seelen eben nicht gleichgestimmt waren. Aber selbst diese Disharmonie war mir nicht zuwider, und ich bestärkte mich immer mehr in einer gewissen Überzeugung: Diese Person wird dein Nutzen sein – wie die Arznei dem Kranken. Einst ließ sie sich gegen mir heraus, daß ihr meine dreckeligte Hantierung mit dem Salpetersieden gar nicht gefalle; und mir war's selber so. Sie riet mir darum, ein kleines Händelchen mit Baumwollengarn anzufangen, wie's ihr Schwager W. getan, dem's auch nicht übel gelungen. Das leuchtete mir so ziemlich ein. Aber wo's Geld hernehmen? war meine erste und letzte Frage. Sie bot mir wohl etwas an, aber das kleckte nicht. Nun ging ich mit meinem Vater zu Rat; der hatte ebenfalls nichts dawider und verschaffte mir hundert fl., die er noch von der Mutter zu beziehen hatte.

Um diese Zeit hatt' ich eine gefährliche Krankheit, da mir nämlich ein solches Geschwür tief im Schlund wuchs, das mich beinahe das Leben gekostet hätte. Endlich schnitten's mir die Herren Doktors Mettler, Vater und Sohn, mit einem krummen Instrumente so glücklich auf, daß ich gleichsam in einem Nu wieder schlukken und reden konnte.

1759

Im März des folgenden Jahrs fing ich nun wirklich an, Baumwollengarn zu kaufen. Damals mußt' ich noch den Spinnern auf ihr Wort glauben und also den Lehrbletz[1] teuer genug bezahlen. Indessen ging ich den 5. April das erstemal mit meinem Garn auf St. Gallen und konnt' es so mit ziemlichem Nutzen absetzen. Dann schaffte ich mir von Herrn Heinrich Hartmann sechsundsiebzig Pfund Baumwollen, das Pfund zu 2 fl., an, ward nun in aller Form ein Garnjuwelier und bildete mir schon mehr ein, als der Pfifferling wert war. Ungefähr ein Jahr lang trieb ich nebenbei noch mein Salpetersieden fort; und da meine Barschaft eben gering war, mußt' ich sie um so viel öftrer umzusetzen suchen, wanderte deswegen einmal übers andere auf St. Gallen und befand mich dabei nicht übel. Doch betrug mein Vorschlag in diesem Jahr nicht über 12 fl. Aber das deuchte mir damals schon ein Großes.

LXII.

Wohnungsplane
(1760)

Als ich nun so den Handelsherr spielte, dacht' ich, Liebchen sollte nun keine Einwendung mehr gegen meine Anträge machen können. Aber weit gefehlt! Das verschmitzte Geschöpf wollte meine Ergebenheit noch auf andre Weise probieren. Nun, was ohnehin in meinen eigenen Planen stund, mochte schon hingehn. Als ich

1. Lehrstück.

ihr daher eines Tags mit großem Ernst vom Heuraten redete, hieß es: Aber wo hausen und hofen? Ich schlug ihr verschiedene Wohnungen vor, die damals eben zu vermieten stunden. „Das will ich nicht“, sagte sie; „in meinem Leben nehm ich keinen, der nicht sein eigen Haus hat!“ „Ganz recht!“ erwidert' ich. Aber hätt's nicht auch in meinem Kopf gelegen, ich wollt's probiert haben. Von der Zeit an also fragt' ich jedem feilgebotenen Häusgen nach, aber es wollte sich nirgends fügen. Endlich entschloß ich mich, selber eins zu bauen, und sagte es meiner Schönen. Sie war's zufrieden und bot mir wieder Geld dazu an. Dann eröffnete ich meine Absicht auch meinem Vater; der versprach ebenfalls, mir mit Rat und Tat beizustehn, wie er's denn auch redlich hielt. Nun erst sah ich mich nach einem Platz um und kaufte einen Boden um ungefähr hundert Taler, dann hie und da Holz. Einiche Tännchen bekam ich zum Geschenke. Nun bot ich allen meinen Kräften auf, fällte das Holz, das meist in einem Bachtobel stund, und zügelte es (der gute Ätti half mir wacker) nach der Säge, dann auf den Zimmerplatz. Aber Sagen und Zimmern kostete Geld. Alle Tag' mußt ich dem Seckel die Riemen ziehn, und das war dann doch nur der Schmerzen ein Anfang. Doch bisher ging alles noch gut vonstatten; der Garnhandel ersetzte die Lücken. Meiner Dulzinee rapportiert' ich alles fleißig, und sie trug an meinem Tun und Lassen meist ein gnädiges Belieben.

Den Sommer, Herbst und Winter durch macht' ich alle nötige Zubereitungen mit Holz, Stein, Kalk, Ziegel und so fort, um im könftigen Frühjahr mit meinem Bau zeitig genug anfangen und je eher, je lieber mit meiner jungen Hausehre einziehen zu können. Nebst meinem kleinen Handel pfuscht' ich, zumal im Winter, allerlei Mobilien, Werkgeschirr und dergleichen. Denn ich dachte, in ein Haus würde auch Hausrat gehören, von meiner Liebste werd' ich nicht viel zu erwarten haben, und von meinem Vater, dem ich itzt ein – freilich geringes – Kostgeld bezahlen mußte, noch minder. Überhaupt war also wohl nichts unüberlegter als dergestalt, bloß einem Weibsbild und – ich will es gern gestehen – dann auch meiner Eitelkeit zulieb, um eine eigene Hofstätte zu haben, mich in ein Labyrinth zu vertiefen, aus welchem nur Gott und Glück mich wieder herausführen konnten. Auch lächelten mich ein paar meiner Nachbarn immer schalkhaft an, sooft ich nur bei ihnen vorüberging. Andre waren offenherziger und sagten mir's rund ins Gesicht: „Ulrich, Ulrich! du wirst's schwerlich aushalten können." Einige indessen hatten vollends die Gutheit, mir nach dem Maß ihrer Kräfte, bloß auf mein und des Ättis Ehrenwort, tätlich unter die Arme zu greifen.

Übrigens war dies Tausendsiebenhundertundsechzig ein vom Himmel außerordentlich gesegnetes rechtes Wunderjahr, durch ein seltenes Gedeihen der Erdfrüchte und namhaften Verdienst bei äußerst geringem Preis aller Arten von Lebensmitteln. Ein Pfund Brot galt zehn Pfenning, ein Pfund Butter zehn Kreuzer. Das Viertel Apfel, Birn' und Erdäpfel konnt' ich beim Haus um zwölf Kreuzer haben, die Maß Wein um sechs Kreuzer und die Maß Branz um sieben Batzen. Alles, reich und arm, hatte vollauf. Mit meinem Bauelgewerb[1] wär's mir um diese Zeit gewiß recht gut gegangen, wenn ich ihn nur besser verstanden und mehr Geld und Zeit dareinzusetzen gehabt hätte. – So floß mir dieses Jahr ziemlich schnell dahin. Mit meiner Schönen gab's wohl manchmal ein Zerwürfnis, wenn sie etwa meine Lebensart tadelte, mir Verhaltungsbefehle vorschreiben wollte und ich mich dann – wie noch heutzutag – rebellisch stellte; aber der Faden war allemal bald wieder angesponnen – und bald wieder zerbrochen. Kurz, wir waren schon dazumal bald miteinander zufrieden, bald unzufrieden – wie itzt.

1. Baumwollgewerbe.

LXIII.

Das allerwichtigste Jahr (1761)

Nachdem ich nun, wie gesagt, den Winter über alle nur mögliche Anstalten zu meinem Bauen gemacht, das Holz auf den Platz geschleift, und der Frühling nun herbeirückte, langten auch meine Zimmerleute an, auf den Tag, wie sie mir's versprochen hatten. Es waren außer meinem Bruder Georg, den ich ebenfalls dazu gedinget und darum meinem Vater itzt für ihn das Kostgeld entrichten mußte, sieben Mann, deren jedem ich alle Tag' vor Speis' und Lohn sieben Batzen, dem Meister aber, Hans Jörg Brunner von Krynau, neun Batzen bezahlte und darüber hinaus täglich eine halbe Maß Branz, Sell-[1], Beschluß- und Firstwein noch aparte. Es war den 27. März, da die Selle zu meiner Hütte gelegt wurde, bei sehr schönem Wetter, das auch bis Mitte Aprils dauerte, da die Arbeit durch eingefallnen großen Schnee einige Tage unterbrochen ward. Indessen kam doch Mitte Mai, also in zirka sieben Wochen alles unter Dach. Noch vorher aber, End' Aprils, spielte mir das Schicksal etliche so fatale Streiche, die mir, so unbedachtsam ich sonst alles dem Himmel anheimstellen wollte – der doch nirgends für den Leichtsinn zu sorgen versprochen hat –, beinahe allen meinen Mut zu Boden warf. Es hatten sich nämlich drei oder vier Unsterne miteinander vereinigt, meinen Bau zu hintertreiben. Der einte war, daß ich noch viel zuwenig Holz hatte, ungeachtet Meister Brunner mir gesagt, es sei genug, und es erst itzt einsah, als er an die oberste oder Firstkammer kam. Also mußt' ich von neuem in den Wald, Bäum' kaufen, fällen und sie in die Säge und auf den Zimmerplatz führen. Der zweite Unstern war, daß, als bei dem ebengedachten Geschäfte mein Fuhrmann mit

1. Trunk beim Legen der Schwelle (= Selle).

einem schweren Stück zwischen zwei Felsen durch und ich nebenein galoppieren wollte, mir der Baum im Renken[1] den rechten Fuß erwischte, Schuh' und Strümpf' zerriß, und mir Haut, Fleisch und Bein zerquetschte, so daß ich ziemlich miserabel auf dem einten Roß heimreiten und unter großem Schmerzen viele Tag' inliegen mußte, bis ich nun wieder zu meinen Leuten hinken konnte. Nebendem vereinigten sich während dieser meiner Niederlage noch zwei andre Fatalitäten mit den erstern. Die einte: Einer meiner Landsmänner, dem ich hundertzwanzig fl. schuldig war, schickte mir ganz unversehns den Boten, daß er zur Stund' wolle bezahlt sein. Ich kannte meinen Mann und wußte, daß da Bitten und Beten umsonst sei. Also dacht' ich hin und her, was denn sonst anzufangen wäre. Endlich entschloß ich mich, meinen Vorrat an Garn aus allen Winkeln zusammenzulesen, nach St. Gallen zu schicken und fast um jeden Preis loszuschlagen. Aber, o weh! das vierte Ungeheuer! Mein Abgesandter kam statt mit Barschaft mit der entsetzlichen Nachricht, mein Garn liege im Arrest wegen allzu kurzen Häspeln[2], ich müsse selber auf St. Gallen gehn und mich vor den Herren Zunftmeistern stellen. Was sollt' ich nun anfangen? Itzt hatt' ich weder Garn noch Geld, sozusagen keinen Schilling mehr, meine Arbeiter zu bezahlen, die indessen draufloszimmerten, als ob sie Salomonis Tempel bauen müßten. Und dann mein unerbittlicher Gläubiger! Aufs neue zu borgen? Gut! Aber wer wird mir armen Buben trauen? – Mein Vater sah meine Angst – und mein Vater im Himmel sah sie noch besser. Sonst fanden der Ätti und ich noch immer Kredit. Aber sollten wir den mißbrauchen? – Ach! – Kurz, er rannte in seinem und meinen Namen und fand endlich Menschen, die sich unser erbarmten – Menschen und keine Wucherer! Gott vergelt' es ihnen in Ewigkeit!

1. im Wenden (an einer Wegkehre). – 2. Anzahl von Fäden an den Strähnen.

Sobald ich wieder aushoppen[1] und meinen Sachen nachgehen konnte, war meine Not – vielleicht nur zu bald vergessen. Mein Schatz besuchte mich während meiner Krankheit oft. Aber von allen jenen Unsternen ließ ich ihr nur keinen Schein sehn; und mein guter Engel verhütete, daß sie auch nichts davon erfuhr, denn ich merkte wohl, daß sie, noch unschlüssig, nur mein Verhalten und den Ausgang vieler ungewisser Dinge erwarten wollte. Unser Umgang war daher nie recht vertraut. – Zu St. Gallen kam ich mit fünfzehn fl. Buß' davon. – Als die Zimmerleut' fertig waren, ging's ans Mauern. Dann kam der Hafner[2], Glaser, Schlosser, Schreiner, einer nach dem andern. Dem letzten zumal half ich aus allen Kräften, so daß ich dies Handwerk so ziemlich gelernt und mir mit meiner Selbstarbeit manchen hübschen Schilling erspart. Mit meinem Fuß war's indessen noch lange nicht recht, und ich mußte bei Jahren daran bayern[3]; sonst wäre alles noch viel hurtiger vonstatten gegangen. Endlich konnt' ich doch den 17. Junius mit dem Bruder in mein neues Haus einziehn, der nun einzig, nebst mir, unsern kleinen Rauch[4] führte, so daß wir Herr, Frau, Knecht und Magd, Koch und Keller[5], alles an einem Stiel vorstellten. Aber es fehlte mir eben noch an vielem. Wo ich herumsah, erblickt' ich meist heitre und sonnenreiche, aber leere Winkel. Immer mußt' ich die Hand in Beutel stecken, und der war klein und dünn, so daß es mich itzt noch wunder nimmt, wie die Kreuzer, Batzen und Gulden alle heraus oder vielmehr hereingekrochen. Aber freilich am End' erklärte sich manches – durch einen Schuldenlast von beinahe tausend fl. T a u s e n d G u l d e n! Und die machten mir keinen Kummer? O du liebe, heilige Sorglosigkeit meiner Jugendzeit!

Inzwischen war ich nun schon beinahe vier Jahre

1. hinkend ausgehen. – 2. Ofensetzer. – 3. herumdoktern. – 4. Feuerstätte, Herd, Haushalt. – 5. Kellermeister, Kellner.

lang einem stettigen[1] Mädchen nachgelaufen und sie mir, doch etwas minder. Und wenn wir uns nicht sehen konnten, mußten bald alle Tage gebundene und ungebundene Briefe gewechselt sein, wie mich denn über diesen Punkt meine verschmitzte Dulzinee meisterlich zu betriegen wußte. Sie schrieb mir nämlich ihre Briefe meist in Versen, so nett, daß sie mich darin weit übertraf. Ich hatte darum eine große Freude mit dem gelehrten Ding und glaubte, bald eine vortreffliche Dichterin an ihr zu haben. Aber am End' kam's heraus, daß sie weder schreiben noch Geschriebenes lesen konnte, sondern alles durch einen vertrauten Nachbar verrichten ließ. „Nun Schatz!" sagt' ich eines Tags, „itzt ist unser Haus fertig, und ich muß doch einmal wissen, woran ich bin." Sie brachte noch einen ganzen Plunder von Entschuldigungen herfür. Zuletzt wurden wir darüber einig, ich müss' ihr noch Zeit lassen bis im Herbst. Endlich ward im Oktober unsre Hochzeit öffentlich verkündet. Itzt (so schwer war's kaum, Rom zu bauen) spielte mir ein niederträchtiger Kerl noch den Streich, daß er im Namen seines Bruders, der in piemontesischen Diensten stand, Ansprachen[2] auf meine Braut machte, die aber bald vor ungültig erkannt wurden. An Allerseelentag (3. Nov.) wurden wir kopuliert. Herr Pfarrer Seelmatter hielt uns eine schöne Sermon und knüpfte uns zusammen. So nahm meine Freiheit ein Ende und das Zanken gleich den ersten Tag seinen Anfang – und währt noch bis auf den heutigen. Ich sollte mich unterwerfen und wollte nicht und will's noch itzt nicht. Sie sollt' es auch, und will's noch viel minder. Auch darf ich noch einmal nicht verhehlen, daß mich eigentlich bloß politische Absichten zu meiner Heurat bewogen haben und ich nie jene zärtliche Neigung zu ihr verspürt, die man Liebe zu nennen gewohnt ist. Aber das erkannt' ich wohl, und war davon überzeugt und

1. störrischen. – 2. Ansprüche.

bin es noch in der gegenwärtigen Stunde, daß sie für meine Umstände unter allen, die ich bekommen hätte, weit, weit die tauglichste war. Meine Vernunft sieht es ein, daß mir keine nützlicher sein konnte, so sehr sich auch ein gewisser Mutwill gegen diese ernste Hofmeisterin sträuben will; und kurz, so sehr mir die einte Seite meiner treue Hälfte itzt noch bisweilen widrig ist, so aufrichtig ehr ich ihre andre schöne Seite im stillen. Wenn also meine Ehe schon nicht unter die glücklichsten gehört, so gehört sie doch gewiß auch nicht unter die unglücklichen, sondern wenigstens unter die halbglücklichen, und sie wird mich niemals gereuen. Mein Bruder Jakob hatte ein Jahr vor mir und meine älteste Schwester ein Jahr nach mir sich verheuratet, und keins von beiden traf's noch so gut wie ich. Nicht zu gedenken, daß die Familie meiner Frau weit besser war als die, worein gedachte meine beide Geschwisterte sich hineingemannet und -geweibet – sind die andern auch immer ärmer geblieben. Bruder Jakob zumal mußte in den teuern siebenziger Jahren vollends von Weib und Kindern weg in den Krieg laufen.

LXIV.

Tod und Leben

Das Jahr 1762 war mir besonders um des 26. Märzens und 10. Septembers willen merkwürdig. An dem erstern starb nämlich mein geliebter Vater eines schnellen und gewaltsamen Todes, den ich lange nicht verschmerzen konnte. Er ging am Morgen in den Wald, etwas Holz zu suchen. Gegen Abend kam Schwester Anne Marie mit Tränen in den Augen zu mir und sagte, der Ätti sei in aller Frühe fort und noch nicht heimgekommen, sie fürchten alle, es sei ihm was Böses begegnet; ich soll doch fort und ihn suchen. Sein Hündlein sei etlichemal heimgekommen und dann wieder weggelaufen. Mir ging ein Stich durch Mark und Bein. Ich rannte in aller Eil' dem Gehölze zu; das Hündlein trabte vor mir her und führte mich gerade zu dem vermißten Vater. Er saß neben seinem Schlitten, an ein Tännchen gelehnt, die Lederkappe auf der Schoß, und die Augen sperroffen. Ich glaubte, er sehe mich starr an. Ich rief: Vater, Vater! Aber keine Antwort. Seine Seele war ausgefahren; gestabet[1] und kalt waren seine lieben Hände, und ein Ärmel hing von seinem Futterhemd herunter, den er mag ausgerissen haben, als er mit dem Tode rang. Voll Angst und Verwirrung fing ich ein Zetergeschrei an, welches in kurzem alle meine Geschwister herbeibrachte. Eins nach dem andern legte sich auf den erblaßten Leichnam. Unser Geheul ertönte durch den ganzen Wald. Man zog ihn auf seinem Schlitten nach Haus, wo noch die Mutter samt den Kleinen ihr Wehklagen mit dem unsrigen vereinten. Ein armer Bube aß die Suppe, die auf den guten Herzensvater gewartet hatte. Zehn Tage vorher hatt' ich das letztemal (o hätt' ich's gewußt, daß es das letztemal wäre!) mit ihm gesprochen, und sagte er mir unter anderm, er möchte sich die Augen ausweinen, wenn er bedenke, wie oft er den lieben Gott erzörnt. O welch einen guten Vater hatten wir, welch einen zärtlichen Ehemann unsre Mutter, welch eine redliche Seele und braven Biedermann alle, die ihn kannten, an ihm verloren. Gott tröste seine Seele in alle Ewigkeit! Er hatte eine mühsame Pilgrimschaft. Kummer und Sorgen aller Art, Krankheiten, drückende Schuldenlast und so fort folgten ihm kehrum stets auf der Ferse nach. Sonntags, den 28. März, wurde er unter einem zahlreichen Gefolge zu seiner Ruhestatt begleitet und in unser aller Mutter Schoß hingelegt. Herr Pfarrherr Bösch ab dem Ebnet hielt ihm die Leichenrede, die

1. steif.

für seine betrübten Hinterlaßnen ungemein tröstlich ausfiel und von den verborgnen Absichten Gottes handelte. Der Selige mag sein Alter auf vierundfünfzig bis fünfundfünfzig Jahre gebracht haben. O wie oft besucht' ich seither das Plätzgen, wo er den letzten Atem ausgehaucht. Die sicherste Vermutung über seine eigentliche Todesart gab mir der Ort selbst an die Hand. Es war gähe hinab, wo er mit seinem Füderchen Holz hinunterfuhr. Der Schnee trug den Schlitten; aber mit den Füßen mußte er an einer lockern Stelle, die ich noch gar wohl wahrnehmen konnte, unter den letztern gekommen und derselbe mit ihm gegen eine Tann' geschossen sein, die ihm den Herzstoß gab. Doch muß er noch eine Weile gelebt, sich frei machen wollen und eben über dieser Bemühung sein Futterhemd zerrissen haben.

Nach diesem traurigen Hinschied fiel eine schwere Last auf mich. Da waren noch vier unerzogene Kinder, bei welchen ich Vaterstelle vertreten sollte. Unsre Mutter war so immer geradezu und sagte zu allem: Ja, ja! Ich tat, was ich konnte, wenn ich gleich mit mir selbst schon genug zu schaffen hatte. Bruder Georg nahm den eigentlichen Haushalt über sich. Aus den hundert fl., die mir der Selige gegeben hatte, tilgte ich seine Schulden. In meinem eigenen Häusgen machte ich einen Webkeller zurecht, lernte selbst weben und lehrte es nach und nach meine Brüder, so daß zuletzt alle damit ihr Brot verdienen konnten. Die Schwestern hinwieder verstunden recht gut, Lötligarn zu spinnen; die jüngste lernte nähen.

Der 10. Sept. war wieder der erste frohe Tag für mich, an welchem meine Frau mir einen Sohn zur Welt brachte, den ich nach meinem und meines Schwähers Namen Uli nannte. Seine Taufpaten waren Herr Pfarrer Seelmatter und Frau Hartmännin. Ich hatte eine solche Freude mit diesem Jungen, daß ich ihn nicht nur allen Leuten zeigte, die ins Haus kamen, sondern auch jedem vorübergehnden Bekannten zurief: „Ich hab einen Buben!“, obgleich ich schon zum voraus wußte, daß mich mancher darüber auslachen und denken werde: Wart nur! Du wirst noch des Dings genug bekommen – wie's denn auch wirklich geschah. – Inzwischen kam mein gutes Weib dies erstemal wahrlich nicht leicht davon und mußte viele Wochen das Bett hüten. Das Kind hingegen wuchs und nahm recht wunderbar zu.

Bald nachher erzeugten die Angelegenheiten der Meinigen manchen kleinern und größern Ehestreit zwischen mir und meiner Hausehre. Die letztre mochte nämlich nach Gewohnheit die erstern nie recht leiden und meinte immer, ich dächt' und gäb' ihnen zu viel. Freilich waren meine Brüder ziemlich ungezogene Bursche – aber immer meine Brüder, und ich also verbunden, mich ihrer anzunehmen. Endlich kamen sie einer nach dem andern unter die Fremden, Georg ausgenommen, der ein ziemlich lüderliches Weib heuratete; die andern alle verdienten, meines Wissens, ihr Brot mit Gott und mit Ehren.

LXV.

Wieder drei Jahre
(1763–1765)

Die Flitterwochen meines Ehestands waren nun längstens vorbei, obgleich ich eben wenig von ihrem Honig zu sagen weiß. Mein Weib wollte immer gar zu scharfe Mannszucht halten, und wo viel Gebote sind, da gibt's auch mehr Übertretung. Wenn ich nur ein bißchen ausschweifte, so waren alle T . . . los. Das machte mich dann bitter und launigt und verführte mich zu allerlei eiteln Projekten. Mein Handel ging inzwischen bald gut, bald schlecht. Bald kam mir ein Nachbar in die

Quere und verstümmelte mir meinen schönen Gewerb, bald betrogen mich arge Buben um Baumwolle und Geld, denn ich war gar zu leichtgläubig. Ich hatte mir eines der herrlichsten Luftschlösser gemacht, meine Schulden in wenig Jahren zu tilgen; aber die Ausgaben mehrten sich auch von Jahr zu Jahre. Im Winter 63 gebar mir meine Frau eine Tochter und Anno 65 noch eine. Ich bekam wieder das Heimweh nach Geißen; auf der Stelle mußten deren etliche herbeigeschafft sein. Die Milch stund mir und meinen drei Jungens trefflich an; aber die Tiere gaben mir viel zu schaffen. Andremal hielt ich eine Kuh, oft gar zwei und drei. Ich pflanzte Erdapfel und Gemüse und probierte alles, wie ich am leichtesten zurechtkommen möchte. Aber ich blieb immer so auf dem alten Fleck stehn, ohne weit vor-, doch auch nicht hinterwärts zu rücken.

LXVI.

Zwei Jahre
(1766 und 1767)

Überhaupt vertrödelte ich diese sechziger Jahre, daß ich nicht recht sagen kann, wie, und so, daß sie meinem Gedächtnis weit entfernter sind als die entferntesten Jugendjahre. Nur etwas Weniges also von meiner damaligen Herzens- und Gemütslage. Schon mehrmals hab ich's bemerkt, wie ich in meiner Bubenhaut ein lustiger, leichtsinniger, kummer- und sorgenloser Junge war, der dann aber doch von Zeit zu Zeit manche gute Regungen zur Buße und manche angenehme Empfindung, wenn er in der Besserung auch nur einen halben Fortschritt tat, bei sich verspürte. Nun war die Zeit längst da, einmal mit Ernst ein ganz anderes Leben anzufangen. Gerade von meiner Verheuratung an wollt' ich mit nichts Geringerm beginnen, als – der Welt völlig abzusagen und das Fleisch mit allen seinen Gelüsten zu kreuzigen. Aber o ich einfältiger Mensch! Was es da für ein Gewirre und für Widersprüche in meinem Inwendigen absetzte. Vor meinem Ehstand bildete ich mir ein, wenn ich nur erst meine Frau und eigen Haus und Heimat hätte, würden alle andern Begierden und Leidenschaften wie Schuppen von meinem Herzen fallen. Aber, potztausend! welch eine Rebellion gab's nicht da. Lange Zeit wendete ich jeden Augenblick, den ich nur immer entbehren – aber eben bald auch manchen, den ich nicht entbehren konnte, aufs Lesen an; schnappte jedes Buch auf, das mir nur zu erhaschen stund, hatte itzt wirklich acht Foliobände von der Berlenburger-Bibel[1] vollendet; nahm dann, wie es sich gebührt, eine scharfe Kinderzucht vor, ging dann und wann in die Versammlung etlicher Heiligen und Frommen – und ward darüber, wie es mir itzt vorkömmt, ein unerträglicher, eher gottloser Mann, der alle andern Menschen um ihn her für bös, sich selber allein für gut hielt und darum jene – kurz jedes Bein nach seiner Pfeife wollte tanzen lehren. Jede auch noch so schuldlose Freude des Lebens machte mir Skrupel über Skrupel; ich wollte mir bald sogar die Befriedigung eigentlich unentbehrlicher Bedürfnisse des Lebens versagen, und doch steckte mein Busen noch voll schnöder Lust und tausend abenteuerlicher Begierden, die ich so oft ertappte, als ich nur hineinzugucken Muts genug hatte – und dann freilich fast zur Verzweiflung geriet, doch allemal von neuem wieder Posto faßte und meine Sachen mit Beten, Lesen und – o ich abscheulicher Kerl! – hauptsächlich damit wieder zu verbessern suchte, daß ich meiner Frau und Geschwisterten wie ein Pfarrer zusprach und ihnen die Höll' bis zum Verspringen heiß machte. Oft fiel's mir

1. 1726 in Berleburg (Hessen-Darmstadt) gedruckte, aus separatistischen Kreisen hervorgegangene Bibelübersetzung mit theosophischen Anmerkungen und Auszügen aus Werken früherer Mystiker.

gar ein, ich sollte, gleich den Herrnhutern und Inspirierten, in der weiten Welt herumziehn und Buß' predigen. Wenn ich dann aber so nur einem meiner Brüder oder Schwestern eine Sermon hielt und schon im Text stockte, dann dacht' ich wieder: Du Narr! Hast ja keine Gaben zu einem Apostel und also auch keinen Beruf dazu. Dann fiel ich darauf, ich könnte vielleicht besser mit der Feder zurechte kommen; und flugs entschloß ich mich, ein Büchlin zum Trost und Heil wo nicht ganz Tockenburgs, wenigstens meiner Gemeinde zu schreiben, oder es zuletzt auch nur meiner Nachkommenschaft – statt des Erbguts zu hinterlassen.

LXVII.

Und abermals zwei Jahre (1768 und 1769)

Das vorige Jahr 67 hatte mir wieder einen Buben beschert. Ich nannte ihn nach meinem Vater sel. Johannes. Um die nämliche Zeit fiel mein Bruder Samson im Laubergaden ab einem Kirschbaum zu Tod. Anno 68 fing ich obbelobtes Büchlein und zugleich ein Tagebuch an, das ich bis zu dieser Stunde fortsetze, anfangs aber voll Schwärmereien stak und nur bisweilen ein guter Gedanke in hundert leeren Worten ersäuft war, mit denen NB[1] meine Handlungen nie übereinstimmten. Doch mögen meine Nachkommen daraus nehmen, was ihnen Nutz und Heil bringen mag.

Sonst ward ich in diesen frommen Jahren des Garnhandels bald überdrüssig, weil ich dabei, wie ich wähnte, mit gar zu viel rohen und gewissenlosen Menschen umzugehen hätte. Aber o des Tuckes! warum überließ ich ihn denn meiner Frau und beschäftigte mich nun selbst mit der Baumwollentüchlerei? Ich glaubte halt,

1. notabene = „merke wohl!", übrigens.

vor meine Haut und mein Temperament mit den Webern besser als mit den Spinnern auskommen zu können. Aber es war für meine Ökonomie ein törigter Schritt, oder wenigstens fiel er übel aus. Im Anfang kostete mich das Webgeschirr viel und mußt' ich überhaupt ein hübsches Lehrgeld geben; und als ich itzt die Sachen ein wenig im Gang hatte – schlug die War' ab. Doch ich dachte: Es wird schon wieder anders kommen.

Das Jahr 69 bescherte mir den dritten Sohn. „Ha!" überlegt' ich itzt eines Tags: „Nun mußt du doch einmal mit Ernst ans Sparen denken, bist immer noch so viel schuldig wie im Anfang, und dein Haushalt wird je länger, je stärker. Frisch! die Händ' aus den Hosen getan und die Bären abbezahlt. Itzt kann's sein. Bisher hattest noch stets an deiner Hütte zu flicken und fehlte immer hie und da noch ein Stück; andrer Ausgaben in deinem Gewerb und so fort und fort zu geschweigen. Dann hast du unvernünftig viel Zeit mit Lesen, Schreiben und dergleichen zugebracht. Nein, nein, itzt willst anders dahinter. Zwar das Reichwerdenwollen soll von heut an aufgegeben sein. Der Faule stirbt über seinen Wünschen, sagt Salomon. Aber jenes ewige Studieren zumal, was nützt es dir? Bist ja immer der alte Mensch und kein Haar besser als vor zehn Jahren, da du kaum lesen und schreiben konntest. – Etwas Geld mußt freilich noch aufnehmen; aber dann desto wackerer gearbeitet, und zwar alles, wie's dir vor die Hand kömmt. Verstehst ja neben deinem eigentlichen Berufe noch das Zimmern, Tischlern und so fort wie ein Meister; hast schon Webstühl', Trög' und Kästen und Särg' bei Dutzenden gemacht. Freilich ist schlechter Lohn dabei, und: Neun Handwerk', zehn Bettler, lautet das Sprüchwort. Doch wenig ist besser als nichts." So dacht' ich. Aber es liegt nicht an jemands Wollen oder Laufen, sondern an Gottes Verhängnis, an Zeit und Glück!

LXVIII.

Mein erstes Hungerjahr
(1770)

Während diesem meinem neuen Planmachen und Projekteschmieden rückten die heißhungrigen siebenziger Jahre heran, und das erste brach ein, ganz unerwartet wie ein Dieb in der Nacht, da jedermann auf ganz andre Zeiten hoffete. Freilich gab's seit dem Jahre 1760 in unsern Gegenden kein recht volles Jahr mehr. Die Jahre 68 und 69 fehlten gar und gänzlich, hatten nasse Sommer, kalte und lange Winter, großen Schnee, so daß viel Frucht darunter verfaulte und man im Frühling aufs neue pflugen mußte. Das mögen nun politische Kornjuden wohl gemerkt und der nachfolgenden Teurung vollends den Schwung gegeben haben. Dies konnte man daraus schließen, daß ums Geld immer Brot genug vorhanden war; aber eben jenes fehlte, und zwar nicht bloß bei dem Armen, sondern auch bei dem Mittelmann. Also war diese Epoche für Händler, Bekken und Müller eine göldene Zeit, wo sich viele eigentlich bereicherten oder wenigstens ein Hübsches auf die Seite schaffen konnten. Hinwieder fiel der Baumwollengewerb fast gänzlich ins Kot, und aller diesfällige Verdienst war äußerst klein, so daß man freilich Arbeiter genug ums bloße Essen haben konnte. Ohne dies wäre der Preis der Lebensmittel noch viel höher gestiegen und hätte die teure Zeit wohl bald gar kein End' genommen. Doch alles spezifizierlich herzusetzen, wäre um ebensoviel überflüssiger, da ich es in meinem, wie ich höre, einst auch vor dem Publikum erscheinenden Tagebuch bereits hinlänglich getan, und nämlich dort pünktlich in aller Einfalt erzählt habe, was diesem Zeitpunkt vorgegangen (als z. E. Kometen, Röten am Himmel, Erdbeben, Hochgewitter) und ebenso, was auf denselben gefolgt (schwere Krankheiten, ein ziemlicher Sterbent und so fort). Hier bleibt mir also nichts übrig, als meiner eignen ökonomischen sowohl als Gemütslage in erwähnten bedenklichen Jahren kurze und wahrhafte Erwähnung zu tun. Denn freilich findet sich auch darüber ein Weites und Breites in gedachtem Diario[1]; aber eben nicht allemal gar zu echt, da ich nämlich an mancher Stelle viel Lärmens von meinem sonderbaren Vertrauen auf die göttliche Vorsehung gemacht – und zwar meist gerade, wo ich am kleingläubigsten war. So viel darf ich freilich noch itzt sagen, daß dies Zutrauen, ob es gleich zuweilen wankte, dennoch nie ganz zu Trümmern ging und ich fast immer fand, daß mein eigenes Verschulden mir die größten Leiden verursachte und Gottes Güte viel selbstgemachtes Übel noch oft zu meinem Besten wandte. Schon Anno 68 und 69, da mir der Hagel zwei Jahre nacheinander alles in meinem Garten zu Boden schlug und ich und die Meinigen so mit großer Wehmut zuschauten – konnt' ich doch den Erbarmenden loben, daß er unsers Lebens geschont. Und seither bei allen solchen und ähnlichen Unfällen, bei allem Aufschlag der Nahrung, bei allem Jammern und Klagen der Leute war immer mein erst und letztes Wort: „Es wird so bös nicht sein"; oder: „Es wird schon besser kommen." Denn allemal das Beste zu glauben und zu hoffen, war stets so meine Art und, wenn man will, eine Folge meines angeborenen Leichtsinns. Ich konnte darum das ängstliche Kräbeln[2], Kummern und Sorgen andrer um mich her nie leiden, noch begreifen, was einer für einen Nutzen davon hat, wenn er sich immer das Ärgste vorstellt. – Doch so käm' ich allgemach ganz von meiner Geschichte ab.

Das gedachte siebenziger Jahr neigte sich schon im Frühling zum Aufschlagen. Der Schnee lag auf der Saat bis im Maien, so daß gar viel darunter erstickte. Indes-

1. Tagebuch. – 2. sich um Kleinliches abmühen.

sen tröstete man sich doch noch den ganzen Sommer auf eine leidentliche Ernte – dann auf das Ausdreschen; aber leider alles umsonst. Ich hatte eine gute Portion Erdapfel im Boden; es wurden mir aber leider viel davon gestohlen. Den Sommer über hatte ich zwo Kühe auf fremder Weide und ein paar Geißen, welche mein erstgeborner Junge hütete; im Herbst aber mußt' ich aus Mangel Gelds und Futter alle diese Schwänze verkaufen. Denn der Handel nahm ab, so wie die Fruchtpreise stiegen, und bei den armen Spinnern und Webern war nichts als Borgen und Borgen. Nun tröstete ich freilich die Meinigen und mich selbst mit meinem: „Es wird schon besser kommen!" so gut ich konnte, mußte dann aber auch dafür manche bittre Pille verschlucken, die meine Bettesgenossin wegen meinem vorigen Verhalten, meiner Sorglosigkeit und Leichtsinn mir auftischte und die ich dann nicht allemal geduldig und gleichgültig ertragen mochte. Gleichwohl sagte mir mein Gewissen meist: Sie hat recht . . . Wenn sie's nur nicht so herb präpariert hätte.

LXIX.

Und abermals zwei Jahre!
(1771 und 1772)

Nun brach der große Winter ein, der schauervollste, den ich erlebt habe. Ich hatte itzt fünf Kinder und keinen Verdienst, ein bißchen Gespunst ausgenommen. Bei meinem Händelchen büßt' ich von Woche zu Woche immer mehr ein. Ich hatte ziemlich viel vorrätig Garn, das ich in hohem Preis eingekauft und an dem ich verlieren mußte, ich mocht' es nun wieder roh verkaufen oder zu Tüchern machen. Doch tat ich das letztre und hielt mit dem Losschlagen derselben zurücke, mich immer meines Weidspruchs getröstend: „Es wird schon besser werden!" Aber es ward immer schlimmer den ganzen Winter durch. Inzwischen dacht' ich so: „Dein kleiner Gewerb hat dich bisher genährt, wenn du damit gleich nichts beiseite legen konntest. Du magst und kannst's also nicht aufgeben. Tätest du's, müßtest du gleich deine Schulden bezahlen, und das wär' dir itzt pur unmöglich." Auch in andern Punkten ging's mir nicht besser. Mein kleiner Vorrat von Erdapfeln und anderm Gemüs' aus meinem Gärtchen, was mir die Dieben übriggelassen, war aufgezehrt; ich mußte mich also Tag für Tag aus der Mühle verproviantieren; das kostete mich am End' der Woche eine hübsche Handvoll Münze, nur vor Rotmehl[1] und Rauchbrot[2]. Dennoch war ich noch immer guter Hoffnung, hatte auch nicht eine schlaflose Nacht und sagte alleweil: „Der Himmel wird schon sorgen und noch alles zum besten lenken!" „Ja!" rispostierte dann meine Jöbin[3]: „Wie du's verdient; ich bin unschuldig. Hättst du die gute Zeit in Obacht genommen, du Schlingel! und deine Hände mehr in den Teig gesteckt als deine Nase in die Bücher." – „Sie hat recht!" dacht' ich dann; „aber der Himmel wird doch sorgen" – und schwieg. Freilich konnt' ich meine schuldlosen Kinder unmöglich Hunger leiden sehn, solang ich noch Kredit fand. Die Not stieg um diese Zeit so hoch, daß viele eigentlich blutarme[4] Leute kaum den Frühling erwarten mochten, wo sie Wurzeln und Kräuter finden konnten. Auch ich kochte allerhand dergleichen und hätte meine jungen Vögel noch immer lieber mit frischem Laub genährt, als es einem meiner erbarmenswürdigen Landsmänner nachgemacht, dem ich mit eignen Augen zusah, wie er mit seinen Kindern von einem verreckten Pferd einen ganzen Sack voll Fleisch abgehackt, woran sich schon mehrere Tage Hunde und Vögel satt gefressen. Noch itzt, wenn ich des Anblicks gedenke, durchfährt Schauer

1. Mehl, mit Kleie vermengt. – 2. Schwarzbrot. – 3. Hiob (frz. Job). – 4. sehr arme.

und Entsetzen alle meine Glieder. – Bei alledem ging mir mein eigener Zustand nicht so sehr zu nahe als die Not meiner Mutter und Geschwister, welche alle noch ärmer waren als ich und denen ich doch so wenig helfen konnte. Indessen half ich über Vermögen, da ich stets noch einichen Kredit fand und sie gar keinen. Im Mai Anno 71 verhalf mir ein gutmütiger[1] Mann wieder zu einer Kuh und ein paar Geißen, da er mir Geld dazu bis auf den Herbst lieh, so daß ich nunmehr wenigstens ein bißchen Milch für meine Jungen hatte. Aber verdienen konnt' ich nichts. Was mir noch etwa von meinem Gewerb einging, mußt' ich auf die Atzung von Menschen und Tieren verwenden. Meine Schuldner bezahlten mich nicht; ich konnte also hinwieder auch meine Gläubiger nicht befriedigen und mußte durch Geld und Baumwolle auf Borg nehmen, wo ich's fand. Endlich aber ging dem Faß vollends der Boden aus. Zwar kam mir mein gewöhnliches: „Gott lebt noch! 's wird schon besser werden!" noch immer in den Sinn; aber meine Gläubiger fingen nichtsdestoweniger an, mich zu mahnen, und zu drohen. Von Zeit zu Zeit mußt' ich hören, wie dieser und jener Bankerott machte. Es gab hartherzige Kerls, die alle Tag' mit den Schätzern im Feld waren, ihre Schulden einzutreiben. Neben andern traf die Reihe auch meinen Schwager; ich hatte ebenfalls eine Anfoderung an ihn und war selber bei dem Auffallsakt[2] gegenwärtig; freilich mehr ihm zum Beistande als um meiner Schuld willen. O! was das vor ein erbärmliches Spektakel ist, wenn einer so wie ein armer Delinquent dastehn – sein Schulden- und Sündenregister vorlesen hören – so viele bittre, teils laute, teils leise Vorwürfe in sich fressen – sein Haus, seine Mobilien, alles bis auf ein armseliges Bett und Gewand um einen Spottpreis verganten[3] sehn – das Geheul von Weib und Kindern hören und zu allem

1. wohlgesinnt. – 2. Bankrotterklärung. – 3. versteigern.

schweigen muß wie eine Maus. O! wie fuhr's mir da durch Mark und Bein! Und doch könnt' ich weder raten noch helfen – nichts tun als für meiner Schwester Kinder zu beten – und dazu im Herzen denken: „Auch du, auch du steckst ebenso tief im Kot! Heut oder morgens kann es, muß es dir ebenso gehn, wenn's nicht bald anders wird. Und wie sollt' es anders werden? Oder darf ich Tor auf ein Wunder hoffen? Nach dem natürlichen Gang der Dinge kann ich mich unmöglich erholen. Vielleicht harren deine Gläubiger noch eine Weile; aber alle Augenblick' kann die Geduld ihnen ausgehn. – Doch, wer weiß? Der alte Gott lebt noch! Es wird nicht immer so währen. – Aber ach! Und wenn's auch besser würde, so braucht' es Jahre lang, bis ich mich wieder erholen könnte. Und so lang werden meine Schuldherren mir gewiß nicht Zeit lassen. Ach mein Gott! Was soll ich anfangen? Keiner Seele darf ich mich vertrauen – muß ich doch vor meinem eignen Weib meinen Kummer verbergen." Mit solchen Gedanken wälzt' ich mich ein paar lange Nächte auf meinem Lager herum; dann faßt' ich, wie mit eins, wieder Mut, tröstete mich aufs neue mit der Hilfe von oben herab, befahl dem Himmel meine Sachen – und ging meine Wege wie zuvor. Zwar prüft' ich mich selbst unterweilen, ob und inwiefern ich an meinen gegenwärtigen Umständen selbst Schuld trage. Aber ach! wie geneigt ist man in solcher Lage, sich selbst zu rechtfertigen. Freilich konnt' ich mir wirklich keine eigentliche Verschwendung oder Lüderlichkeit vorwerfen, aber doch ein gewisses gleichgültiges, leichtgläubiges, ungeschicktes Wesen und so fort. Denn erstlich hatt' ich nie gelernt, recht mit dem Geld umzugehn, auch hatte es nie keine Reize für mich, als inwiefern ich's alle Tag' zu brauchen wußte. Hiernächst traut' ich jedem Halunken, wenn er mir nur ein gut Wort gab; und noch itzt könnte mich ein ehrlich Gesicht um den letzten Heller im Sack betriegen. Endlich und vornähmlich verstunden lange weder ich noch mein Weib den Handel recht und kauften und verkauften immer zur verkehrten Zeit.

Mittlerweile ward meine Frau schwanger und den ganzen Sommer (1772) über kränklich und schämte sich vor allen Wänden, daß sie bei diesen betrübten Zeitläufen ein Kind haben sollte. Ja, sie hätte selbst mir bald eine ähnliche Empfindung eingepredigt. Im Herbstmonate, da die rote Ruhr allethalben grassierte, kehrte sie auch bei mir ein und traf zuerst meinen lieben Erstgeborenen. Von der ersten Stund' an, da er sich legte, wollt' er außer lauterm Brunnenwasser nichts, weder Speis noch Trank mehr zu sich nehmen, und in acht Tagen war er eine Leiche. Nur Gott weiß, was ich bei diesem Unfall empfunden: ein so gutartiges Kind, das ich wie meine Seele liebte, unter einer so schmerzhaften Krankheit geduldig wie ein Lamm Tag und Nacht – denn es genoß auch nicht eine Minute Ruh' – leiden zu sehn! Noch in der letzten Todesstunde riß es mich mit seinen schon kalten Händchen auf sein Gesicht herunter, küßte mich noch mit seinem erstorbnen Mündchen und sagte unter leisem Wimmern, mit stammelndem Zünglin: „Lieber Ätti! es ist genug. Komm auch bald nach. Ich will itzt im Himmel ein Engelin werden", rang dann mit dem Tod und verschied. Mir war, mein Herz wollte mir in tausend Stücke zerspringen. Mein bittres Klaglied über diesen ersten Raub des großen Würgers in meinem Hause liegt in meinem Tagebuch. – Noch war mein Söhnlein nicht begraben, so griff die wütende Seuche mein ältestes Töchtergen, und zwar noch viel heftiger an; es wäre denn, daß dies gute Kind seine Leiden nicht so standhaft ertrug als sein Bruder. Und kurz, es war, aller Sorgfalt der Ärzte ungeachtet, noch schneller hingerafft in seinem achten, das Knäblin im neunten Jahr. Diese Krankheit kam mir so ekelhaft vor, daß ich's sogar bei meinen Kindern nie recht ohne Grausen aushalten konnte. Als nun das Mädchen kaum tot und ich von Wachen, Sorgen und

Wehmut wie vertaumelt war, fing's auch mir an im Leibe zu zerren, und hätt' ich in diesen Tagen tausendmal gewünscht, zu sterben und mit meinen Lieben hinzufahren. Doch ging ich, auf dringendes Bitten meiner Frau, noch selbst zu Herrn Doktor Wirth hin. Er verordnete mir Rhabarber und sonst was. Sobald ich nach Haus kam, mußt' ich zu Bett liegen. Ein Grimmen und Durchfall fing mit aller Wut an, und die Arzenei schien noch die Schmerzen zu verdoppeln. Der Doktor kam selber zu mir, sah meine Schwäche – aber nicht meine Angst. Gott, Zeit und Ewigkeit, meine geist- und leiblichen Schulden stunden fürchterlich vor und hinter meinem Bett. Keine Minute Schlaf – Tod und Grab – Sterben, und nicht mit Ehren – welche Pein! Ich wälzte mich Tag und Nacht in meinem Bett herum, krümmte mich wie ein Wurm und durfte, nach meiner alten Leier, meinen Zustand doch keiner Seele entdecken. Ich flehte zum Himmel; aber der Zweifel, ob der mich auch hören wollte, ging itzt zum erstenmal mir durch Mark und Bein, und die Unmöglichkeit, daß mir bei meinem allfälligen Wiederaufkommen noch gründlich zu helfen sei, stellte sich mir lebhafter als noch nie vor. Indessen ward mein Töchtergen begraben, und in wenig Tagen lagen meine drei noch übrigen Kinder nebst mir an der nämlichen Krankheit darnieder. Nur mein ehrliches Weib war bis dahin ganz frei ausgegangen. Da sie nicht allem abwarten konnte, kam ihre ledige Schwester ihr zu Hülf'; sonst übertraf sie mich an Mut und Standhaftigkeit weit. Ich hingegen stund, teils meiner leiblichen Schmerzen, teils meiner schrecklichen Vorstellungen wegen, noch ein paar Tage Höllenangst aus, bis es mir endlich in einer glücklichen Stunde gelang, mich und meine Sachen gar und ganz dem lieben Gott auf Gnad' und Ungnad' zu übergeben. Bisher war ich ein ziemlich mürrischer Patient. Nun ließ ich mit mir machen, was jeder gern wollte. Meine Frau, ihre Schwester und Herr Doktor Wirth gaben sich alle ersinnliche Sorge um mich.

Der Höchste segnete ihre Mühe, so daß ich innert acht Tagen wieder aufkam und auch meine drei Kleinen sich allmählig erholten. Als ich noch darniederlag, kam eines Abends meine Schwägerin und eröffnete mir, meine zwei Geißen seien auf und davon. „Ei, so fahre denn alles hin!“ sagt' ich, „wenn's so sein muß.“ Allein des folgenden Morgens rafft' ich mich, so schwach und blöd ich noch war, auf, meine Tiere zu suchen, und fand sie wieder zu mein und meiner Kinder großer Freude.

Sonst war der Jammer, Hunger und Kummer damals im Land allgemein. Alle Tag' trug man Leichen zu Grabe, oft drei, vier, bis elf miteinander. Nun dankt' ich dem lieben Gott, daß er mir wieder so geholfen, und ebensosehr, daß er meine zwei Lieben versorgt hatte, denen ich nicht helfen konnte. Aber sehr lange schwebten mir die anmutigen Dinger, ihr gutartiges kindliches Wesen immer wie leibhaftig vor Augen. „O ihr geliebten Kinder!“ stöhnt' ich dann des Tages wohl hundertmal: „Wenn werd' ich wohl einst zu euch hinfahren? Denn ach! zu mir kömmt ihr nicht wieder.“ Viele Wochen lang ging ich überall umher wie der Schatten an der Wand – staunte Himmel und Erde an – tat zwar, was ich konnte – konnte aber nicht viel. Zu Bezahlung meiner Gläubiger wurden die Aussichten immer enger und kürzer. Aus einem Sack in den andern zu schleufen und mich so lange zu wehren wie möglich, mußt' itzt mein einziges Dichten und Trachten sein.

LXX.

Nun gar fünf Jahre (1773–1777)

Diese Zeit über kroch ich so immer zwischen Furcht und Hoffnung unter meiner Schuldenlast fort, trieb mein Händelchen und arbeitete daneben, was mir vor die Hand kam. Zu Anfang dieser Epoche ging's vollends immer den Krebsgang. So viel unnütze Mäuler (denn die Fünfezahl meiner Kinder war itzt wieder komplett), die Ausgaben für Essen, Kleider, Holz und so fort und dann die leidigen Zinse fraßen meinen kleinen Gewinst noch etwas mehr als auf. Meine schönste Hoffnung erstreckte sich erst auf Jahre hinaus, wo meine Jungens mir zur Hülfe gewachsen sein würden. Aber wenn meine Gläubiger bös gewesen, sie hätten mich lange vorher überrumpelt. Nein! sie trugen Geduld mit mir; freilich bestrebt' ich mich auch aus allen Kräften, Wort zu halten so gut wie möglich; aber das bestund meist in – neuem Schuldenmachen, um die alten zu tilgen. Und da waren mir allemal die nächsten Wochen vor der Zurzacher Messe[1] sehr schwarze Tag' im Kalender, wo ich viele Dutzend Stunden verlaufen mußte, um wieder Kredit zu finden. O wie mir da manch liebes Mal das Herz klopfte, wenn ich so an drei, vier Orten ein christliches Helf dir Gott! bekam. Wie rang ich dann oft meine Hände gen Himmel und betete zu dem, der die Herzen wendet, wohin er will, auch eines zu meinem Beistand zu lenken. Und allemal ward's mir von Stund' an leichter um das meinige und fand sich zuletzt, freilich nach unermüdetem Suchen und Anklopfen, noch irgendeine gutmütige Seele, meist in einem unverhofften Winkel. Ich hatte ein paar Bekannte, die mir wohl schon hundertmal aus der Not geholfen; aber die Furcht, sie endlich zu ermüden, machte, daß ich bald immer zuletzt zu ihnen kehrte, und dann, hätt' ich ihnen ein einzigmal nicht Wort gehalten, so wäre mir auch diese Hülfsquelle auf immer versiegt; ich trug darum zu ihr wie zu meinem Leben Sorg'. Übrigens trauten's mir nur wenige von meinen Nachbarn und nächsten Gefreundten zu, daß ich so gar bis an die Ohren in Schulden stecke; vielmehr wußt'

1. Bezirksstadt im Kanton Aargau, seit dem Mittelalter durch bedeutende Handelsmessen bekannt.

ich das Ding so ziemlich geheimzuhalten, meinen Kummer und Unmut zu verbergen und mich bei den Leuten allzeit aufgeräumt und wohlauf zu stellen. Auch glaub ich, ohne diesen ehrlichen Kunstgriff wär' es längst mit mir aus gewesen. Freilich hatt' ich – wer sollte es glauben? – auch meine Neider, von denen ich gar wohl wußte, daß sie allen Personen, die mit mir zu tun hatten, fleißig ins Ohr zischten – was sie doch unmöglich mit Sicherheit wissen konnten. Da hieß es dann z. E.: „Er steckt verzweifelt im Dreck. – Lange hält er's nicht mehr aus. – Wenn er nur nicht einpackt oder Weib und Kinder im Stich läßt. – Ich fürcht, ich fürcht. – Will aber nichts gesagt haben; wenn er's nur nicht inne wird", und so fort. Zu mir kamen dann diese Kerls als die besten Freunde, förschelten und frägelten mich aus und taten so mitleidig, als wenn sie mir mit Gut und Blut helfen wollten, wenn ich nur auch Zutrauen zu ihnen hätte, jammerten über die bösen Zeiten, über die Stümpler[1] und dergleichen. Wie ich's doch bei meinem kleinen verderbten Händelchen mit meiner großen Haushaltung mache, und so fort und fort. Einst (ich weiß nicht mehr recht, ob aus Schalkheit oder Not) sprach ich einen dieser Uriane um ein halb Dutzend Dublonen nur auf einen Monat an. Mein Herr hatte hundert Ausflüchte, schlug mir's am End' rund ab und raunt' es dann doch in jedes Ohr, das ihn hören wollte: „Der B. hat gestern Geld von mir lehnen wollen." Der machte dann freilich einige meiner Kreditoren ziemlich mißtrauisch. Andre hingegen sagten: „Ha, er hat doch noch immer Wort gehalten, und solang er das tut, soll er immer offene Tür bei mir finden. Er ist ein ehrlicher Mann." Also eben jene vielen falschen Freunde waren es, welche mir die meiste Mühe machten, denen ich mich nicht entdecken durfte, wenn ich nicht völlig kaputt sein wollte. Ich hatte schon Anno 71 oder 72 meine

1. ins Gewerbe pfuschende Kleinhändler.

Weberei, obgleich mit ziemlichem Verlust, ab mir geladen; das brachte mir eben auch nicht den besten Ruf; denn mein Baumwollenbrauch[1] wurde dadurch geringer – also mein Baumwollenherr unzufrieden und mürrisch. Desto eher sollt' ich die alten Baumwollenschulden bezahlen, und konnt' es doch desto weniger. So verstrich ein Jahr nach dem andern. Bald flößte mir mein guter Geist frischen Mut und neue Hoffnung ein, daß mir doch noch einst durch die Zeit zu helfen sein werde. Nur allzuoft aber verfiel ich wieder in düstere Schwermut, und zwar, die Wahrheit zu gestehen, meist, wenn ich zahlen sollte und doch weder aus noch ein wußte. Und da ich mich, wie schon oft gesagt, keiner Seele glaubte entdecken zu dürfen, nahm ich in diesen mutlosen Stunden meine Zuflucht zum Lesen und Schreiben, lehnte und durchstänkerte[2] jedes Buch, das ich kriegen konnte, in der Hoffnung, etwas zu finden, das auf meinen Zustand paßte, fing halbe Nächte durch weiße und schwarze Grillen und fand allemal Erleichterung, wenn ich meine gedrängte Brust aufs Papier ausschütten konnte; klagte da meine Lage schriftlich meinem Vater im Himmel, befahl ihm alle meine Sachen, fest überzeugt, er meine es doch am besten mit mir, er kenne am genauesten meine ganze Lage und werde noch alles zum Guten lenken. Dann ward der Entschluß fest bei mir, die Dinge, die da kommen sollten, ruhig abzuwarten, wie sie kommen würden; und in solcher Gemütsstimmung ging ich allemal zufrieden zu Bette und schlief wie ein König.

1. Baumwollbedarf. – 2. entlehnte und durchstöberte.

LXXI.

Das Samenkorn meiner Autorschaft

Um diese Zeit kam einst ein Mitglied der Moralischen Gesellschaft zu L.[1] in mein Haus, da ich eben die Geschichte von Brand und Struensee[2] durchblätterte und etwas von meinen Schreibereien auf dem Tisch lag. „Das hätt' ich bei dir nicht gesucht", sagte er und fragte, ob ich denn gern so etwas lese und oft dergleichen Sächelgen schreibe? „Ja!" sagt' ich, „das ist neben meinen Geschäften mein einziges Wohlleben." Von da an wurden wir Freunde und besuchten einander zum öftersten. Er anerbot mir seine kleine Büchersammlung, ließ sich aber übrigens in ökonomischen Sachen noch lieber von mir helfen, als daß er mir hätte beispringen können, obschon ich ihm so von weitem meine Umstände merken ließ. In einem dieser Jahre schrieb die erwähnte Gesellschaft über verschiedene Gegenstände Preisfragen aus, welche jeder Landmann beantworten könnte. Mein Freund munterte mich auch zu einer solchen Arbeit auf; ich hatte große Lust dazu, machte ihm aber die Einwendung, man würde mich armen Tropfen nur auslachen. „Was tut das?" sagte er, „schreib du nur zu in aller Einfalt, wie's kommt und dich dünkt." Nun, da schrieb ich denn eben *über den Baumwollengewerb und den Kredit,* sandte mein Geschmiere zur bestimmten Zeit neben vielen andern ein, und die Herren waren so gut, mir den Preis von einer Dukate zuzukennen. Ob zum Gespötte? Nein, wahrlich nicht. Oder vielleicht in Betrachtung meiner dürftigen Umstände? Kurz, ich konnt' es nicht begreifen und noch viel minder, daß man mich itzt gar von ein paar Orten her einlud, ein förmliches Mitglied der Gesellschaft zu werden. „O

1. Lichtensteig. – 2. Im Jahre 1772 hingerichtete dänische Grafen und Staatsmänner. Bräker hatte das Buch „Bekehrungsgeschichte zweier dänischer Grafen" gelesen.

behüte Gott!“ dacht’ und sagt’ ich anfangs: „Das darf ich mir nur nicht träumen lassen. Ich würde gewiß einen Korb bekommen. Und wenn auch nicht – ich mag so geehrten Herren keine Schande machen. Über kurz oder lang würden sie mich gewiß wieder ausmustern.“ Endlich aber, nach vielem Hin- und Herwanken, und besonders aufgemuntert durch einen der Vorsteher, Herrn G., bei dem ich sehr wohl gelitten war, wagt’ ich’s doch, mich zu melden, und kann übrigens versichern, daß mich weniger die Eitelkeit als die Begierde reizte, an der schönen Lesekommun der Gesellschaft um ein geringes Geldlein Anteil zu nehmen. Indessen ging es, wie ich vermutet hatte, und gab’s nämlich allerlei Schwierigkeiten. Einige Mitglieder widersetzten sich und bemerkten mit allem Recht, ich sei von armer Familie – dazu ein ausgerißner Soldat – ein Mann, von dem man nicht wisse, wie er stehe – von dem wenig Ersprießliches zu erwarten sei, und so fort. Gleichwohl ward ich durch Mehrheit der Stimmen angenommen. Aber erst itzt reute mich mein unbesonnener Schritt, als ich bedachte: Jene Herren sagten ja nichts als die pur lautere Wahrheit und könnten noch einst wohl damit triumphieren. Inzwischen mußt’ ich’s itzt gelten lassen und tröstete mich bisweilen mit dem eben auch nicht ganz uneigennützigen Gedanken, das eint’ und andre Mitglied könnte mir im Verfolg zu manchen wichtigen Dingen nützlich sein.

LXXII.

Und da –

hatt’ ich ja itzt freilich eine erstaunliche kindische Freud mit der großen Anzahl Bücher, deren ich in meinem Leben nie so viele beisammen gesehn und an welchen allen ich nun Anteil hatte. Hingegen errötete ich noch immerfort bei dem bloßen Gedanken, ein eigentliches Mitglied einer gelehrten Gesellschaft zu heißen und zu sein, und besuchte sie darum selten und nur wie verstohlen. Aber da half alles nichts; es ging mir doch wie dem Raben, der mit den Enten fliegen wollte. Meine Nachbarn und andre alte Freunde und Bekannten, kurz meinesgleichen, sahen mich, wo ich stund und ging, überzwerch an. Hier hört' ich ein höhnisches Gezisch', dort erblickt' ich ein verachtendes Lächeln. Denn es ging unsrer Moralischen Gesellschaft im Tockenburg anfangs wie allen solchen Instituten in noch rohen Ländern. Man nannte ihre Mitglieder Neuherren, Bücherfresser, Jesuiten und dergleichen. Du kannst leicht denken, mein Sohn! wie's mir armen, einfältigen Tropfen dabei zumute war. Meine Frau vollends speite Feuer und Flammen über mich aus, wollte sich viele Wochen nicht besänftigen lassen und gewann nun gar Ekel und Widerwillen gegen jedes Buch, wenn's zumal aus unsrer Bibliothek kam. Einmal hatt' ich den Argwohn, sie selbst habe um diese Zeit meinen Kreditoren eingeblasen, daß sie mich nur brav ängstigen sollten. Sie leugnet's zwar noch auf den heutigen Tag, und Gott verzeih' mir's! wenn ich falsch gemutmaßt habe; aber damals hätt' ich mir's nicht ausnehmen lassen. Genug, meine Treiber setzten itzt stärker in mich als sonst noch nie. Da hieß es: Hast du Geld, dich in die Büchergesellschaft einzukaufen, so zahl auch mich. Wollt' ich etwas borgen, so wies man mich an meine Herren Kollegen. „O du armer Mann!" dacht' ich, „was du da aber[1] vor einen hundsdummen Streich gemacht, der dir vollends den Rest geben muß. Hättst du dich doch mit deinem Morgen- und Abendsegen begnügt wie so viele andre deiner redlichen Mitlandsleute. Jetzt hast du deine alten Freund' verloren – von den neuen darfst und magst du keinen um einen Kreuzer ansprechen.

1. abermals.

Deine Frau hagelt auch auf dich zu. Du Narr! was nützt dir itzt all dein Lesen und Schreiben? Kaum wirst du noch dir und deinen Kindern den Bettelstab daraus kaufen können", und so fort. So macht' ich mir selber die bittersten Vorwürfe und rang oft beinahe mit der Verzweiflung. Dann sucht' ich freilich von Zeit zu Zeit aus einem andern Sack auch meine Entschuldigungen hervor; die hießen: „Ha! das Lesen kostet mich doch nur ein Geringes, und das hab ich an Kleidern und anderm mehr als erspart. Auch bracht' ich nur die müßigen Stunden damit zu, wo andre ebenfalls nicht arbeiten, meist nur bei nächtlicher Weile. Wahr ist's, meine Gedanken beschäftigten sich auch in der übrigen Zeit nur allzuviel mit dem Gelesenen und waren hingegen zu meinem Hauptberuf selten bei Hause. Doch hab ich nichts verludert, trank höchstens bisweilen eine Bouteille Wein, meinen Unmut zu ersäufen – das hätt' ich freilich auch sollen bleiben lassen. – Aber, was ist ein Leben ohne Wein, und zumal ein Leben wie meines?" – Denn kam's wieder einmal ans Anklagen: „Aber wie nachlässig und ungeschickt warst du nicht in allem, was Handel und Wandel heißt. Mit deiner unzeitigen Güte nahmst du alles, wie man's dir gab – gabst du jedem, was er dich bat, ohne zu bedenken, daß du nur andrer Leute Geld im Seckel hattest oder daß dich ein redlich scheinendes Gesicht betriegen könnte. Deine Ware vertrautest du dem ersten besten und glaubtest ihm auf sein Wort, wenn er dir vorlog, er könne dir auf sein Gewissen nur soundsoviel bezahlen. O könntst du nur noch einmal wieder von vornen anfangen. Aber vergeblicher Wunsch! – Nun, so willst du doch alles versuchen – willst denen, die dir schuldig sind, eben auch drohen, wie man dir droht", und so fort. So dacht' ich elender Tropf und setzte auch wirklich zween meiner Debitoren den Tag an, freilich mehr um sie und andre zu schrecken, als daß es ernst gegolten hätte. Aber sie verstunden's nicht so. Ich ging also auf die bestimmte Zeit mit den Schätzern zu ihren Häusern, und, Gott weiß! mir war's viel bänger als ihnen. Denn in dem ersten Augenblick, da ich in des einten Wohnung trat, dacht' ich: Wer kann das tun? – Die Frau bat und wies mit den Fingern auf das zerfetzte Bett und die wenigen Scherben[1] in der Küche; die Kinder in ihren Lumpen heulten. O wenn ich nur wieder weg wäre! dacht' ich, bezahlte Schätzer und Weibel und strich mich unverrichteter Sachen fort, nachdem man mir in bestimmten Terminen Bezahlung versprochen, die noch auf den heutigen Tag aussteht. Auch erfuhr ich nachwärts, daß diese Leute einige Stunden vorher, eh' ich in ihr Haus kam, die besten Habseligkeiten geflöchnet[2] und ihre Kinder expreß so zerlöchert angezogen hätten. „Meinetwegen", sagt' ich da zu mir selbst, „das will ich in meinem Leben nicht mehr tun. Meine Gläubiger mögen eines Tags solche Barbaren gegen mir, ich will's darum nicht gegen andre sein. Nein! es geh mir, wie es geh, diese Schulden müssen zuletzt doch auch zu meinem Vermögen gerechnet werden." Aber jene fragten eben nichts darnach, und diesen jagte eine solche Denkens- und Verfahrungsart gerade auch keinen Scheuen ein. Die erstern trieben mich immer stärker und unerbittlicher. Dies und meine überspannte Einbildung gebaren dann

LXXIII.

Freilich manche harte Versuchung

Und von dieser muß ich dir auch noch ein bißchen erzählen, mein Sohn! dir zur Warnung, damit du sehest, welch ein entsetzlich Ding vor einen ehrliebenden Mann es ist, sich in Schulden zu vertiefen, die man nicht tilgen

1. Töpfe, Schüsseln. – 2. weggeschafft.

kann, sieben ganzer Jahre unter dieser zentnerschweren Last zu seufzen, sich mit tausend vergeblichen Wünschen zu quälen, in süßen Träumen spanische Schlösser zu bauen und allemal mit Schrecken zu erwachen, eine lange, lange Zeit auf Hülfe, welche nur seine Phantasie gebrütet, und zuletzt verstohlnerweise gar auf – eigentliche Wunder zu hoffen. Denk dir da den armen Erdensohn, welcher dergestalt, todmüde von all dem vergebenen Dichten und Trachten, Sinnen und Sorgen, endlich an allem verzweifeln und gewiß glauben muß: Gottes Vorsehung selbst habe nun einmal beschlossen, denselben ins Kot zu treten, ihn vor aller Welt zu Spott und Schande zu machen und die Folgen seiner Unvorsichtigkeit vor den Augen aller seiner Feinde büßen zu lassen. Wenn denn unterweilen gar der Gedanke in ihm aufsteigt, Gott wisse nichts von ihm, und dergleichen – da denke, denke, mein Sohn! Der Verführer feiert bei solchen Gelegenheiten gewiß nicht; und mir war's oft, ich fühlte seine Eingebungen, wenn ich etwa den ganzen Tag umhergelaufen und Menschenhülfe vergeblich gesucht hatte – dann schwermütig, oder vielmehr halb verrückt, der Thur nach schlich – mit starrem Blick in den Strom hinuntersah, wo er am tiefsten ist. – O dann deucht' es mir, der schwarze Engel hauche mich an und flüstre mir zu: „Tor! stürz dich hinein – du haltst's doch nicht mehr aus. Sieh, wie sanft das Wasser rollt! Ein Augenblick, und dein ganzes Sein wird ebenso sanft dahinwogen. Dann wirst du so ruhig schlafen – o so wohl, so wohl! Da wird für dich kein Leid und kein Geschrei mehr sein, und dein Geist und dein Herz ewig in süßem Vergessen schlummern." – „Himmel! wenn ich dürfte!" dacht' ich dann. „Aber welch ein Schauer – Gott! welch ein Grausen durchfährt alle meine Glieder. Sollt' ich dein Wort – sollte meine Überzeugung vergessen? – Nein! packe dich, Satan! – Ich will ausharren, ich hab's verdient – hab alles verdient." Ein andermal stellte mir der Bösewicht des jungen Werthers Mordgewehr auf einer sehr vorteilhaften Seite vor: „Du hast zehnfach mehr Ursach' als dieser – und er war doch auch kein Narr und hat sich noch Lob und Ruhm damit erworben und wiegt sich nun im milden Todesschlummer. – Doch wie? – Pfui eines solchen Ruhms!" Noch ein andermal sollt' ich meinen Bündel aufpacken und davonlaufen. Mit meiner noch übrigen Barschaft könnt' ich denn in irgendeinem entfernten Lande schon wieder etwas Neues anfangen, und zu Hause würden Weib und Kinder gewiß auch gutherzige Seelen finden. „Was? ich davonlaufen? – Mein zwar unsanftes, aber getreues Weib und meine unschuldigen kleinen Kinder im Stich lassen – meinen Feinden ihre Winkelprophezeiungen zu ihrer größten Freude wahr machen? – Ich, ich sollte das tun? In welcher Ecke der Erde könnt' ich eine Stunde Ruhe genießen – wo mich verbergen, daß der Wurm in meinem Busen, daß die Rache des Höchsten mich nicht finden könnte?" – „Nein! Nein! nicht so", hob dann wieder eine andre Stimm' in meinem Inwendigen an, „aber Weib und Kinder mitnehmen und irgendeinen Ort aussuchen, wo der Baumwollengewerb noch nicht floriert und wo man ihn doch gern einrichten möchte – da könntest du dein Glück bauen; verstehst ja die rohe Frucht sowohl als das Garn – kannst jene selber karten[1], kämmen, spinnen und dieses sieden, spulen, zetteln – bist sogar imstand, ein Spinnrad, eine Kunkel zu machen – und also die Leute vollends alles zu lehren. Dann kehrst du nach einigen Jahren geehrt und reich zurück in dein Vaterland, zahlst deine Schulden – Kapital und Zinse!" – Aber dann bedacht' ich mich bald wieder eines Bessern: „Wie, was? O du Lügengeist! Schon vor dreißig Jahren hast du mir so wie heute von lauter guten Tagen vorgeschwatzt, mir einen güldnen Berg nach dem andern gezeigt – und mich im-

1. wohl karden, kardieren: Baumwolle aufkratzen.

mer betrogen, immer in tiefere Labyrinthe verwickelt – mich zum Narren gemacht – und itzt möchtest du mich gar zum Schelmen machen? Wie? Ich sollte auch noch meinem Geburtsland schaden, seinen Brotkorb verschleiken[1]? Nein, nein! in deinem Schoß will ich leben und sterben, da alles erwarten, tun, was ich kann, und für das übrige weiter den Himmel walten lassen. Stell ich mir nicht meine Sachen vielleicht gar zu schrecklich vor? Gott! wenn mich meine Sünden so quälten wie meine Schulden! Aber ich weiß, daß du nicht so streng bist wie die Menschen. Doch laß sie machen, ich hab's verdient. Nur bitt ich, ewige Güte! von jenem argen Feind laß' mich nicht länger quälen, nicht über mein Vermögen versucht werden!" So bekam ich von Zeit zu Zeit wieder guten und festen Mut. Aber das währte dann nicht länger, bis sich ein neuer Fall ereignete, wo ich mich abermals des Gedankens nicht erwehren konnte: Itzt ist's aus! Da ist kein Kraut mehr für ein unheilbares Übel gewachsen. Aber auch dann bestund's mehr in der Einbildung als in der Wirklichkeit.

Eines Tags, da ich eben auch etliche Gulden zu borgen vergebens herumgelaufen, einer meiner Gläubiger mich mit entsetzlicher Roheit anfuhr und mir sonst alles fatal und überzwerch ging – und ich dann ganz melancholisch nach Haus kam – meiner Frau nach Gewohnheit nichts sagen noch klagen durfte, wenn ich nicht hundert bittere Vorwürf' in mich schlücken wollte – gedacht' ich, wie sonst schon oft, meine Zuflucht zum Schreiben zu nehmen – konnt' aber nichts hervorbringen als verworrene Klaglieder, welche beinahe an Lästerungen grenzten. Dann wollt' ich mich mit Lesen eines guten Buchs beruhigen; und auch das gelang mir nicht. Ich ging also zu Bette, wälzte mich bis um Mitternacht auf meinem Küssen herum und ließ meine Gedanken weit und breit durch die ganze Welt gehn. Bald

1. selbstsüchtig oder unbedacht verschleppen.

kam mir da auch der Sinn an meinen lieben seligen Vater: „Auch dein Leben, du guter Mann“, dacht' ich, „ging so wie das meine unter lauter Kummer und Sorgen hin, die ich, ach! dir nicht wenig vergrößerte, da ich so wenig Anteil an deiner Last genommen. – Vielleicht ruht gar dein geheimer Fluch auf mir? – O entsetzlich! – Nun, wie es immer sei, einmal muß ein Entschluß genommen sein: entweder meinem elenden Leben – nein! Gott! nein! das steht in deiner Hand – – oder mich meinen Gläubigern auf Gnad' und Ungnad' hin zu Füßen zu werfen. Aber nein! o wie hart! Das kann ich unmöglich. – Oder ja mich entfernen, davonlaufen, so weit der Himmel blau ist. Ach! meine Kinder! Da würd' mir das Herz brechen.“ – Während diesen Phantasien fiel mir der menschenfreundliche Lavater[1] ein; augenblicklich entschloß ich mich, an ihn zu schreiben, stund sofort auf und entwarf folgenden Brief, den ich zum Denkmal meiner damaligen Lage hier beirücke.

LXXIV.

Wohlehrwürdiger, hoch- und wohlgelehrter Herr Pfarrer Johann Caspar Lavater!

Mitten in einer entsetzlich bangen Nacht unterwind ich mich, an Sie zu schreiben. Keine Seel' in der Welt weißt es, und keine Seel' weißt meine Not. Ich kenne Sie aus Ihren Schriften und vom Gerüchte. Wüßt' ich nun freilich nicht von diesem, daß Sie einer der besten, edelsten Menschen wären, dürft' ich von Ihnen wohl keine andre Antwort erwarten als wie etwa von einem Großen der Erde. Z. E.: Pack dich, Schurke! Was gehn mich deine Lumpereien an. – Aber nein! ich kenne Sie als einen Mann voll Großmut und Menschenliebe, welchen

1. J. C. Lavater (1741–1801), der Zürcher Pfarrer und Schriftsteller, Freund Goethes. Bräker besuchte ihn im Jahre 1782.

die Vorsehung zum Lehrer und Arzt der itzigen Menschheit ordentlich scheint bestimmt zu haben. Allein Sie kennen mich nicht. Geschwind will ich also sagen, wer ich bin. O werfen Sie doch den Brief eines elenden Tockenburgers nicht ungesehn auf die Seite, eines armen gequälten Mannes, der sich mit zitternder Hand an Sie wendet und es wagt, sein Herz gegen einen Herrn auszuschütten, gegen den er ein so inniges Zutrauen fühlt. O hören Sie mich, daß Gott Sie auch höre! Er weiß, daß ich nicht im Sinne habe, Ihnen weiter beschwerlich zu fallen, als nur Sie zu bitten, diese Zeilen zu lesen und mir dann Ihren väterlichen Rat zu erteilen. Also. Ich bin der älteste Sohn eines blutarmen Vaters von elf Kindern, der in einem wilden Schneeberg unsers Lands erzogen ward und bis in sein sechszehntes Jahr fast ohne allen Unterricht blieb, da ich zum Hl. Nachtmahl unterwiesen wurde, auch von selbst ein wenig schreiben lernte, weil ich große Lust dazu hatte. Mein sel. Vater mußte unter seiner Schuldenlast erliegen, Haus und Heimat verlassen und mit seiner zahlreichen Familie unterzukommen suchen, wo er konnte und mochte und Arbeit und ein kümmerliches Brot für uns zu finden war. Die Hälfte von uns war damals noch unerzogen. Bis in mein neunzehntes Jahr blieb mir die Welt ganz unbekannt, als ein schlauer Betrüger mich auf Schaffhausen führte, um, wie er sagte, mir einen Herrendienst zu verschaffen. Mein Vater war's zufrieden – und ich wurde ohne mein Wissen an einen preußischen Werber verkauft, der mich freilich so lange als seinen Bedienten hielt, bis ich nach Berlin kam, wo man mich unter die Soldaten steckte – und noch itzt nicht begreifen wollte, wie man mich so habe betriegen können. Es ging eben ins Feld. O wie mußt' ich da meine vorigen in Leichtsinn vollbrachten guten Tage so teuer büßen! Doch ich flehte zu Gott, und er half mir ins Vaterland. In der ersten Schlacht bei Lowositz nämlich kam ich wieder auf freien Fuß und kehrte sofort nach Hause. In dem Städtgen Rheineck küßt' ich zum erstenmal wieder die Schweizererde und schätzte mich für den glücklichsten Mann, ob ich schon nichts als ein paar brandenburgische Dreier und einen armseligen Soldatenrock auf dem Leib in meine Heimat brachte. Nun mußt' ich wieder als Taglöhner mein Brot suchen; das kam mich freilich sauer genug an. In meinem Sechsundzwanzigsten heuratete ich ein Mädchen mit hundert Talern. Damit glaubt' ich schon ein reicher Mann zu sein, dachte itzt an leichtere Arbeit mit aufrechtem Rücken und fing, auf Anraten meiner Braut, einen Baumwollen- und Garngewerb an, ohne daß ich das geringste von diesem Handwerk verstund. Anfangs fand ich Kredit, baute ein eigenes Häuschen und vertiefte mich unvermerkt in Schulden. Indessen verschaffte mir doch mein kleines Händelchen einen etwelchen Unterhalt; aber bösartige Leute betrogen mich immer um Ware und Geld, und die Haushaltung mehrte sich von Jahr zu Jahre, so daß Einnahm' und Ausgabe sich immer wettauf fraßen. Dann dacht' ich: Wenn einst meine Jungen größer sind, wird's schon besser kommen! Aber ich betrog mich in dieser Hoffnung. Mittlerweile überfielen mich die hungrigen siebenziger Jahre, als ich ohnedem schon in Schulden steckte. Ich hatte itzt fünf Kinder und wehrte mich wie die Katz' am Strick. Das Herz brach mir, wenn ich so meine Jungen nach Brot schreien hörte. Dann noch meine arme Mutter und Geschwister! Von meinen Debitoren nahm hie und da einer den Reißaus, andre starben und ließen mich die Glocken zahlen; ich hingegen wurde von etlichen meiner Gläubiger scharf gespornt; mit meinem Handel ging's täglich schlechter. Itzt wurden wir noch alle gar an der Ruhr krank; meine zwei Ältstgebornen starben, wir übrigen erholten uns wieder. Inzwischen harrt' ich auf Gott und günstigere Zeiten. Aber umsonst! Und war ich nicht ein Tor, und bin ich's nicht itzt noch, wenn ich auch nur ein wenig zurückdenke auf mein sorgloses In-den-Tag-hinein-Leben? Bin ich denn nicht selbst schuld an allem meinem Elend? Meine Unbesonnenheit, meine Leichtgläubigkeit, mein unwiderstehlicher Hang zum Lesen und Schreiben, haben nicht die mich dahin gebracht? Wenn mein Weib, wenn ich selbst mir solche nur zu wohl verdiente Vorwürfe machen, dann kämpf ich oft mit der Verzweiflung, wälze mich halbe Nächte im Bett herum, rufe dem Tod herbei, und bald jede Art, mein Leben zu endigen, scheint mir erträglicher als die äußerste Not, der ich alle Tage entgegensehe. Voll Schwermut schleich ich dann langsam unsrer Thur nach und blicke vom Felsen herab scharf in die Tiefe. Gott! wenn nur meine Seele in diesen Fluten auch untergehen könnte! Das eintemal lispelte mir der Teufel des Neides freilich eine große Wahrheit ein: Wie viele Schätze werden nicht auf dieser Erde verschwendet! Wie manches Tausend auf Karten und Würfel gesetzt, wo dir ein einziges aus dem Labyrinth helfen könnte! Ein andermal heißt mich dieser böse Feind gar zusammenpacken und alles im Stich lassen. Aber nein! da bewahre mich Gott dafür! Ja, im bloßen Hemd wollt' ich auf und davon, mich an die Algier verkaufen[1], wenn dann nur meine Ehre gerettet und Weib und Kindern damit geholfen wäre. Noch ein andermal raunt' mir, wie ich wenigstens wähne, ein beßrer Geist ins Ohr: Armer Narr! der Himmel wird deinetwegen kein Wunder tun! Gott hat die Erde gemacht und so viel Gutes darauf ausgeschüttet. Und das Beste davon, goß er's nicht ins weiche Herz des Menschen? Also hinaus in die Welt und spüre diesen edlen Seelen nach; sie werden dich nicht aufsuchen. Gesteh ihnen deine Not und deine Torheit, schäm dich deines Elends nicht und schütte deinen Kummer in ihren Schoß aus. Schon manchem weit Unglücklichern ist geholfen worden.

1. als Sklave an die Algerier verkaufen.

Aber o wie blöd bin ich und wie zweifelhaft, ob auch dieses gute oder schlimme Eingebungen sein! – Bester Menschenfreund! O um Gottes willen raten Sie mir; sagen Sie es mir, ob das ebenbemerkte Mittel nicht noch das tunlichste wäre, mich von einem gänzlichen Verderben zu retten. – Ach! wär' es nur um mich allein zu tun –! Aber meine Frau, meine armen unschuldigen Kinder, sollten auch diese die Schuld und Schand' ihres Mannes und Vaters tragen? Und die hiesige Moralische Gesellschaft, in die ich mich erst neuerlich, freilich eben auch unüberlegt genug, habe aufnehmen lassen, sollte auch diese frühe und zum erstenmal durch eins ihrer Mitglieder, gegen welches man ohnehin so manche begründete Einwendungen machte, so schrecklich beschimpft werden? O noch einmal, um aller Erbärmden Gottes willen, Herr Lavater! Nur um einen väterlichen Rat! verzeihen Sie mir diese Kühnheit. Not macht frech. Und in meiner Heimat dürft' ich um aller Welt Gut willen mich keiner Seele entdecken. Freunde, die mich zu retten wißten, hab ich keine, wohl ein paar, die noch eher von mir Hülf' erwarten könnten. Dem Spott aber von Halbfreunden oder Unbekannten mich auszusetzen – nein! da will ich tausendmal lieber das Alleräußerste erwarten. – Und nun mit sehnlicher Ungeduld und kindlichem Zutrauen erwartet auch zuletzt nur eine Zeile Antwort von dem Mann, auf den noch einzig meine Seele hoffet,

der in den letzten Zügen des Elends liegende,
arme, geplagte Tockenburger

H., bei L.[1],
den 12. Herbstmonat 1777.

U. B.

1. Hochsteig bei Lichtensteig.

LXXV.

Diesmal vier Jahre (1778–1781)

Diesen Brief, mein Sohn! den ich in jener angstvollen Nacht schrieb, gedacht' ich gleich morgens darauf an seine Behörde zu senden; allein bei mehrmaligem Lesen und Überlesen desselben wollt' er mir nie recht und immer minder gefallen; als ich zumal mittlerweil' erfuhr, wie der teure Menschenfreund Lavater von Kollektanten[1], Bettlern und Bettlerbriefen so bestürmt werde, daß ich auch den bloßen Schein, die Zahl dieser Unverschämten zu mehren, vermeiden wollte. Also – unterdrückt' ich mein Geschreibsel und nahm von dieser Stund' an meine Zuflucht einzig zu Gott, als meinem mächtigsten Freund und sichersten Erretter, klagte demselben meine Not, befahl ihm alle meine Sachen und betete inbrünstig – nicht um ein Wunder zu meinem Besten, sondern um Gelassenheit, alles abzuwarten, wie es kommen möchte. Freilich wandelten auch im Verfolge mich noch öftre Anfälle von meinem eingewurzelten Kummerfieber an; aber dann eräugnete sich auch wieder manches, das meine Hoffnung stärkte. Ich wandte nämlich alle meine Leibs- und Seelenkräfte an, meine kleinen Geschäfte zu vermehren, sah überall selber zu meinen Sachen, stellte mich gegen jedermann nichts weniger als mutlos, sondern tat immer lustig und guter Dingen. Meinen Gläubigern gab ich die besten Worte, zahlte die ältern und borgte wieder bei andern. In der benachbarten Gemeinde Ganterschweil sah ich mich nach neuen Spinnern um, soviel ich derselben aufzutreiben wußte. Das Jahr 1778 gab mir ganz besondern Mut und Zuversicht; mein Händelchen ging damals vortrefflich vonstatten, und bald konnt' ich glauben, daß ich mit Zeit und Weile mich vollkommen

1. Almosensammlern.

wieder erholen und von meinem ganzen Schuldenlast entledigen würde. Aber die Angst will ich doch mein Tage nicht vergessen, die mich auch itzt noch zum öftern quälte, wenn ich so den Geschäften nach traurig meine Straße ging und mich dem Comptor eines überlegenen Handelsmanns oder der Tür eines harten Gläubigers nahte, wie es mir da zumute war, wie oft ich meine Hände gen Himmel rang: „Herr! du weißest alle Dinge! Alle Herzen sind in deiner Hand; du leitest sie wie Wasserbäche, wohin du willst! Ach! gebiete auch diesem Laban, daß er nicht anders mit Jakob rede als freundlich[1]!" Und der Allgütige erhörte meine Bitte, und ich bekam mildere Antwort, als ich's nie hätte erwarten dürfen. O wie ein köstlich Ding ist's, auf den Herrn hoffen und ihm alle seine Anliegen mit Vertrauen klagen. Dies hab ich so manchmal und so deutlich erfahren, daß mir itzt die felsenfeste Überzeugung davon nichts in der Welt mehr rauben kann.

Zu Anfang des Jahrs 1779 ward mir ohne mein Bewerben und Bemühen der Antrag gemacht, einem auswärtigen Fabrikanten von Glarus, Johannes Zwicki, Baumwollentücher weben zu lassen. Anfangs lehnt' ich den Antrag aus dem Grund ab, weil vor mir her ein gewisser Grob bei der nämlichen Kommission Bankerott gemacht. Da man mich aber versichert, daß die Ursache seines Unfalls eine ganz andre gewesen, ließ ich mich endlich bereden und traf den Akkord[2] vollkommen auf den Fuß wie jener. Sofort hob ich diesen Verkehr an. Man lieferte mir das Garn, und zwar zuerst sehr schlechtes; aber nach und nach ging's besser. Auch hatt' ich anfangs viele Mühe, genug Spuler und Weber zu kriegen. Doch merkt' ich bald, daß zwar mit diesem Geschäft viel Verdruß und Arbeit verbunden, aber auch etwas dabei zu gewinnen wäre. Anno 80 erweitert' ich daher meine Anstalt um ein Merkliches,

1. s. 1. Mose 31, 29. – 2. Übereinkunft.

fing nun auch an, vor eigene Rechnung Tücher zu machen, und befand mich recht gut dabei. Mein Kredit wuchs wieder von Tag zu Tage. Meine Gläubiger merkten bald, daß die Sachen eine ganz andre Wendung genommen; ich bekam Geld und Ware, soviel ich wollte, und zählte nun steif und fest darauf, itzt hätt' ich mich für ein und allemal erschwungen.

Auch Anno 81 ging's wieder im ganzen wenigstens passabel, und bei der Jahrrechnung zeigte sich ein ziemlicher Profit. Ich hüpfte daher nicht selten in meiner Warenkammer vor Freuden hoch auf, betrachtete mein Schicksal als recht sonderbar und meine Errettung wenigstens als ein Beinahe-Wunder. Und doch ging von jeher, und noch itzt, alles seinen ordentlichen natürlichen Lauf, und Glück und Unglück richteten sich immer teils nach meinem Verhalten, das in meiner Macht stund, teils nach den Zeitumständen, die ich nicht ändern konnte.

LXXVI.

Wieder vier Jahre
(1782–1785)

Allgemeine Übersicht

Wollt' ich, wie ich's ehedem etwa in meinen Tagebüchern getan, alle Begegnisse meines Lebens, die im ganzen alle Erdenbürger miteinander gemein haben, auch nur diese vier Jahre über erzählen, ich könnte ganze Bände damit füllen: bald in einer heitern Laune meinen Wohlstand schildern und mich und andre in einen solchen Enthusiasmus setzen, daß man glauben sollte, ich wäre der glücklichste Mensch auf Gottes Erdboden; dann aber hinwieder in einer trüben Stunde, wo ein halb Dutzend widrige Begegnisse auf meinem Pfad zusammentreffen, lamentieren wie eine Eule und mein Schicksal so jämmerlich vorstellen, daß ich mich bald selbst könnte glauben machen, ich sei das elendeste Geschöpf unter der Sonne. Aber meine Umstände haben sich nun seit ein paar Jahren merklich geändert und damit auch meine Denkart, über diesen Punkt nämlich; sonst bin ich freilich noch der alte Willibald. Aber der närrische Schreibhang hat sich um ein gut Teil bei mir verloren. Ursache: Erstlich geben mir meine Geschäft' je länger, je mehr zu denken und zu tun. Die Haushaltung verwirrt mir oft beinahe den Kopf und zertrümmert das ganze schöne Spinngeweb' meiner Autorskonzepte. Denn[1] sind mir meine Jungens ohnehin schon beinahe über die Hand gewachsen, und es braucht nicht wenig Zeit und Kopfbrechens, dieselben auch nur noch in einem etwelchen Gleise zu behalten. Drittens macht mir die Gefährtin meines Lebens, ihrer alten Art gemäß, noch immerfort die Herrschaft streitig, und dies bisweilen mit einer solchen Kraft, daß ich zum Retirieren[2] meine Zuflucht nehmen muß und oft in meinem kleinen Häuschen kein einziges Winkelgen finde, wo mich auch nur auf etliche Minute die Muse ungestört besuchen könnte. Gelingt es mir aber jede Woche etwa einmal, daß ich mich auf ein paar Stunden entfernen kann, so – ich will es nur gestehen – geh ich dann lieber sonst irgendeinem unschuldigen Vergnügen nach, das mir den Kopf aufräumt, anstatt ihn, mitten unter allem Hausgelärm, an meinem Pulte noch mehr zu erhitzen. Einzig wird es mir von Zeit zu Zeit, etwa an einem Sonntag oder Feierabend, noch zugut, ein schönes Büchelgen zu überschnappen, das ich aber, eh' ich's recht ausgelesen, weiter bestellen muß. Inzwischen gibt's denn wieder so ein herziges Ding, dem ich ebenfalls nicht widerstehen kann. Und so bleibt mir vollends oft wochenlang zum Schreiben nicht ein Augenblick übrig, so sehr ich auch den Lust und Willen hätte, diese und jene zufälligen Gedanken und Empfindun-

1. dann. – 2. Rückzug.

gen aufs Papier zu werfen; bis etwa nach der Hand sich eine schickliche Viertelstunde darbietet, wo aber dann das Beste gutenteils wieder verraucht und auf immer verloren ist. Dann denk ich (freilich vielleicht wie der Fuchs in der Fabel): „Und wozu am End' alle dies Tintenverderben? Wirst doch dein Lebtag kein eigentlicher Autor werden!" Und wirklich daran kam mir oft jahrelang nur der Sinn nie. – Wenn ich zumal in irgendeinem guten Schriftsteller las, mocht' ich mein Geschmier vollends nicht mehr ansehn, und bin zugleich überzeugt, daß ich in meinen alten Tagen es besser zu machen kaum mehr lernen, sondern halt so fortfahren werde, ohne Kopf und Schwanz, bisweilen auch ohne Punkt und Komma, Schwarz auf Weiß zu klecksen, solang meine Augen noch einen Stich sehen können. Aus allen diesen Gründen will ich so kurz sein wie möglich und bemerke zuallererst, daß sich in jenem Zeitraum meine Umstände überhaupt von Jahr zu Jahr gebessert haben und ich, wenn ich schon damals Waren und Schulden zu Geld gemacht – alle meine Gläubiger vollkommen hätte befriedigen können und mir meine kleine Residenz, Haus und Garten, ganz frei, ledig und eigen geblieben wäre. Nur im Sommer des letzten der genannten Jahre (1785) erlitt ich freilich mit so vielen andern größern und kleinern Leuten einen ziemlich harten Stoß. Nach dem bekannten königlich französischen Edikt[1] nämlich gab es einen so plötzlich und starken Abschlag der Ware, daß ich bei meinem kleinen und einfältigen Händelchen gewiß über zweihundert fl. einbüßen mußte. Und seither ist kein Anschein vorhanden, daß der Baumwollentücher-Verkehr in unserm Land jemals wieder zu seinem ehevorigen Flor gelangen werde. Einige Große mögen wohl noch ihren schönen Schnitt machen; aber so ein armer Zumpel wie unsereiner, dem alle Waren abge-

1. Sperrung der Einfuhr von Baumwollwaren in Frankreich.

druckt[1] werden, gewiß nicht. Indessen ging's auch mir immer noch ziemlich passabel, und so daß, wenn ich mich selbst damals noch zur Kargheit, selbst nur zu einer ängstlichen Sparsamkeit hätte bekehren wollen, ich vielleicht auf den heutigen Tag ein sogenannter bemittelter Mann heißen und sein könnte. Aber dieser Talent (mit dem ich wahrscheinlich auch nicht in jene Schuldenlast geraten wäre, unter welcher ich zehn bis zwölf Jahre so bitter seufzen mußte und die ich endlich, unter Gottes Beistand, mit so vieler Mühe und Arbeit ab meinen Schultern gewälzt), dieser Talent, sag ich, ward mir eben nie zuteil und wird es wohl nimmer werden, solang ich in dieser Zeitlichkeit walle. Nicht daß es nicht von Zeit zu Zeit Augenblicke gebe, wo ich mich über eine unnötige Ausgabe oder einen meist durch Nachgiebigkeit versäumten Gewinst quälen und grämen, wo mich, sonderlich bei Hause, ein Kreuzer – ein Pfenning reuen kann. Aber sobald ich in Gesellschaft komme, wo man mir gute Worte gibt, einen Dienst erweist – oder wo mein Vergnügen in Anschlag kömmt – da spiel ich meist die Rolle eines Mannes, der nicht auf den Schilling oder Gulden zu sehen hat und nicht bei Hunderten, sondern bei Tausenden besitzt. Dies geschah besonders während dem ersten Entzücken über meine Befreiung von jedem nachjagenden Herrn. Da war mir wie einem, der aus einer vermeinten ewigen Gefangenschaft, oder gar schon auf dem Schafott, mit eins auf ledigen Fuß gestellt wird und nun über Stauden und Stöcke rennt. Da würd' ich bald hundert- und hundertmal gestrauchelt und vielleicht in Schwelgerei und andere Laster – kurz, vor lauter Freuden bald in neue, noch ärgere Abgründe versunken sein, wäre mir nicht mein guter Engel mit dem bloßen Schwert, wie einst dem Esel Bileams, in den Weg gestanden.

1. abgedrückt.

LXXVII.

Und nun, was weiters?

Das weiß ich wahrlich selber nicht. Je mehr ich das Gickelgackel meiner bisher erzählten Geschichte überlese und überdenke, desto mehr ekelt mir's davor. Ich war daher schon entschlossen, sie wieder von neuem anzufangen, ganz anders einzukleiden, vieles wegzulassen, das mir itzt recht pudelnärrisch vorkömmt, anderes, Wichtigeres hingegen, worüber ich weggestolpert oder das mir bei dem ersten Konzepte nicht zu Sinn gekommen, einzuschalten, und so fort. Da sich aber, wie schon oben gesagt, mein Schreibehang gut um drei Quart vermindert – da ich hiernächst die Zeit dazu extra auskaufen müßte und, besonders – am End' es nicht viel besser machen würde, will ich's lieber grad bleiben lassen, wie es ist – als ein zwar unschädliches, aber, ich denke, auch unnützes Ding, wenigstens für andre. Damit ich aber mein bisheriges Wirrwarr einigermaßen verbeßre, will ich wenigstens das eint' und andre nachholen, mich noch, ehe es fremde Richter tun, selbst kritisieren und dann mit Beschreibung meiner gegenwärtigen Lage beschließen.

LXXVIII.

Also?

Was anders als *ich*, nicht *Ich*? Denn ich hab erst seit einiger Zeit wahrgenommen, daß man sich selbst – mit einem kleinen *i* schreibt. Doch was ist das gegen andre Fehler? Freilich muß ich zu meiner etwelchen Entschuldigung sagen, daß ich mein bißchen Schreiben ganz aus mir selbst, ohne andern Unterricht gelernt, dafür aber auch erst in meinem dreißigsten Jahr etwas Leserliches, doch nie nichts recht Orthographisches, auch unliniert bis auf den heutigen Tag nie eine ganz gerade Zeile herausbringen konnte. Hingegen hatte für mich die sogenannte Frakturschrift und zierlich geschweifte Buchstaben aller Art sehr viele Reize, obschon ich's auch hierin nie weit gebracht. Nun denn, so geh' es auch hierin eben weiter im alten fort.

Als ich dies Büchel zu schreiben anfing, dacht' ich wunder, welch eine herrliche Geschicht' voll der seltsamsten Abenteuer es absetzen würde. Ich Tor! Und doch – bei besserm Nachdenken – was soll ich mich selbst tadeln? Wäre das nicht Narrheit auf Narrheit gehäuft? Mir ist's, als wenn mir jemand die Hand zurückzöge. Das Selbsttadeln muß also etwas Unnatürliches, das Entschuldigen und sich selbst alles zum Besten deuten etwas ganz Natürliches sein. Ich will mich also herzlich gern entschuldigen, daß ich anfangs so verliebt in meine Geschichte war, wie es jeder Fürst und – jeder Bettelmann in die seinige ist. Oder wer hörte nicht schon manches alte, eisgraue Bäurlein von seinen Schicksalen, Jugendstreichen und so fort ganze Stunden lang mit selbstzufriedenem Lächeln so geläufig und beredt daherschwatzen wie ein Prokurator, und wenn er sonst der größte Stockfisch war. Freilich kömmt's denn meist ein bissel langweilig für andre heraus. Aber was jeder tut, muß auch jeder leiden. Freilich hätt' ich, wie gesagt, mein Geschreibe ganz anders gewünscht, und kaum war ich damit zur Hälfte fertig, sah ich das kuderwelsche Ding schon schief an; alles schien mir unschicklich, am unrechten Orte zu stehn, ohne daß ich mir denn doch getraut hätte zu bestimmen, wie es eigentlich sein sollte; sonst hätt' ich's flugs auf diesen Fuß, zum Beispiel nach dem Modell eines Heinrich Stillings[1], umgegossen. „Aber, Himmel! welch ein Kontrast! Stilling und ich!" dacht' ich.

1. Heinrich Jung-Stilling (1740–1817), Goethes Straßburger Freund, Mediziner, Staatswissenschaftler, Verfasser pietistisch-mystischer Schriften, bekannt besonders durch seine Selbstbiographie (Erster Teil: „Heinrich Stillings Jugend", 1777).

„Nein, daran ist nicht zu gedenken. Ich dürfte nicht in Stillings Schatten stehn.“ Freilich hätt' ich mich oft gerne so gut und fromm schildern mögen, wie dieser edle Mann es war. Aber konnt' ich es, ohne zu lügen? Und das wollt' ich nicht und hätte mir auch wenig geholfen. Nein! das kann ich vor Gott bezeugen, daß ich die pur lautere Wahrheit schrieb, entweder Sachen, die ich selbst gesehen und erfahren oder von andern glaubwürdigen Menschen als Wahrheit erzählen gehört. Freilich Geständnisse, wie Rousseaus seine, enthält meine Geschichte auch nicht und sollte auch keine solchen enthalten. Mag es sein, daß einige mich so für besser halten, als ich nach meinem eigenen Bewußtsein nicht bin. Aber aller meiner Beichte ungeachtet, hätten denn doch hinwieder andre mich noch für schlimmer geachtet, als ich unter dem Beistand des Höchsten mein Lebtag nicht sein werde. Und mein einzig unparteiischer Richter kennt mich ja durch und durch, ohne meine Beschreibung.

LXXIX.

Meine Geständnisse

Um indessen doch einigermaßen ein solches Geständnis abzulegen und euch, meine Nachkommen, einen Blick wenigstens auf die Oberfläche meines Herzens zu öffnen, so will ich euch sagen, daß ich ein Mensch bin, der alle seine Tage mit heftigen Leidenschaften zu kämpfen hatte. In meinen Jugendjahren erwachten nur allzu frühe gewisse Naturtriebe in mir; etliche Geißbuben und ein paar alte Narren von Nachbarn sagten mir Dinge vor, die einen unauslöschlichen Eindruck auf mein Gemüt machten und es mit tausend romantischen Bildern und Phantaseien erfüllten, denen ich trotz alles Kämpfens und Widerstrebens oft bis zum Unsinnigwerden nachhängen mußte und dabei wahre Höllenangst ausstund. Denn um die nämliche Zeit hatte ich von meinem Vater und aus ein paar seiner Lieblingsbücher allerlei nach meinen itzigen Begriffen übertriebene Vorstellungen von dem, was eigentlich fromm und reinen Herzens sei, eingesogen. Da wurde mir nur das allerstrengste Gesetz eingepredigt; da schwebten mir immer unübersteigliche Berge und die schwersten Stellen aus dem Neuen Testament, von Händ' und Füß' abhauen, Augausreißen und so fort vor. Mein Herz war von jeher äußerst empfindlich; ich erstaunte daher sehr oft, wenn ich weit bessere Menschen als ich bei diesem oder jenem Zufall, bei Erzählung irgendeines Unglücks, bei Anhörung einer rührenden Predigt und dergleichen, wie ich wähnte, ganz frostig bleiben sah. Man denke sich also meine damalige Lage in einem rohen einsamen Schneegebürg': ohne Gesellschaft, außer jenen schmutzigen Buben und unflätigen Alten auf der einen – auf der andern Seite jenen schwärmerschen Unterricht, den mein junger feuerfangender Busen so begierig aufnahm; dann mein von Natur tobendes Temperament und eine Einbildungskraft, welche mir nicht nur den ganzen Tag über keine Minute Ruhe ließ, sondern mich auch des Nachts verfolgte und mir oft Träume bildete, daß mir noch beim Erwachen der Schweiß über alle Finger lief. Damals war (wie man schon zum Teil aus meiner obigen Geschichte wird ersehen haben) meine größte Lust, an einem schönen Morgen oder stillen Abend, währendem Hüten meiner Geißen mich auf irgendeinem hohen Berge in einen Dornbusch zu setzen – dann jenes Büchelgen hervorzulangen, das ich viele Zeit überall und immer bei mir trug, und daraus mich über meine Pflichten gegen Gott, gegen meine Eltern, gegen alle Menschen und gegen mich selbst so lang zu erbauen, bis ich in eine Art wilder Empfindung geriet und (ich entsinne mich noch vollkommen) allemal mit einer Ermahnung an Kinder geendet, deren Anfang lautete: „Kommt, Kinder! wir wollen uns vor dem Thron des himmlischen Vater niederwerfen." Dann richtete ich meine Augen starr in die Höhe, und häufige Tränen flossen die Wangen herab. Dann hätt' ich mich auf ewig und durch tausend Eide verbunden, allem allem abzusagen und nur Jesu nachzufolgen. Voll unnennbarer, halb süßer, halb bittrer Empfindungen stieg ich dann mit meiner Herde weiter von einem Hügel zum andern auf und nieder und hing immer dem beängstigenden Gedanken nach, was ich denn nun allererst tun müsse, um selig zu werden. „Darf ich also", hob ich dann halb laut, halb leise an, „meine Geißen nicht mehr lieben? Muß ich meinem Distelfink Abschied geben? – Muß ich wirklich gar Vater und Mutter verlassen?", und so fort. Dann fiel ich vollends in eine düstre Schwermut, in Zweifel, in Höllenangst, wußte nicht mehr, was ich treiben, was ich lassen, woran ich mich halten sollte. Das dauerte dann so etliche Tage lang. Dann hing ich wieder für etwas Zeit Grillen von ganz andrer Natur – und auch diesen bis zur Wut nach, baute mir ein, zwei, drei Dutzend spanischer Schlösser auf, riß alle Abend die alten nieder und schuf ein paar neue. – So dauerte es bis ungefähr in mein achtzehntes Jahr, da mein Vater seinen Wohnort veränderte und ich sozusagen in eine ganz neue Welt trat, wo ich mehr Gesellschaft, Zeitvertreib und minder Anlaß zum Phantasieren hatte. Hier fingen sich dann auch besonders *eine* Art der Kinder meiner Einbildungskraft – und zwar leider eben die schönste von allen – an, sich in Wirklichkeit umzuschaffen, und kamen mir eben nahe an Leib. Aber zu meinem Glücke hielt mich meine anerborene Schüchternheit, Schamhaftigkeit – oder wie man das Ding nennen will – noch jahrelang zurück, eh' ich nur ein einziges dieser Geschöpfe mit einem Finger berührte. Da fing sich endlich jene Liebesgeschichte mit Ännchen an, die ich oben, wie ich denke, nur mit allzu süßer Rückerinnerung beschrieben habe – und doch noch einmal beschreiben, jene Honigstunden mir noch einmal zurückrufen möchte – um mehr zu genießen, als ich wirklich genossen habe. Allein ich fürchte – nicht Sünde, aber Ärgernis; und eine geheime Stimme ruft mir zu: „Grauer Geck! Bestelle dein Haus; denn du mußt sterben." – Noch lebt diese Person, so gesund und munter wie ich, und mir steigt eine kleine Freude ins Herz, sooft ich sie sehe, obgleich ich mit Wahrheit bezeugen kann, daß sie alle eigentliche Reize für mich verloren hat. Also kurz und gut, wir gehen weiters. – Nun von jenem Zeitpunkt an war ich unstet und flüchtig wie Kain. Bald bestund meine Arbeit im Taglöhnen, bald zügelte ich für meinen Vater das Salpetergeschirr von einem Fleck zum andern. Da traf ich freilich allerhand Leute, immer neue Gesellschaft und mir bis dahin unbekannte Gegenden an; und diese und jene waren mir bald widrig, bald angenehm. Im Umgang war ich ekel[1]. Zwar bemühete ich mich, freundlich mit allen Menschen zu tun. Aber zu beständigen Gespannen stunden mir die wenigsten an; sie mußten von einer ganz eigenen Art sein, die ich, wenn ich ein Maler wäre, eher zeichnen, als mit Worten beschreiben könnte. Hie und da geriet ich auch an ein Mädchen; aber da stund mir keine an wie mein Ännchen. Nur eines gewissen Käthchens und Mariechens erinnr' ich mich noch mit Vergnügen, obschon unsre Bekanntschaft nur eine kleine Zeit währte. Wenn ein Weibsbild, sonst noch so hübsch, dastund oder -saß wie ein Stück Fleisch – mir auf halbem Weg entgegenkam oder mich gar noch an Frechheit[2] übertreffen wollte, so hatte sie's schon bei mir verdorben; und wenn ich dann auch etwa in der Vertraulichkeit mit ihr ein bißchen zu weit ging, war's gewiß das erste und letzte Mal. Nie hab ich mir auf meine Bildung und Gesicht viel zugut getan, obschon ich bei den artigen Närrchen sehr wohl gelitten war und einiche aus ihnen gar die Schwachheit hatten, mir

1. wählerisch. – 2. Keckheit, Dreistigkeit.

zu sagen, ich sei einer der hübschesten Buben. Wenngleich meine Kleidung nur aus drei Stücken bestund – einer Lederkappe, einem schmutzigen Hembd und ein Paar Zwilchhosen –, so schämte sich doch auch das niedlichst geputzte Mädchen nicht, ganze Stunden mit mir zu schäkern. Ingeheim war ich denn freilich stolz auf solche Eroberungen, ohne recht zu wissen warum. Andremal nagte mir, wie gesagt, wirklich die Liebe ein Weilchen am Herzen. Dann sucht' ich mich des lästigen Gastes durch Zerstreuungen zu entledigen, jauchzte, pfiff und trillerte einen Gassenhauer, deren ich in kurzer Zeit viele von meinen Kameraden gelernt hatte, oder brütete an abgelegenen Orten wieder etliche Phantaseien aus und träumte von lauter Glück und guten Tagen, ohne daß ich mir einfallen ließ, mich auch zu fragen, wenn[1] und woher sie auch kommen sollten; das ich mir auch sicher nicht hätte beantworten können. Denn, die Wahrheit zu gestehn, ich war ein Erzlappe und Stockfisch und besaß zumal keine Unze Klugheit oder gründliches Wissen, wenn ich schon über alles ganz artlich zu reden wußte. Daß ich bei jedermann und bei jenen schönen Dingern insonderheit wohl gelitten war, kam einzig daher, weil ich so ziemlich gut an jedem Ort augenblicklich den für dasselbe schicklichsten Ton zu treffen wußte und mir, wie meine Nymphen behaupteten, alles ziemlich nett anstund. – Und nun abermals ein neuer Akt meines Lebens. Als mich nämlich bald hernach das Verhängnis in Kriegsdienste führte, und vorzüglich in den sechs Monaten, da ich noch auf der Werbung herumstreifte, ja, da geht's über alle Beschreibung, wie ich mich nun fast gänzlich im Getümmel der Welt verlor. Zwar unterließ ich auch während meinen wildesten Schwärmereien nie, Gott täglich mein Morgen- und Abendopfer zu bringen und meinen Geschwisterten gute Lehren nach Haus zu

1. wann.

schreiben. Aber damit war's dann auch getan, und ob der Himmel daran große Freude hatte, muß ich zweifeln. Doch wer weißt's? Selbst diese flüchtige Andacht unterhielt vielleicht manche gute Gesinnung in mir, die sonst auch noch zu Trümmern gegangen wäre, und behütete mich vor groben Ausschweifungen, deren ich mir gottlob keiner einzigen bewußt bin. So z. B., wenn ich schon mit hübschen Mädchens für mein Leben gern umgehen mochte, hätt' ich's doch auf allen meinen Reisen und Kriegszügen nie übers Herz gebracht, nur ein eineinziges zu übertölpeln, wenn ich auch dazu noch soviel Reizung gehabt. Wahrlich, mein Gewissen war so zart über diesen Punkt, daß ich mir vielmehr oft nachwärts ruchlose Vorwürfe über meine eigne Feigheit gemacht, mir den und diesen guten Anlaß wieder zurückgewünscht, und so fort. Aber wenn sich denn wirklich die Gelegenheit von neuem eräugnete und alles bis zum Genusse fix und fertig war, so fuhr ein zitternder Schauer mir durch Mark und Beine, daß ich zurückbebte, meinen Gegenstand mit guten Worten abfertigte oder leise davonschlich. Auf dem ganzen Transport bis nach Berlin bin ich, bis auf ein einziges Nestchen, vollends ganz rein davongekommen. In dieser großen Stadt hätt' ich an gemeinen Weibsleuten keinen Schuh gewischt. Hingegen will ich's nicht verbergen, daß meine zügellose Einbildungskraft ein paarmal über glänzende Damen und Mamselles brütete. Aber es stellten sich immer noch zu rechter Zeit genugsame Hindernisse in den Weg, die Anfechtungen verschwanden, und besserer Sinn und Denken erwachten wieder. Während meiner Kampagne und auf der Heimreise hab ich abermals keinen weiblichen Finger berührt. Was meine Desertion betrifft, so machte mir mein Gewissen darüber nie die mindesten Vorwürfe. Gezwungner Eid ist Gott leid! dacht' ich, und die Zeremonie, die ich da mitmachte, wähnt' ich wenigstens, könne kaum ein Schwören heißen. – Nach meiner Rückkehr ins

Vaterland ergriff ich wieder meine vorige Lebensart. Auch Buhlschaften spannen sich bald von neuem an. Meine herzliebe Anne war freilich verplempert; aber es fanden sich in kurzem andere Mädels mehr als eines, denen ich zu behagen schien. Mein Äußeres hatte sich ziemlich verschönert. Ich ging nicht mehr so läppisch daher, sondern hübsch gerade. Die Uniform, die mein ganzes Vermögen war, und eine schöne Frisur, die ich recht gut zu machen wußte, gaben meiner Bildung ein Ansehn, daß dürftige[1] Dirnen wenigstens die Augen aufsperrten. Bemittelte Jungfern dann – ja, o bewahre! –, die warfen freilich auf einen armen ausgerißnen Soldat keinen Blick. Die Mütter würden ihnen fein ausgemistet haben. Und doch, wenn ich's nur ein wenig pfiffiger und politischer angefangen, hätt' es mir mit einer ziemlich reichen Rosina geglückt, wie ich nachwärts zu spät erfuhr. Inzwischen erhob selbst dieser mißlungene Versuch meinen Mut und meine Einbildung nicht um ein geringes – und der geschossene Bock wäre mir nicht um tausend Gulden feil gewesen. Ich sah darum von erwähnter Zeit an alle meine bisherigen Liebschaften so ziemlich über die Achsel an und warf den Bengel höher auf. Aber meine sorglose, lüderliche Lebensart verderbte immer alles wieder. Mit Kindern meines Standes war mein Umgang freilich, Gott verzeih mir's! oft nur allzu frei; in Absicht auf solche hingegen, die über mir stunden, verließ mich meine Feigheit nie, und das war mir am meisten hinderlich. Denn wer weiß nicht, wie oft der dümmste Labetsch[2] bloß mit einem beherzten angriffigen Wesen zuerst sein Glück macht. Aber mir so viele Mühe geben – kriechen, bitten, seufzen und verzweifeln – konnt' ich eben nicht. Eines Tags ging ich nach Herisau an eine Landsgemeinde. Meine gute Mutter steckte mir all ihr kleines Spargeldlin von etwa sechs fl. bei. Einer meiner Bekannten im Appen-

1. bedürftig, unbemittelt. – 2. Lappe, Laffe.

zellerland trachtete mir zu Trogen, in einer großen Gesellschaft, eine gewisse Ursel aufzusalzen, die mir aber durchaus nicht behagen wollte. Ich suchte also ihr je eher, je lieber wieder los zu werden. Es glückte mir auf dem Rückweg nach Herisau, wo sie sich – oder vielmehr ich mich unter dem großen Haufen verlor. Es war eine große Menge jungen Volkes. Bei einbrechender Abenddämmerung näherte man sich einander und formierte Paar und Paar – als ich mit eins ein wunderschönes Mädel, sauber wie Milch und Blut, erblickte, das mit zwei andern solchen Dingen davonschlenderte. Ich streckt' ihm die Hand entgegen, es ergriff sie mit den beiden seinigen, und wir marschierten bald Arm an Arm in dulci jubilo unter Singen und Schäkern unsre Straße. Als wir zu Herisau ankamen, wollt' ich sie nach Haus begleiten. „Das beileib nicht!" sagte sie; „ich dörft's um alles in der Welt nicht. Nach dem Nachtessen vielleicht kann ich denn eher noch ein Weilchen zum Schwanen kommen." Mit einem solchen Ersatz war ich natürlich sehr zufrieden. Damals wußt' ich noch nicht, wer mein Schätzgen war, und erfuhr erst itzt im Wirtshaus, daß sie ein Töchtergen aus einem guten Kaufmannshaus und ungefähr sechszehn Jahr' alt sei. Ungefähr nach einer Stunde kam das liebe Geschöpf – Käthchen hieß es – mit einem artigen jungen Kind auf dem Arm, das sein Schwesterchen war – denn anders hätt' es nicht entrinnen können –, als eben auch die verwünschte Ur–sel in die Stube trat, mich gleichfalls aufsuchen wollte – bald aber Unrat merkte, mir bittere Vorwürfe machte – und davonging. Alsdann gab uns der Wirt ein eigen Zimmer – Käthchen hinein, und ich nach, geschwind wie der Wind. Ich hatte ein artiges Essen bestellt. Nun waren ich und das herrliche Mädchen allein, allein. O was dieses einzige Wort in sich faßt! Tage hätt' es währen sollen und nicht zwei oder drei wie Augenblicke verflossene Stunden. Und doch – die Wände unsers Stübchens – das Kind auf Käthchens Schoß – die Sternen am Himmel sollen Zeugen sein unsrer süßen, zärtlichen, aber schuldlosen Vertraulichkeit. Ich blieb noch die halbe Woche dort. Mein Engel kam alle Tage mit ihrem Schwesterchen vier- bis fünfmal zu mir. Endlich aber ging mir die Barschaft aus – ich mußte mich losreißen. Käthchen gab mir, immer mit dem Kind auf dem Arm, trotz aller Furcht vor seinen Eltern, das Geleit noch weit vor den Flecken hinaus. Wie der Abscheid war, läßt sich denken. Tränen von Liebchen trug ich auf meinen Wangen genug nach Haus. Wir winkten einander mit Schürze und Schnupftüchern unser Lebewohl mehr als hundertmal und so weit wir uns sehen konnten. O man verzeihe mir meine Torheit! Gehören doch diese Tage zu den allerglücklichsten und ihre Freuden zu den allerunschuldigsten meines Lebens. Denn mein guter Engel hatte mir gegen dies holde Mädchen ordentlich ebensoviel Ehrfurcht als Liebe eingeflößt, so daß ich sie, wie ein Vater sein Kind, umarmte, und sie mich hinwieder, wie eine Tochter ihren Erzeuger, sanft an ihren reinen Busen drückte und mein Gesicht mit ihren Küssen deckte. – Itzt war ich dem Leibe nach wieder bei Haus, aber im Geiste immer mit diesem herzigen Schätzgen beschäftigt, dem weiland Ännchen sogar weit nachstund. Indessen kam mir nur kein Gedanke daran, daß ich jemals zu ihrem Besitz gelangen könnte; vielmehr sucht' ich mir alles Vorgegangene vollkommen aus dem Sinn zu schlagen, und es gelang mir. Denn dies war von jeher meine Art: Was einen schnellen Eindruck auf mich machte, war auch bald wieder vergessen und von neuen Gegenständen verdrängt. Allein wer hätte daran gedacht? An einem schönen Abend brachte mir der Herisauer Bot' ein Briefchen von meinem Käthchen, worin sie in zärtlich verliebten und dabei recht kindisch naiven Ausdrücken mir sagte, wie's ihr sei seit unserm Abschied, wie sie mich gern wieder sehen – noch einmal mit mir reden möchte – und, wenn das nicht möglich wäre, mich wenigstens zu einem schriftlichen Verkehr auffodere. Ich küßte das Papier, las es wohl hundertmal und trug's immer in der Tasche, bis es ganz verschmutzt und zerfetzt war. Also – ich flog eilends nach Herisau – Nein! Ich antwortete auf der Stelle – Nein! auch das nicht; kein Wort. Kurz, ich ging nicht und schrieb nicht. Warum? Daß ich gerade damals kein Geld hatte, dessen erinnere ich mich; daß sonst noch etwas dazwischen kam, weiß ich auch; die eigentliche Ursach' aber ist mir aus dem Gedächtnis entfallen. Genug, ich vergaß meinen Herisauer Schatz, worüber ich mir nachwärts manchen bittern Vorwurf gemacht. Endlich, erst nach zwanzig Jahren, dacht' ich wieder einmal dieser Begebenheit so lange und so ernsthaft nach, und die Begierde, zu erfahren, ob das liebe Kind noch lebe und was aus ihr geworden sei, ward so stark in mir, daß ich eigens deswegen auf Herisau ging (ungeachtet ich in der Zwischenzeit manchmal mich tagelang dort aufhielt, ohne daß mir nur ein Sinn an sie kam), nach ihrer Wohnung fragte und bald erfuhr, daß sie schon Mutter von zehn Kindern und auf einem Wirtshaus sei. Ich flog dahin. Der Mann war eben nicht zu Hause. Ich sprach sie um Nachtherberg an, setzte mich zu Tisch und beguckte mein – nun nicht mehr mein Käthchen. Himmel! wie das arme Ding ganz verlottert war. Und doch erkannt' ich ihre ehevorigen jugendlichen Gesichtszüge mitunter noch deutlich. Ich konnte mich der Tränen kaum erwehren. Sie war unglücklicherweise an einen brutalen und dabei lüderlichen Mann geraten, der nachwärts wirklich Bankerott machte. Schon damals war sie in sehr ärmlichen Umständen. Sie kannte mich nicht mehr. Ich fragte sie alles aus, nach ihrer Herkunft, wer ihr Mann sei, und so fort. Und endlich auch, ob sie sich nicht mehr eines gewissen U. B. erinnre, den sie vor zwanzig Jahren etliche Tag' nacheinander beim Schwanen angetroffen. Hier sah sie mir starr ins Gesicht – fiel mir an die Hand: „Ja! Er ist's, er ist's!“, und große Tropfen rollten über ihre blassen Wangen herab. Nun ließ sie alles stehn, setzte sich zu mir hin, erzählte mir der Länge und Breite nach ihre Schicksale und ich ihr die meinigen, bis spät in die Nacht hinein. Beim Schlafengehn konnten wir uns nicht erwehren, jene seligen Stunden durch ein paar Küsse zu erneuern; aber weiter stieg mir auch nur kein arger Gedanke auf. Im Verfolg kehrte ich noch manchmal bei ihr ein. Sie starb etwa vier Jahre nach unserm ersten Wiedersehn – und es tut mir so wohl, noch eine Träne auf ihr Grab zu weinen, wo sie itzt mit so viel andern guten Seelen im Frieden wohnt. Und nun weiters.

Daß ich in meiner obigen Geschichte über die allerernsthaftesten Szenen meines Lebens: wie ich an meine Dulzinea kam – ein eigen Haus baute – einen Gewerb anfing, und so fort, so kurz hinweggeschlüpft, kömmt wahrscheinlich daher, daß diese Epoche meines Daseins mir unendlich weniger Vergnügen als meine jüngern Jahre gewährten und darum auch weit früher aus meinem Gedächtnis entwichen sind. So viel weiß ich noch gar wohl: Daß, als ich auch im Ehestand mich betrogen sah und statt des Glücks, das ich darin zu finden mir eingebildet hatte, nur auf einen Haufen ganz neuer unerwarteter Widerwärtigkeiten stieß, ich mich wieder aufs Grillenfängen legte und meine Berufsgeschäfte nur so maschinenmäßig, lästig und oft ganz verkehrt verrichtete und mein Geist, wie in einer andern Welt, immer in Lüften schwebte, sich bald die Herrschaft über goldene Berge, bald eine Robinsonsche Insel oder irgendein andres Schlauraffenland erträumte, und so fort. Da ich hiernächst um die nämliche Zeit anfing, mich aufs Lesen zu legen, und ich zuerst auf lauter mystisches Zeug – dann auf die Geschichte – dann auf die Philosophie – und endlich gar auf die verwünschten Romanen fiel, schickte sich zwar alle dies vortrefflich in meine idealische Welt, machte mir aber den Kopf nur noch verwirrter. Jeden Helden und Ebenteurer alter und neuer Zeit macht' ich mir eigen, lebte vollkommen in ihrer Lage und bildete mir Umstände dazu und davon, wie es mir beliebte. Die Romanen hinwieder machten mich ganz unzufrieden mit meinem eigenen Schicksal und den Geschäften meines Berufes und weckten mich aus meinen Träumen, aber eben nur zu größerm Verdruß auf. Bisweilen, wenn ich denn so mürrisch war, sucht' ich mich durch irgendeine lustige Lektur wieder zu ermuntern. Alsdann je lustiger, je lieber, so daß ich darüber bald zum Freigeist geworden und dergestalt immer von einem Extrem ins andre fiel. In dieser Absicht[1] bedaur' ich die Gefährtin meines Lebens von Herzen. Denn sowenig Geschmack ich an ihr fand, so hatte sie doch noch viel mehr Ursache, keinen an mir zu finden. Dennoch war ihre Neigung zu mir stark, obgleich nichts weniger als zärtlich. Ein Betragen ganz nach ihrem Geschmack, meine Unterwürfigkeit und Liebe zu ihr, das alles wollte sie von dem ersten Tag an erpochen und erpoltern – und macht's heute mit mir und meinen Jungen noch ebenso – und wird es so wenig lassen, als ein Mohr seine Haut ändern kann. Und doch ist dies, wie ich's nun aus Erfahrung weiß, gewiß das ganz unrechte Mittel, einen an das Joch zu gewöhnen. Inzwischen flossen meine Tage so halb vergnügt, halb mißvergnügt dahin. Ich suchte mein Glück in der Ferne und in der Welt – mittlerweile es lange ganz nahe bei mir vergebens auf mich wartete. Und noch itzt, da ich doch überzeugt bin, daß es nirgends als in meinem eigenen Busen wohnt, vergeß ich nur allzuoft, dahin – in mich selbst zurückzukehren – flattre in einer idealischen Welt herum oder wähle in dieser gegenwärtigen falsche, Ekel und Unlust erweckende Scheingüter außer mir. Was Wunder also, daß ich nach meinem vorbeschriebenen Verhalten mich immer selber ins Gedränge brachte und mich zumal in eine Schuldenlast vertiefte, in der ich beinahe verzweifeln mußte. Freilich seh ich

1. Hinsicht.

itzt wohl ein, daß auch mein diesfälliges Elend mehr in meiner Einbildung als in der Wirklichkeit bestund und mein Falliment[1], da ich am tiefsten stak, doch nie beträchtlich gewesen und nicht über siebenhundert, höchstens achthundert fl. an mir wären eingebüßt worden. Und doch hab ich vor- und nachher Banqueroute von so viel Tausenden mit kaltem Blut spielen gesehn. Zudem waren meine Gläubiger gewiß nicht von den strengsten, sondern noch vielmehr von den allerbesten und nachsichtigsten, wenn mich gleich der eint' und andre ein paarmal ziemlich roh anfuhr. Ebenso sicher ist's freilich, daß, wenn ich meiner Frauen Grundsätze befolgt, ich nie in dies Labyrinth geraten wäre. Ob aber unter andern Umständen und wenn ich eine anders organisierte Haushälfte gehabt oder dieselbe mich anders geleitet – mir entweder freie Hände gelassen oder doch meinen Willen und Zuneigung auf eine zärtlichere Art zu fesseln gewußt, es je so weit mit mir gekommen wäre, ist dann wieder eine andre Frage. Einmal ganz und gar in ihre Maximen einzutreten war mir unmöglich. Bei mehrerer Freiheit hingegen (denn mit Gewalt mocht' auch ich meine Autorität lange nicht zeigen) hätt' ich wenigstens meiner Geschäfte mich mehr angenommen, mehr Eifer und Fleiß und kurz alle meine Leibs- und Seelenkräfte besser auf meinen Gewerb gewandt. Da mir aber Zanken und Streit in Tod zuwider und etwas mit dem Meisterstecken durchzusetzen auch nicht meine Sache war – wenn's zumal den zeitlichen Plunder betraf, der mir so vieler Mühe nie wert schien –, so ließ ich's eben bleiben. Schon damals hatten geistige Beschäftigungen weit mehr Reize für mich. Und da meine Dulzinea ohnehin alles in allem sein wollte, sie mich in allem tadelte und ich ihr mein' Tage nichts recht machen konnte, so wurd' ich um so viel verdrüßlicher und dachte: Ei! zum . . ., so mach's du! Ich kenne noch

1. eigentlich Zahlungseinstellung, hier: Fehlbetrag.

andre Arbeit, die mir unendlich wichtiger scheint. Da hatt' ich nun freilich Unrecht über Unrecht; denn ich erwog nicht, daß doch zuletzt alle Last auf den Mann fällt – ihn bei den Haaren ergreift und nicht das Weib. Hätt' ich nur, dacht' ich denn oft, eine Frau wie Freund N. Der ist sonst, ohne Ruhm zu melden, ein Lapp wie ich und hätte schon hundert und aber hundert Narrenstreiche gemacht, wenn nicht sein gescheites Dorchen ihn auf eine liebevolle Art zurückgehalten – und das alles so verschmitzt, nur hintenherum, ohne ihn merken zu lassen, daß er nicht überall Herr und Meister sei. O wie meisterlich weißt sich die nach seinen Launen zu richten, die guten und die bösen zu mäßigen (denn in den bessern ist er übertrieben lustig, in den übeln hingegen ächzt er wie eine alte Vettel oder will alles um sich her zerschmettern), daß ich oft erstaunt bin, wie so ein Ding von Weibchen eine so unsichtbare Gewalt über einen Mann haben und, unterm Schein, ganz nach seinem Gefallen zu leben, ihn ganz zu Diensten haben kann. Aber ein derlei Geschöpf ist eben ein rarer Vogel auf Erde, und selig ist der Mann, dem ein solch Kleinod beschert ist, wenn er's zumal gehörig zu schätzen weiß. Und Freund N. schätzt das seinige himmelhoch, ohn' es doch recht zu kennen. Sie lobt ihm alles; und wenn ihr etwas auch noch so sehr mißfällt, heißt es nur mit einem holden Lächeln: „Es mag gut sein; aber ich hätt's doch lieber so und so gesehn. Schatze! Mir zu Gefallen mach's auf diese Art." Nie hab ich ein bitter Wort oder eine böse Miene gegen ihn bemerkt, auch nie von andern vernommen, der diese gesehen oder jenes gehört hätte. Obgleich nun übrigens freilich ein solcher Zeisig bisweilen mich etwas lüstern und der Kontrast zwischen ihr und meiner Bettesgenossin nicht selten ein wenig düster gemacht, war ich doch im Grund des Herzens mit meinem Los nie eigentlich unzufrieden, fest überzeugt, mein guter Vater im Himmel habe auch in dieser Rücksicht – denn warum in dieser allein nicht? – die beste

Wahl getroffen. Ist's ja doch offenbar, daß gerade eine solche Hälfte und keine andre es sein mußte, die meiner Neigung zu allen Arten von Ausschweifungen Schranken setzte. Solch ein weiblicher Poldrianus sollte mir das Lächerliche und Verhaßte jeder allzu heftigen Gemütsbewegung – wie die lazedämonischen[1] Sklaven den Buben ihrer Herren das Laster der Trunkenheit – in natura zeigen und dergestalt ein Teufel den andern austreiben. Solch eine karge Sparbüchse müßt' es sein, die meiner Freigebigkeit und Geldverachtung das Gleichgewicht hielt – mir zu Nutz' und ihr zur Strafe, nach dem herrlichen Sprichwort: Ein Sparer muß einen Geuder[2] haben. Solch ein Sittenrichter und Kritikus mußt' es sein, der alle meine Schritt' und Tritte beobachtete und mir täglich Vorwürfe machte. Das hieß mich auch täglich auf meine Handlungen Achtung geben, mein Herz erforschen, meine Absichten und Gesinnungen prüfen, was wahr oder falsch, gut oder böse gemeint sei. Solch ein Zuchtmeister mußt' es sein, der alle meine Schwachheiten mit den schwärzesten Farben schilderte, so wie ich hingegen geneigt war, dieselben wo nicht für kreidenweiß, doch für grau anzusehn. Solch einen Arzt braucht' ich, der alle meine Schaden nicht nur aufdeckte – sondern auch vergrößerte und bisweilen selbst die minder wichtigen für höchst gefährlich ausgab; die mir freilich stinkende, beißende Pillen frisch vom Stecken weg, und noch mit einem Grenadierton, unter die Nase rieb, daß die Wände zitterten. Dadurch lernt' ich zu dem einzigen Arzt meine Zuflucht nehmen, der mir dauerhaft helfen konnte, mich im stillen vor ihm auf die Knie werfen und bitten: Herr! Du allein kennest alle meine Gebrechen; vergib und heile auch meine verborgenen Fehler! Solch eine Betmutter endlich, die beten und mitten im Beten auffahren und eins losziehen konnte, mußt' es sein, die mich – beten lehrte

1. spartanisch. – 2. Vergeuder, Verschwender.

und mir allen Hang zu frömmelnder Schwärmerei benahm. – Und nun genug, lieber Nachkömmling! Du siehst, daß ich meiner Frau alle Gerechtigkeit widerfahren lasse und sie ehre, wie man einen geschickten Arzt zu ehren pflegt, über den man wohl bisweilen ein bißchen böse tun, aber ihm doch nie im Herzen recht ungut sein kann. – Auch ist sie wirklich das ehrlichste, brävste Weib von der Welt und übertrifft mich in vielen Stükken weit, ein sehr nützliches, treues Weib, mit der ein Mann – der nach ihrer Pfeife tanzte, trefflich wohl fahren würde. Wie gesagt, recht viele gute Eigenschaften hat sie, die ich nicht habe. So weißt sie z. E. nichts von Sinnlichkeit, da hingegen mich die meinige so viel tausend Torheiten begehen ließ. Sie ist so fest in ihren Grundsätzen – oder Vorurteilen, wenn man lieber will – , daß kein Doktor juris – kein Lavater – kein Zimmermann[1] sie davon eines Nagelsbreit abbringen könnte. Ich hingegen bin so wankend wie Espenlaub. Ihre Begriffe – wenn sie diesen Namen verdienen – von Gott und der Welt und allen Dingen in der Welt dünken ihr immer die besten und unumstößlich zu sein. Weder durch Güte noch Strenge – durch keine Folter könntst du ihr andre beibringen. Ich hingegen bin immer zweifelhaft, ob die meinigen die richtigen sei'n. In ihrer Treu und Liebe zu mir macht sie mich ebenfalls sehr beschämt. Mein zeitliches und ewiges Wohl liegt ihr vollkommen wie ihr eigenes am Herzen; sie würde mich in den Himmel – bei den Haaren ziehn oder gar mit Prügeln dreinjagen, teils und zuerst um meines eigenen Besten willen – dann auch, um das Vergnügen zu haben, daß ich's ihr zu danken hätte – und um mich ewig hofmeistern zu können. Doch im Ernst: Ihre aufrichtige Bitte zu Gott geht gewiß dahin: „Laß doch dereinst mich und meinen Mann einander im Himmel antreffen, um uns nie mehr trennen zu müssen.“ Ich

1. J. K. Zimmermann (1728–95), von Brugg, Arzt und Schriftsteller; Hauptwerk: „Über die Einsamkeit“.

hingegen – ich will es nur gestehen – mag wohl eher in einer bösen Laune gebetet haben: „Bester Vater! In deinem Hause sind viele Wohnungen; also hast du gewiß auch mir ein stilles Winkelgen bestimmt. Auch meinem Weibe ordne ein artiges – nur nicht zu nahe bei dem meinigen!“ Sind das nun nicht alles aufrichtige Geständnisse? Sag an, lieber Nachkömmling! Ja! ich gesteh es ja noch einmal, daß meine Frau weit weit besser ist als ich und sie's vortrefflich gut meint, wenn's schon nicht immer jedermann für gut annehmen kann. So ließ sie sich's z. E. nicht ausreden, daß es nicht ihre Pflicht wäre, mir des Nachts laut in die Ohren zu schrein – daß sie bete und daß ich ihr nachbeten könne. Und wenn ich ihr hundertmal sage, das Lautschreien nütze nichts, da gilt alles gleich viel, sie schreit. – Da muß ich, denk ich, freilich abermals nur mein allzu ekles Ohr anklagen und wieder und überall sagen und bekennen: Ja, ja! sie ist weit bräver als ich.

Barmherzigkeit – welch ein beruhigendes Wort! – Barmherzigkeit meines Gottes, dessen Güte über allen Verstand geht, dessen Gnade keine Grenzen kennt! Wenn ich so in angsthaften Stunden alle Trostsprüche deiner Offenbarung zusammenraffe, macht dies einige Wort einen solchen Eindruck auf mein Herz, daß es der Hauptgrund meiner Beruhigung wird. Indessen bin ich, wie andre Menschen, freilich nicht weniger geneigt, auch etwas Tröstendes in mir selbst aufzusuchen. Und da sagt mir nämlich die Stimme in meinem Busen: Freilich bist du ein großer, schwerer Sünder und kannst mit dem allergrößten um den Vorzug streiten; aber deine Vergehen kamen meist auf deinen Kopf heraus, und die Strafen deiner Sinnlichkeit folgten ihr auf dem Fuße nach. – Wenigstens darf ich mir dies Zeugnis geben, daß ich von Jugend an nie boshaft war und mit Wissen und Willen niemand Unrecht getan. Wohl hab ich manchmal meine Pflichten zumal gegen meine Eltern versäumt;

und meine diesfälligen Schulden seh ich, aber leider zu späte! erst itzt recht ein, da ich selber Vater bin und wahrscheinlich zur Strafe meiner Sünden auch rohe und unbiegsame Kinder habe. Bei mir war es Unwissenheit, und ich will gerne hoffen, es ist's itzt auch bei ihnen. – Einem Mann gab ich vor dreißig Jahren ein paar tüchtige Ohrfeigen, und sonst noch einer oder zwo Balgereien bin ich mir auch bewußt. Aber ich habe mir deswegen nie starke Vorwürfe gemacht. Zum Teil ward ich angegriffen oder ich hatte sonst ziemlich gerechte Ursachen, böse zu werden. Erwähnter Mann hatte meinen Vater wegen einem vom Wind umgeworfenen Tännchen im Gemeinwald vor dem Richter verklagt; der gute Ätti wurde unschuldigerweise gebüßt. Nun brannte freilich die Rachbegier in meinem Busen hoch auf. Eines Tages nun ertappt' ich den boshaften Ankläger, daß er selbst – Stauden stahl; da, ja, versetzt' ich ihm eins, zwei oder drei, daß ihm Maul und Nase überloffen. Noch blutend rannte er zum Obervogt. Der zitierte mich; aber ich gestund nichts, und der andre hatte keine Zeugen. Er mußte also das Empfangene vor sich behalten. – Im Handel und Wandel betrog ich sicher niemand, sondern zog vielmehr meist den kürzern. – Nie mocht' ich in Gesellschaften sein, wo gezankt wurde oder wo sonst jemand unzufrieden war; nie, wo schmutzige Zoten aufs Tapet kamen oder es sonst konterbunt – wohl aber, wo es lustig in Ehren herging und alles content war. Mehr als einmal hab ich mein eigenes Geld angespannt, um andern Vergnügen zu machen. – Viel hundert Gulden hab ich entlehnt, um andern zu helfen, die mich hernach ausgelacht oder es mir abgeleugnet oder die ich mir wenigstens damit statt zu Freunden zu Feinden gemacht. – Das schöne Geschlecht war freilich von jeher meine Lieblingssache. Doch ich hab ja über dies Kapitel schon gebeichtet. Gott verzeih mir's, wo ich gefehlt! – Diesmal ist's um Entschuldigungen und Trostgründe zu tun. Und da bin ich in meinem Innersten zufrieden mit mir selber, daß gewiß kein Weibsbild unter der Sonne auftreten und sagen kann, ich habe sie verführt; keine Seele auf Gottes Erdboden herumgeht, die mir ihr Dasein vorzuwerfen hat; daß ich kein Weib ihrem Mann abspenstig gemacht, und eine einzige Jungfer gekostet – und die ist meine Frau. Diese meine Blödigkeit freute mich immer und würde mir noch itzt anhangen. Auch das ist mir ein wahrer Trost, daß ich sogar nur nie keine Gelegenheit gesucht – höchstens bisweilen in meiner Phantasie die Narrheit hatte, einen guten Anlaß zu wünschen; aber, wenn sich denn derselbe glücklicher- oder unglücklicherweise eräugnete, ich schon zum voraus an allen Gliedern zitterte. – Meinem Weib hab ich nie Unrecht getan – es müßte denn das Unrecht heißen, daß ich mich nie ihr untertan machen wollte. Nie hab ich mich an ihr vergriffen, und wenn sie mich auch aufs Äußerste brachte, so nahm ich lieber den Weiten. Herzlich gern hätt' ich ihr alles ersinnliche Vergnügen gemacht und ihr, wie sie nur immer gelüstete, zukommen lassen. Aber von meiner Hand war ihr niemals nichts recht, es fehlte immer an einem Zipfel. Ich ließ darum zuletzt das Kramen und Laufen bleiben. Da war's wieder nicht recht. – Auch meinen Kindern tat ich nicht Unrecht, es müßte denn das Unrecht sein, daß ich ihnen nicht Schätze sammelte oder wenigstens meinem Geld nicht besser geschont habe. In den ersten Jahren meines Ehestands nahm ich mit ihnen eine scharfe Zucht vor die Hand. Als aber itzt meine zwei Erstgebornen starben, macht' ich mir Vorwürfe, ich sei nur zu streng mit ihnen umgegangen, obschon sie mir in der Seele lieb waren. Nun verfuhr ich mit den Übriggebliebenen nur zu gelinde, schonte ihnen mit Arbeit und Schlägen, verschaffete ihnen allerhand Freuden und ließ ihnen zukommen, was nur immer in meinem Vermögen stand – bis ich anfing einzusehn, daß meines Weibs diesfällige öftere Vorwürfe wirklich nicht unbegründet waren. Denn schon waren mir meine Jungen ziemlich über die Hand gewachsen, und ich mußte eine ganz andre Miene annehmen, wenn ich nur noch in etwas meine Autorität behaupten wollte. Aber die Leier meiner Frau konnt' ich darum auch itzt noch unmöglich leiern, unmöglich stundenlang donnern und lamentieren, unmöglich viele hundert Weidsprüche und Lebensregeln, haltbare und unhaltbare, in die Kreuz und Quer' ihnen vorschreiben; und wenn ich's je gekonnt hätte, sah ich die Folgen einer solchen Art Kinderzucht nur allzu deutlich ein: daß nämlich am End' gar nichts getan und geachtet, aus Übel immer Ärger wird und das junge Füllen zuletzt anfängt, wild und taub[1] hintenauszuschlagen. Ich begnügte mich also, ihnen meine Meinung immer mit wenig Worten, aber im ernsten Tone zu sagen, und besonders nie früher, als es vonnöten war, und niemals bloße Kleinigkeiten zu ahnden[2]. Mehrmals hatt' ich schon eine lange Predigt studiert, aber immer war ich glücklich genug, sie noch zu rechter Zeit zu verschlükken, wenn ich die Sachen bei näherer Untersuchung so schlimm nicht fand, als ich es im ersten Ingrimm vermutet hatte. Überhaupt aber fand ich, daß Gelindigkeit und sanfte Güte zwar nicht immer, aber doch die meisten Male mehr wirkt als Strenge und Lauttun. – Doch, ich merke wohl, ich fange an, meine Tugenden zu malen – und sollte meine Fehler erzählen. Aber noch einmal, in diesen letzten Zeilen möcht' ich mich, so gut es sein kann, ein wenig b e r u h i g e n. Meine aufrichtigen Geständnisse findet der Liebhaber ja oben und wird daraus meinen Charakter ziemlich genau zu bestimmen wissen. Schon seit langem hab ich mir viele Mühe gegeben, mich selbst zu studieren, und glaube wirklich zum Teil mich zu kennen – meine Frau war mir ein treffliches Hülfsmittel dazu –, zum Teil aber bin ich mir freilich noch immer ein seltsames Rätsel:

1. zornig. – 2. bestrafen.

So viele richtige Empfindungen, ein so wohlwollendes, zur Gerechtigkeit und Güte geneigtes Herz, so viel Freude und Teilnahm' an allem physisch und moralisch Schönen in der Welt, solch betrübende Gefühle beim Anblick oder Anhören jedes Unrechts, Jammers und Elends, so viele redliche Wünsche endlich, hauptsächlich für andrer Wohlergehn. Dessen alles bin ich mir, wie ich meine, untrüglich bewußt. Aber dann daneben: Noch so viele Herzenstücke, solch einen Wust von spanischen Schlössern, türkischen Paradiesen, kurz Hirngespinsten – die ich sogar noch in meinem alten Narrnkopf mit geheimem Wohlgefallen nähre –, wie sie vielleicht sonst noch in keines Menschen Gehirn aufgestiegen sind. – Doch itzt noch etwas

LXXX.

Von meiner gegenwärtigen Gemütslage. Item von meinen Kindern

Auch darüber find ich mich gezwungen, die reine Wahrheit zu sagen; Zeitgenossen und Nachkömmlinge mögen daraus schließen, was sie wollen. Noch such ich mich nämlich sogar zu bereden, jene phantastischen Hirnbruten seien am End' ganz unsündlich – weil sie unschädlich sind. Sicher ist's, daß ich damit keine menschliche Seele beleidige. Ob dann aber sonst das selbstgefällige Nachhängen sonderbarer Lieblingsideen die schwarzen Farben verdienen, womit ohne Zweifel strenge Orthodoxen sie anstreichen dürften, weiß ich nicht. Ob hinwieder mein guter Vater im Himmel meine Torheiten so ansehe, wie's die Menschen tun würden, wenn mein ganzes Herz vor ihren Augen offen an der Sonne läge, daran erlaube man mir zu zweifeln – oder vielmehr nicht zu zweifeln. Denn Er kennet mich ja und weißt, was für ein Gemächt ich bin. – Bemüh ich mich doch wenigstens, immer besser – oder weniger schlimm zu werden. Wenn ich z. B. seit einiger Zeit so meine Straße ziehe und noch itzt bisweilen heimlich wünsche, daß ein Kind meiner Phantasie mir begegnen möchte – und ich mich denn dem Plätzchen nähere, wo ich darauf stoßen sollte – und es ist nicht da – wie bin ich so froh! – Und doch hatt' ich's erwartet. Wie reimt sich das? Gott weiß es, ich weiß es nicht; nur das weiß ich, daß ich's Ihm danke, daß es mich auf sein Geheiß ausweichen mußte. – Einst stund wirklich eine solche Geburt meiner Einbildungskraft – und doch gewiß ohne mein Zutun da, gerade auf der Stelle, die ich im Geist ihm bestimmt hatte. Himmel, wie erschrak ich! Zwar näherte ich mich demselben, aber ein Fieberfrost rannte mir durch alle Adern. Zum Unglück oder Glück stunden zwei böse Buben nahe bei uns, kickerten und lachten sich Haut und Lenden voll; und noch auf den heutigen Tag weiß ich nicht, was ohne diesen Zufall aus mir geworden wäre. Ich schlich mich davon wie ein gebissener Hund. Die Buben pfiffen mir nach, so weit sie mich sehen konnten. Ich brannte vor Wut. Über wen? Über mich selbst – und übergab meine Sinnlichkeit dem T... und seiner Großmutter zum Gutenjahr[1]. In diesem Augenblick hätt' ich mir ein Ohr vom Kopf für den verwünschten Streich abhauen lassen. Bald nachher erfuhr ich, daß, da man mich wegen meinem ungenierten Wesen im Verdacht hatte, diese Falle mir mit Fleiß gelegt worden und daß jene Bursche ausgesagt, sie hätten mich so und so ertappt. Das Gemürmel war allgemein. Meine Feinde triumphierten. Meine Freunde erzählten's mir. Ich bat sie ganz gelassen, zu sehen, daß sie mir nur die stellen, welche so von mir reden. Aber es getraute sich niemand. Gleichwohl zeigte man mit Fingern auf mich. Diese Wunde hat mich bei Jahren geschmerzt und ist noch auf den heutigen Tag nicht

1. als Neujahrsgeschenk.

ganz zugeheilt. Aber Gott weiß, wie dienstlich sie mir war. In der ersten Wut meiner gekränkten Ehrliebe hätt' ich die Buben erwürgen mögen; nachwärts dankt' ich noch meinem guten Schutzgeist, der sie hergeführt hatte, sonst wär' ich vielleicht dieser Versuchung nicht widerstanden. Ein Freund (der mich wohl ebenfalls in falschem Verdacht hatte) riet mir, könftig diese Straße nicht mehr zu brauchen. Hierin aber folgt' ich ihm nicht, sondern ging gleich meiner Wegen fort und sah denen, die mir begegneten, herzhaft und scharf in die Augen, als wenn ich ihre Gedanken erraten könnte. Und so hab ich wirklich nach und nach alle die Leute kennen gelehrt, die sich mit jenem Gerücht befasset hatten, und wurde mir vollends einer nach dem andern genannt, von dem ersten Aussager an bis auf den letzten, wie und mit welcher Vergrößerung man sich's ins Ohr bot, und so fort.

Übrigens hat sich seit der Zeit meine Denkart insoweit geändert, daß mich bei ferne nichts mehr so stark angriff wie ehmals und jene Grillen, die mir einst so unbeschreiblich viel Angst machten, merklich ins Abnehmen gerieten und ich wenigstens mir nur nicht mehr träumen ließ, daß die Erfüllung meiner oft so phantastischen Wünsche mir irgendwoher zufließen sollte als aus der Hand der gütigen Vorsehung. Von jeder andern wäre das größte Glück mir fürchterlich vorgekommen. Freilich lagen dann in meiner Einbildungskraft hundert und hundert verschiedene Mittel, wie ich dazu gelangen könnte. – Auch die häufigen Vorwürfe meiner Frau griffen mich itzt nicht mehr so stark an. Ich bin derselben gewöhnt, weiß, daß diese ihre Verfahrungsweise nun einmal ganz in ihre Natur verwebt ist, lasse ihre immerwährende Predigten zum einten Ohr ein und zum andern wieder aus, ohne darum minder in der Stille zu prüfen, was allenfalls daran begründet sein mag, und solches zu meinem Besten zu benutzen. – Wie gesagt, nicht daß ich mir selbst auf den heutigen Tag meine Schlauraffen-Ländereien total möchte entreißen lassen; vielmehr gewähren sie mir alten Toren auch itzt noch vielfaches Vergnügen. Aber ich lache mich dann doch selber wieder aus, trachte wenigstens immer mehr, diese Narreteien zu verachten, und suche dafür mich an der Rückerinnerung meiner ersten unschuldigen Jugendjahre zu ergötzen. Aber da steht wieder eine Klippe auszuweichen: daß mich nämlich diese Rückerinnerung nicht unzufrieden mache mit den allmählig anrückenden Tagen, von denen man sonst spricht: Sie gefallen uns nicht. Und das Mittel dazu ist kurz dieses: Daß ich mich bemühe, soviel es je ohne Verletzung des Wohlstands[1] sein kann, auch dieselben mir so angenehm wie möglich zu machen und allen mir etwa widrigen Begegnissen mit kaltem Blut unter die Augen zu treten. Damit mich aber die mancherlei Zufälle des Lebens desto minder aus meiner Fassung bringen, bestreb ich mich freilich sorgfältiger als noch nie, so zu wandeln, daß mir wenigstens mein Gewissen keine Vorwürfe mache, daß durch meine Schuld etwas versäumt worden – und mich gegen alle meine Nebenmenschen, besonders aber gegen die Meinigen, so zu betragen, daß keine Seele sich mit Recht über mich zu beschweren habe. Also laß ich z. B. im Handel und Wandel, und überhaupt in Worten und Werken, immer lieber andern den längern und ziehe selber den kürzern, und mache dadurch, daß jeder gern mit mir zu tun hat. Auch genieß ich das Glück, bei einigen Neidern ausgenommen, überall wohlgelitten zu sein. Zu meiner Gesundheit, welche ich, dem Höchsten sei's gedankt! in höherm Maße genieße als in jüngern Jahren nie, trag ich ebenfalls mehrere Sorge als ehedem. In meiner Jugend ward ich lange Zeit von Flüssen geplagt. Kopf- und Zahnschmerzen, allerlei Geschwüre und ein scharfes Geblüt waren mir sozusagen wie angeerbt, durch den Genuß hitziger Speisen und Ge-

1. Wohlanstands.

tränke, die ich ungemein liebte, genährt, und plagen mich noch bis zu dieser Stunde, ob ich itzt gleich eine ziemlich genaue Diät beobachte. Zweimal in meinem Leben war ich gefährlich krank. Itzt ist mir die Gesundheit ein köstlich Gut und die edelste Gabe des Höchsten, welche ich mit der eifersüchtigsten Sorgfalt bewahre. Sorgen der Nahrung laß ich mich wenig anfechten, und meinem Brotkorbe nachzudenken raubt mir nicht viele Zeit. Was mich am meisten beunruhigt, sind meine Jungen. Diese schweben mir täglich vor Augen, und ich sehe mich in ihnen, von meiner ersten Kindheit an, wie in einem Spiegel. Alle Vergehungen, die ich gegen meine Eltern begangen, muß ich von ihnen an mir gerochen sehn. Auch wie ich mich an meinen Brüdern und Schwestern verfehlt, gewahr ich mit Betrübnis, daß sie's nunmehr ebenso gegeneinander üben. Freilich auch meine bessere Seite find ich wieder an ihnen; und alles zusammengenommen hat die Freude an meinen Kindern mir meinen Ehestand vornehmlich erträglich gemacht.

Ohne Kinder weiß ich nicht, was aus mir geworden wäre; und ich hab es meiner Frau vorhergesagt, daß, wenn wir das Unglück hätten, keine zu bekommen, ich meiner Not kein End' wüßte. Aber mein Wunsch ward erfüllt. Ich bin mit sieben Kindern gesegnet worden. Die beiden ältesten, für welche ich die größte Zärtlichkeit hegte, wurden mir durch den Tod entrissen. Dies setzte mich anfangs zwar in große Betrübnis, aber bei ruhigerm Nachdenken war's noch eher ein Trost für mich, daß der gütige Vater aller Menschen diese meine Lieben gerade in den Tagen zu sich genommen, welche die traurigsten waren, die ich erlebt habe, und in denen ich nicht die geringsten Aussichten hatte, daß ich diese teuern Früchte wohl erziehen und versorgen könnte. Damals hätt' ich sogar auch die andern noch gern heim zu ihrem himmlischen Berater reisen gesehn, so weh es mir getan. Jene waren zwei Herzensschäfchen, und wollte Gott, daß sich ihre Gutherzigkeit auf die Zurückgebliebenen fortgeerbt hätte! Meine Frau gebar von allen sieben keins hart und kam bei allen glücklich davon. Aber desto strenger waren allemal die Anfänge der Schwangerschaft. Sonst genoß sie überhaupt in der Ehe einer dauerhaftern Gesundheit als im ledigen Stand. Auch brachte sie mir lauter wohlgebildete Nachkommen zur Welt. Einige indessen mögen gewisse Gebrechen von ihr geerbt haben, wie z. B. neben den zwei frühe Verblichenen mein Sohn Jakob, der, ob er gleich schön gerade in die Höhe wächst, dennoch nie recht gesund ist. Sie war eine sorgfältige, obgleich nicht eben zärtliche Mutter. Unsagliche Mühe, rastlose Tage und schlaflose Nächte kostete ihr die Plage der Kleinen und die Erziehung der Größern. Ich ging ihr aber soviel möglich an die Hand und vertrat mit Kochen und Waschen, Wasser- und Holztragen ordentlich Kindermagdsstelle, und zwar mit vielem Vergnügen. Manch' hundert Stunden hab ich meine Jungen auf dem Arm getragen, geherzt, gewiegt, und so fort, und zumal die zwei Verstorbenen auf meinen Knien mit inniger Wollust lesen und schreiben gelehrt. Da die andern viel stockiger waren, fing's mir an zu verleiden, und ich jagte sie in die Schule.

Nun, ihr meine Lieben! die ihr noch lebet, solang der Herr will, laßt mich euch beschreiben der Reihe nach, so wie ihr mir vorkömmt und mein gewiß nicht hartes Vaterherz von euch urteilt. Die dunkele Zukunft sogar, wenn's in meiner Macht stünde, möcht' ich euch prophezeien! – So will ich euch wenigstens meine Mutmaßungen von den Folgen euers Verhaltens, so wie es sich aus euern Charakteren schließen läßt, nicht verhehlen. Wollte Gott, ich könnt' euch mit Wahrheit sagen, ihr hättet die guten Eigenschaften eurer Mutter und die bessere Seite euers Vaters geerbt. Aber ich muß mit Wehmut sehen, daß ein Gemisch von ihr und mir – und leider vom schlimmern Teil – , ein Gemisch von ihrem cholerischen Blute und meinen sinnlichen Säften in euern Adern rollt. Ich finde mich lebendig in euch und das Bild eurer Mutter nicht minder. Ich bin euer Vater. Ihr seht mir nach den Augen, wenn eure Mutter euch etwa auf eine allzu ungestüme Art zu Erstattung eurer Pflicht anhalten will, und ich muß deswegen viele Vorwürf' anhören, als nähm' ich immer eure Partei. Nun, ich kann nicht helfen! – Aber Gott weiß – und ihr müßt Zeugen sein, daß es nicht so ist. Wohl möcht' ich die übertriebenen Foderungen um etwas herabstimmen. Aber da läßt sich nun nichts ändern. Ich kann sagen, was ich will, da hilft nichts. Sie ist eure Mutter – hat jedes von euch neun Monat' unterm Herzen getragen – mit Schmerzen geboren und mit unbeschreiblicher Arbeit und Sorgfalt erzogen. Bedenkt's, meine Lieben! Und dann meint sie's gewiß am End' herzlich gut mit euch – möcht' euch gewiß alle, so gut als ich, recht glücklich machen – obschon euch die Art und Weise, wie sie's anstellt, nicht recht gefallen will – und mir auch nicht. Sie irrt in manchem – und ich auch – und ihr seid gar noch junge unwissende Tröpfe! – Ich, ich selbst habe nun aus fünfundzwanzigjähriger Erfahrung gefunden, daß mir eine solche Zucht wie die ihrige heilsam ist; wieviel mehr noch werdet ihr bei reiferm Verstand einsehen lernen, wie gut es euch war, diese und keine andre Mutter zu haben! Betet auch diesfalls um frühe Weisheit, und sie wird euch gegeben werden. Beherzigt das fünfte Gebot und sucht alle alle Sprüch' in der Bibel auf, wo euer Vater im Himmel euch die Pflichten gegen eure irdischen Eltern so ernsthaft einschärft! – Ich meinesteils könnt' an euch manche Unart, manche Widerspenstigkeit wohl verschmerzen – und glaubte eben nicht wie eure Mutter, daß euer Wille sich in allen Stücken ganz dem meinigen unterwerfen müßte – wenn ihr dadurch nur glücklicher würdet. – Aber es ist gerade das Gegenteil und mir wahrlich allein um euer Wohl zu tun. An euch selbst handelt ihr sehr übel. Jeder Ungehorsam muß wieder an euch gerochen werden – haarklein, in dieser oder in jener Welt. Glaubt mir's, ich weiß es aus Erfahrung. Also noch einmal, als euer zärtliche Vater bitt ich euch – denn befehlen würde da wenig helfen – um eurer selbst, um eurer zeitlichen und ewigen Wohlfahrt willen: Liebet und ehrt eure Mutter! Sie hat's an euch wohl verdient. Und wenn sie auch je nach eurer Meinung zuviel von euch fodert, denke nur ein jedes immer: „Sie darf es, ich bin ihr großer Schuldner, und wenn ich schon unmöglich alle ihre Befehle befolgen kann, will ich doch das Mögliche tun, will ihr wenigstens nicht ins Angesicht widersprechen, nicht widerbefzgen, nie mit ihr zanken und das letzte Wort haben wollen. Lieber will ich auf die Seite gehn, mein Herz prüfen und mich fragen: Ist's nicht itzt itzt gerade die rechte Zeit, daß ich lerne gehorchen, damit ich einst desto vernünftiger befehlen könne." Denn die Ursache, warum so viele Eltern und Herrschaften ihren Kindern und Untergebnen so läppisch befehlen, ist gewiß keine andre, als daß sie sich nicht frühe ans Gehorchen gewöhnt. – Also nur kein solch höhnisches Gesicht, kein Greinen und kein Grunzen, meine Söhn' und Töchter! wenn schon etwa ein kleiner oder größeres Wetter über euch geht. Es steht euch durchaus nicht zu, die Übereilungen euers Vaters und die Schwachheiten eurer Mutter zu necken oder zu rügen. Und wenn's euch zustünde, was hölf' es euch! Was hat je auf Schelten das Widerschelten vor Nutzen gebracht? Wohl erzeugt's tagtäglich so viele tausend elende Lust-, oft sogar jämmerliche Trauerspiele auf Erde, daß der Teufel und alle seine Gesellen schon darüber mit Händeklatschen genug zu tun haben.

Und nun wend ich mich noch an jedes aus euch insbesonders.

Anna Katharina! Dein frecher, wildaufbrausender Charakter macht mich oft sehr besorgt für dich. Hingegen dein teilnehmendes, gefühlvolles Herz freut mich in der Seele, sooft ich eine kleinere oder größere Probe davon sehe oder erfahre. – Aber deine Unbiegsamkeit kann dich noch teuer zu stehen kommen. Du wirst das Schicksal deiner Mutter haben, wenn dich das nämliche Los im Heiraten trifft; trifft dich aber ein anderes, ein Mann von einer dir ähnlichen Gemütsart – o wehe! da wird's hapern. Bewahre übrigens nur deine Unschuld wie deine Gebärerin, so wird die Vorsehung schon für dich sorgen und dir verordnen, was du verdienst – oder vielmehr, was dir gut ist.

Johannes, mein älterer Sohn! O daß du den Charakter deines seligen Brüderchens ererbt hättest, wie einst Elisa des Elias Mantel[1]. Ich kenne mich nur halb in dir, so wie ich hingegen deine Mutter ganz in meiner obigen Tochter finde. Deine unfeste, wankelmütige Denkungsart – wenn es je eine Denkungsart heißen kann – würd' mir oft angst und bange machen, wenn ich nicht schon längst gewohnt wäre, alles einer höhern Hand anheimzustellen. Also meine Vaterliebe läßt mich ein Besseres hoffen. Aber du hättest gute Anlage, ein Taugenichts und Wildfang zu werden. Bald auffahrend, bald wieder gut und nachgiebig, aber niemals herzfest. Wenn dir eine Gehülfin beschert ist, die dich zu leiten weiß, so kann's noch leidentlich gehn; wo nicht, so leite dich Gott! – Eins hab ich mir gemerkt, und das freut mich. Du machst's wie jener, der immer sagte: Nein, ich tu's nicht! und dann hinging und's tat. Aber keine Unze Geschmack am Lesen und allem, was gründliches Erkennen und Wissen heißt – es müßten denn Mord- und Gespenstergeschichten oder andre Abenteuer sein. Übrigens ein nimmersatter Alltagsplauderer. Ich wünsche, daß ich mich irre – Aber, aber!

Jakob, mein zweiter Sohn! in dem ich mich oft wie in einem Spiegel sehe, wenn schon unsre Erziehung sehr

1. s. 2. Kön. 2, 8 f.

ungleich war. Ich wurde rauh und hart, in einer wüsten Einsamkeit gebildet; du hingegen unter den Menschen, in einer mildern Gegend, und weil du immer kränkeltest und oft dem Tod nahe warest, weich und zärtlich. Hätt' ich Vermögen, das Nötige auf dich zu verwenden, glaubt' ich, daß etwas aus dir werden könnte, wenn ich anders auf eine dauerhaftere Gesundheit bei dir zählen dürfte. Dein Bruder würde sich übrigens eher zu roher Arbeit, du dich zu allerlei Tändeleien schicken, wo man mehr den Kopf als die Hände gebrauchen muß. Aber ich muß eben alle meine Kinder bei meinem Gewerb anstellen und kann nicht jedes tun lassen, was es will. Sonst hoff ich, du werdest dereinst noch Geschmack am Denken, Lesen und Schreiben finden, ungefähr wie dein Vater, obschon du noch zur Zeit den mir verhaßten Hang nährest, von einem Haus zum andern zu laufen, um allerhand unnützes Zeug zu erfragen oder zu erzählen. Aber deines Broterwerbs halber bin ich sehr verlegen. Doch wenn du deinen Kopf brauchst und dem Herrn, der dich schon mehrmals dem Rachen des Todes entriß, weiter deine Wege befiehlst, wird er's schon machen*.

Susanna Barbara, meine zweite Tochter! Du flüchtiges, in allen Lüften schwebendes Ding! Wärst du das Kind eines Fürsten und gerietst darnach unter Hände, so könnte ein weibliches Genie aus dir werden. Dein Falkenaug' macht dich verhaßt unter deinen Geschwistern, wenn du's schon nicht böse meinst. Dein empfindsames Herz leidet Schaden unter so viel spitzigen Zungen, und das donnernde Gelärm deines rohen Hofmeisters macht dich erwilden. Ach! ich fürchte, allzufrüh erwachende Leidenschaften und dein zarter Nervenbau werden dir noch Schmerzen genug verursachen!

Anna Maria, meine jüngste Tochter, meine letzte Kraft, mein Kind – noch das einzige, das mich herzt

* Er starb den 8. Jenner 1787. (Anm. d. Erstausg.)

und an das ich hinwieder meine letzte Liebe verschwende! Still und verschlagen, das gesetzteste unter allen bist du – kleine Anfälle von boshaften Neckereien und Stettköpfigkeit ausgenommen. Du, mein Täubchen, schwätz'st immer minder, als du denkst. Ich trau dir's zu, eine gute Hausmutter zu werden, wenn anders die Vorsehung dich dazu bestimmen will.

Nun, meine Kinder! Dies sind itzt übrigens nur so kleine hingeworfene Züge von euch. Keines zürne es, keines werde eifersüchtig aufs andre! Meine Vaterliebe erstreckt sich gewiß auf euch alle; von allen läßt sie mich noch immer das Beste hoffen. Wahr ist's, bei allen seh ich Unarten genug, die meine Liebe geneigt ist, zuzudecken; aber auch an jedem bemerk ich löbliche Eigenschaften und bemühe mich, mehrere auszuspähen und anzufachen, wo nur ein gutes Fünkgen verborgen ist.

Bester, gütigster Vater im Himmel! Vater der Kleinen und der Großen! Dir, Guter über alle Guten! befehl ich meine Kinder und Nachkommen in Zeit und Ewigkeit!

LXXXI.

Glücksumstände und Wohnort

Nur weniges bleibt mir noch übrig, und dann wird's genug sein. Ein Häuschen und ein Gärtchen ist mein ganzes Vermögen. Eine Frau und vier Kinder, also sechs Mäuler und ein Dutzend Hände machen meinen Haushalt aus. Aber das gesunde Speisen der erstern (Kleider und anders miteingezählt) zehrt das Produkt einer noch so muntern Arbeit der letztern beinahe völlig auf. Meinen Baumwollengewerb hab ich schon beschrieben. Dieser ist wie ein Vogel auf dem Zweig und wie das Wetter im April. Wer sein ganzes Studium darauf wendet und zumal die rechte Zeit abzupassen weiß, kann noch sein Glück damit machen. Aber dies Talent in gehörigem Maße hatt' ich nie, war immer ein Stümper und werd es ewig bleiben. Und doch hab ich diese Art Handel und Wandel (die von vielen sonst einsichtsvollen Männern, welchen aber nur seine schlimme Seite auffällt, wie's mir scheint, so unschuldig verlästert wird) gleichsam von Jahr zu Jahr lieber gewonnen. Warum? Ich denke natürlich, weil derselbe das Mittel war, durch welches mich die gütige Vorsehung, ohne mein sonderliches Zutun, aus meiner drückenden Lage wenigstens in eine sehr leidliche emporhub. Freilich wär' ich, ohne die Rolle eines Handelsmanns zu spielen, vielleicht auch niemals so tief in jene hineingeraten. – Doch, wer weiß? Es wäre wohl gleichviel gewesen, mit welchem Berufe ich mich – lässig, unvorsichtig und ungeschickt beschäftigt hätte. Und heißt's, denk ich, auch hier: Der Hund, der ihn biß, leckt' ihn wieder, bis er heil war. Genug, itzt liegen mir meine kleinen Geschäfte wirklich am Herzen, ich nehme mich ihrer mit allem mir möglichen Fleiß an und denke auch meinen Sohn darin fortfahren zu lassen, wenn er anders Lust dazu hat und meinen Unterricht, soweit dieser reichet, annehmen will – der alles leitende Himmel ordne denn etwas anders und Besseres für ihn, oder dieser Gewerb komme ganz in Verfall. Derselbe hat mich fünfzigjährigen Mann itzt dreißig Jahre beschäftigt. In der ersten göldenen Zeit hätt' er mir die besten Dienste getan, wenn ich ihn verstanden oder vielmehr ihn zu verstehen nur den rechten Willen gehabt. Auch dato würd' ich ihn an keine andre Profession vertauschen, obwohl manche ihren Mann wo nicht reicher, doch sicherer nährt. Meine Ausgaben bemüh ich mich einzuschränken. Meine Kinder haben's so, daß sie's besser und schlimmer auch annehmen könnten. In den Kleidern muß ich's freilich andern gleich halten; doch laß ich sie keinen übermäßigen Aufwand machen. Sonst aber gestatt ich ihnen, vielleicht nur gar zu gern, alles erlaubte Vergnügen, versage ihnen keine öffentliche Lustbarkeiten, gewöhnliche Trinktage und so fort, und habe wohl gar schon selber mit ihnen kleine, nicht wenig kostbare[1] Reischen gemacht. Aber dann säh' ich auch herzlich gern, daß sie wacker die Hände brauchten und auch einmal so viel Verstand bekämen, daß sie lernten, meinen und ihren Nutzen zu födern. Sonst ist, wie gesagt, ihr Vergnügen auch mein Vergnügen, und nichts kränkt mich mehr als ihre Unzufriedenheit. Auch außer meinem Hause und bei andern Menschen geht es mir ebenso: Ich kann keine traurige Miene sehn und erkaufe die frohen oft aus meinem eigenen Beutel. Wenn ich schon tausend Vorsätze fasse, eigentlich ökonomisch zu handeln, geht's doch immer den alten Schlendrian – und wird weiter so gehn. Ihr seht also, meine Lieben! daß Schätzesammeln meiner ganzen Natur zuwider ist, und glaube auch nicht, daß es euch viel Nutzen brächte. Aber das ist euch nutz und gut, wenn ihr schon frühe lernt, euer bescheidenes Brot in der Ehre der Unabhängigkeit zu erwerben. Wenn mir Gott Leben und Gesundheit fristet, werd' ich dann schon trachten, jedes so zu versorgen, wie es nach meinen Umständen möglich ist. Einem von euch wird mein artiges Häuschen zuteil werden, dessen Lage mir itzt noch zu beschreiben übrigbleibt.

Mein Vaterland ist zwar kein Schlauraffenland, kein glückliches Arabien und kein reizendes Pays de Vaud[2]. Es ist das Tockenburg, dessen Einwohner von jeher als unruhige und ungeschliffene Leute verschrien waren. Wer ihnen hierin unrecht tut, mag's verantworten; ich müßte bei der Behauptung des Gegenteils immer parteiisch scheinen. So viel aber darf ich doch sagen: Allerorten, soweit ich gekommen bin, hab ich ebenso grobe, wo nicht viel gröbere – ebenso dumme, wo nicht viel dümmere Leut' angetroffen. Doch, wie gesagt, es gehört

1. kostspielige. – 2. Waadtland.

nicht in meinen Plan und schickt sich nicht für mich, meine Landleute zu schildern. Genug, sie sind mir lieb, und mein Vaterland nicht minder – so gut als irgendeinem in der Welt das seinige, und wenn er in einem Paradiese lebte. – Unser Tockenburg ist ein anmutiges, zwölf Stunden langes Tal, mit vielen Nebentälchen und fruchtbaren Bergen umschlossen. Das Haupttal zieht sich in einer Krümmung von Südost nach Nordost hinab. Gerade in der Mitte desselben, auf einer Anhöhe, steht – mein Edelsitz am Fuß eines Berges, von dessen Spitze man eine treffliche Aussicht beinahe über das ganze Land genießt, die mir schon so manchmal das entzückendste Vergnügen gewährte: bald in das mit Dörfern reich besetzte Tal hinab, bald auf die mit den fettesten Weiden, Wiesen und Gehölze bekleideten und abermals mit zahllosen Häusern übersäete Anhöhen zu beiden Seiten, über welche sich noch die Gipfel der Alpen hoch in die Wolken erheben; dann wieder hinunter auf die durch viele Krümmungen sich mitten durch unser Haupttal schlängelnde Thur, deren Dämme und mit Erlen und Weiden bepflanzten Ufer die angenehmsten Spaziergänge bilden. Mein hölzernes Häuschen liegt gerade da, wo das Gelände am allerlieblichsten ist, und besteht aus einer Stube, drei Kammern, Küche und Keller – potz Tausend, die Nebenstube hätt' ich bald vergessen! –, einem Geißställchen, Holzschopf[1], und dann rings ums Häuschen ein Gärtchen, mit etlichen kleinen Bäumen besetzt und mit einem Dornhag tapfer umzäunt. Aus meinem Fenster hör ich von drei bis vier Orten her läuten und schlagen. Kaum etliche Schritte vor meiner Türe liegt ein meinem Nachbar zudienender artiger, beschatteter Rasenplatz. Von da seh ich senkrecht in die Thur hinab – auf die Bleiken[2] hinüber – auf das schöne Dorf Wattweil – auf das Städtgen Lichtensteig – und

1. Holzschuppen. – 2. Wiesen, wo Tücher gebleicht werden.

hinwieder durchs Tal hinauf. Hinter meinem Haus rinnt ein Bach herab der Thur zu, der aus einem romantischen Tobel kömmt, wo er über Steinschrofen[1] daherrauscht. Sein jenseitiges Ufer ist ein sonnenreiches Wäldchen, mit einer hohen Felswand begrenzt. In dieser nisten alle Jahr' etliche Sperber und Habichte in einer unzugänglichen Höhle. Diese und dann noch ein gewisser Berg, der mir um die Tagundnachtgleiche die liebe Sonne des Morgens eine Stunde zu lang aufhält, sind mir unter allem, was zu dieser meiner Lage gehört, allein widerlich. Beide würd' ich gern verkaufen oder gar verschenken. Die vertrackten Sperber zumal plagen nicht nur von Mitte April bis spät in den Herbst mit ihrem Zetergeschrei meine Ohren, sondern – was noch weit ärger ist – verjagen mir die lieben Singvögelchen, daß bald kein einziges mehr in der Gegend sich einzunisten wagt. Meine Nachbarn sind recht gute, ehrliche Leute, die ich aufrichtig schätze und liebe. Freilich läuft bisweilen auch ein andrer mit unter, wie überall. Innige Freunde, mit denen man Gedanken wechseln und Herzen tauschen kann, hab ich in der Nähe keine. Dies ersetzen mir meine platonischen Geliebten in meinem Stübchen. Im Frühlinge liegt mir der Schnee auch ein bißchen zu lang in meinem Gärtchen. Aber ich fange einen Krieg mit ihm an, zerfetze ihn zu kleinen Stücken und werfe ihm Asche und Kot auf die Nase; dann verkriecht er sich in die Erde, so daß ich noch mit den frühesten gärtnen kann. Und überhaupt macht mir dies kleine Grundstück viel Vergnügen. Zwar ist die Erde ziemlich grob und ungeschlacht, obgleich ich sie schon an die fünfundzwanzig Jahre bearbeitet habe; demungeachtet gibt das Ding Kraut, Kohl, Erbsen und was ich immer auf meinen Tisch brauche, zur Genüge, mitunter auch Blumwerk und Rosen die Fülle. Kurz, es freut mich so wohl als manchen Fürsten

1. jäh abstürzende Felsen.

alle seine babylonische Gärten. – Sag also, Bube! ist unser Wohnort nicht so angenehm als je einer in der Welt? Einsam und doch so nahe bei den Leuten, mitten im Tal und doch ein wenig erhöht. Oder geh mir einmal im Maimond auf jenen Rasenhügel vor unserer Hütte. Schau durchs buntgeschmückte Tal hinauf, sieh, wie die Thur sich mitten durch die schönsten Auen schlängelt, wie sie ihre noch trüben Schneewasser gerade unter deinen Füßen fortwälzt. Sieh, wie an ihren beiden Ufern unzählige Kühe mit geschwollnen Eutern im Gras waten. Höre das Jubelgetön von den großen und kleinen Buschsängern. Ein Weg geht zwar an unsern Fenstern vorbei, aber der ist noch nichts. Sieh erst jenseits der Thur jene Landstraße mitten durchs Tal, die nie leer ist. Sieh jene Reihe Häuser, welche Lichtensteig und Wattweil wie zusammenketten. Da hast du einigermaßen, was man in Städten und auf dem Lande nur haben kann. Ha! (sagst du vielleicht) aber diese Matten und Kühe sind nicht unser! – Närrchen! freilich sind sie – und die ganze Welt ist unser. Oder wer wehrt dir, sie anzusehn und Lust und Freud' an ihnen zu haben? Butter und Milch bekomm ich ja von dem Vieh, das darauf weidet, soviel mir gelüstet; also haben ihre Eigentümer nur die Mühe zum Vorteil. Was braucht es, jene Alpen mein zu heißen? Oder jene zierlich prangenden Obstbäume? Bringt man uns ja ihre schönsten Früchte ins Haus! Oder jenen großen Garten? Riechen wir ja seine Blumen von weitem! Und selbst unser eigener kleiner: wächst nicht alles darin, was wir hineinsetzen, pflegen und warten? – Also, lieber Junge! wünsch ich dir, daß du bei all diesen Gegenständen nur das empfinden möchtest, was ich dabei schon empfunden habe und noch täglich empfinde, daß du mit ebendieser Wonne und Wollust den Höchstgütigen in allem findest und fühlest, wie ich ihn fand und fühlte – so nahe bei mir – rings um mich her und – in mir, wie er dies mein Herz aufschloß, das er so weich und so fühlend schuf. Lieber, lieber Knabe! Beschreiben kann ich's nicht. Aber mir war schon oft, ich sei verzückt, wenn ich all diese Herrlichkeit überschaute und so, in Gedanken vertieft, den Vollmond über mir, dieser Wiese entlang hin und her ging, oder an einem schönen Sommerabend dort jenen Hügel bestieg – die Sonne sinken – die Schatten steigen sah – mein Häusgen schon in blauer Dämmerung stand, die schwirrenden Weste mich umsäuselten – die Vögel ihr sanftes Abendlied anhuben. Wenn ich dann vollends bedachte: „Und dies alles vor dich, armer schuldiger Mann?" – Und eine göttliche Stimme mir zu antworten schien: „Sohn, dir sind deine Sünden vergeben." O! wie da mein Herz in süßer Wehmut zerschmolz – wie ich dem Strom meiner Freudentränen freien Lauf ließ und alles rings um mich her – Himmel und Erde hätte umarmen mögen – und noch selige Träume der folgenden Nacht mein gestriges Glück wiederholten.

Seht, meine Lieben! Das ist meine Geschichte bis auf den heutigen Tag. Könftig, so der Herr will und ich lebe, ein mehrers. Es ist ein Wirrwarr – aber eben meine Geschichte.

Gott verzieh mir's, wo ich, selbst ohne mein Wissen, irgendein unwahres Wort schrieb! –

Jesu Blut tilge meine Schulden, die ich verhehlte und die ich gestund!

Bester Vater im Himmel! Dir, und dir allein, sei der Rest meiner Tage geweiht!

Anhang
(1788)

Drei Jahre sind wieder dahingeflossen ins Meer der Zeiten, seitdem ich mein Lebensgeschichtgen aus allen meinen kuderwelschen Papieren zusammengeflickt. Was mir seither Merkwürdiges vorfiel, hab ich in mein

Tagebuch verzeichnet; und da auch dieses einmal das Licht der Welt erblicken wird, bleibt mir hier nur sehr weniges übrig von meiner gegenwärtigen Lage und den bisherigen Schicksalen meiner armen unschuldigen Autorschaft.

Noch wall ich im Lande der Lebendigen meinen alten Schlendrian fort, und zwar – je länger, je lieber, trotz etlichen Neidharten, die mir jeden heitern Tag, jedes frohe Weilchen – Gottes Sonne mißgönnen – und doch mir kein Haar krümmen können. Denn fest ist meine Burg unter dem Schutz des Allerhöchsten.

Ein und eben dasselbe ist mein Wohnort. Einförmig, ein und eben dieselben sind Beruf, Geschäfte, Laune, Glück und – Menschengunst. Dafür lachet mich die ganze Natur an. Der größre und bessere Teil meiner Nebenmenschen mögen mich recht wohl leiden; ich genieße sogar das unschätzbare Gut, etliche Herzensfreunde zu haben. Die edle Gesundheit ist besser als noch nie.

Mit der Harmonie in meinem Hause – ha! da bleibt's immer beim alten, und die diesfällige Unvollkommenheit meines Zustands gehört – kurz und gut – unter die unvermeidlichen Übel in der Welt, die man nicht so leicht ändern als sich – drüber wegsetzen kann. Doch eben in dieser Kunst bin ich noch nicht Meister; aber schon als Lehrjunge seh ich ihre ganze Vortrefflichkeit ein.

Meine liebe Ehehälfte ist frischer als je und übertrifft mich noch weit weit an Munterkeit. Die häufigen Erschütterungen ihres Zwerchfells und das Einziehen der balsamischen Luft auf unserm Belvedere geht ihr für alle Arztneien. Sonst freilich immer ihre alte Leier! Doch Zeit und Gewohnheit machen alles leicht, zuletzt selbst angenehm – und oft gar unentbehrlich. Dies würde gewiß unsre Trennung beweisen.

Meine Jungen, hab ich schon angezeigt, sind hoch aufgewachsen, gesund und munter – nur ein Gran mehr wäre zu viel: zwar noch ziemlich roh und holpricht, aber Zeit und Geschick wird schon abfeilen, was ich nicht vermag, und kurz, ich hoffe, daß es noch aus allem etwas Brauchbares für die menschliche Gesellschaft absetzen kann.

Lesen und Schreiben ist mir wieder mehr als jemals zum unentbehrlichen Bedürfnis geworden, und sollt' ich auch die gleichgültigsten Dinge in mein Tagebuch kritzeln, oder in alten Kalendern studieren! Doch ich habe keinen Mangel an Büchern. Wenn mir schon mein geringes Vermögen keinen eignen Vorrat gestattet, gibt's Menschenfreunde in der Nähe und Ferne genug, die meiner Wiß- und Neugierde frönen und mir alles, was immer den Weg in unser abgelegenes Tockenburg finden kann, unentgeltlich zukommen lassen. Gott vergelte ihnen auch diese Wohltat in Zeit und Ewigkeit!

Überhaupt genieß ich ein Glück, das wenigen Menschen meiner Klasse zuteil wird: arm zu sein und doch keinen Mangel zu haben an allen nötigen Bedürfnissen des Lebens; in einem verborgnen romantischen Erdwinkel in einer hölzernen Hütte zu leben, auf welche aber Gottes Aug' ebensowohl hinblickt als auf Caserta[1] oder Versailles; den Umgang so vieler lebenden guten Menschen und die Hirngeburten so vieler edeln Verstorbnen (freilich auch etwa unedler mitunter) zu genießen, beides ohne Kosten und ohne Geräusche: Mit einem solchen Produkt in der Hand in einem schönen Gehölze, von lustigen Waldbürgern umwirbelt, spazierenzugehn, und den besten und weisesten Männern aller Zeitalter wie aus dem Herzen zu lesen – welche Wonne, welche Wohltat, welche Schadloshaltung für so viele hundert bittere Pillen, die man vor und nach verschlücken muß!

Ist's ein Wunder, daß ich bei diesem meinem Lieblingszeitvertreib dem Drang, auch meine Gedanken

1. prächtiges Königsschloß in Kampanien, nördlich von Neapel, um die Mitte des 18. Jh.s erbaut.

allmählig aufs Papier zu werfen, nicht widerstehen konnte und zuletzt gar das vorstehnde kleine Ganze daraus zu ordnen versucht wurde. Aber gewiß hätt' ich's mir nie in meinem einfältigen Kopf aufsteigen lassen, solch kunterbunt Zeug dem – von mir sicher geehrten Publiko mitzuteilen, wenn nicht unser vortreffliche Pfarrherr Imhof (dessen scharfem Blick in unsrer weitläuftigen Gemeinde Wattweil nichts entgeht) auch mich Geringen entdeckt, seiner unverdienten Achtung, zuletzt gar seiner vertrauten Freundschaft gewürdigt und mich gleichsam von Stufe zu Stufe auf die wagliche Bahn eines neuangehnden – zum Glück aber bereits vierundfünfzigjährigen Schriftstellers geleitet hätte. So fadenackt, wie es war, überließ ich itzt mein Geschmier zitternd und zagend ganz seiner Willkür. Er bestimmte es nämlich einstweilig für das seit etlichen Jahren in Zürch erscheinende Schweizer-Museum; und ich hatte den festen Vorsatz, es bei besserer Muße anders einzukleiden und womöglich wenigstens von den gröbsten Fehlern zu säubern. Dieser Mühe überhob mich zu gutem Glücke (denn das Feilen war nie meine Sache, und ich glaube, es wäre in Ewigkeit nie dazu gekommen) der Herausgeber erwähnter Monatschrift, ein Freund meines geliebten Seelsorgers, Herr F. von Z.[1], der seither (7. Julius Anno 88) auf einer Reise durch unser Tockenburg mit seiner zarten lieben Frau Gemahlin auch mir die Ehre eines kurzen, aber unvergeßlichen Besuchs gönnte. Nur bedaur' ich, daß gerade damals ein widriges Begegnis mich in eine düstere Laune setzte, die ich mit keinem Lieb besiegen konnte. Itzt will gedachter Herr vollends die Gütigkeit haben, eine besondere Ausgabe meiner sondertrutischen[2] Geschichte und im Verfolg auch meiner Tagebücher in einem gedrängten Auszuge und niedlicher Gestalt zu besorgen. Nun so sei's!

1. Herr Füßli von Zürich. – 2. sonderbaren, merkwürdigen.

Geh also hin in alle Welt, mein Büchel! und predige meine Torheit – zu ihrer Besserung – vielen Kreaturen. Denen erstlich, die dich mit einichem Wohlgefallen aufnehmen, entbiete schönen Dank in meinem Namen! Solche zweitens, welche mich aus vollem Halse belachen, mögen hinwieder – uns danken für diese andre Art von Lust, die wir ihnen verschaffen. Denen drittens, welche zwar hineingucken in dieses Kuderwelsch, aber es bald wieder zur Seite schmeißen, sage nur: Ihr tut recht, man muß ein bißchen ekel im Lesen sein! Viertens und fünftens: Gescheiten Kunstrichtern danke, danke wieder zum höchsten! Den Ungescheiten wünsche sonst zeitliches und ewiges Wohl. Sechstens und endlich: Eigentlich boshaften Splitterrichtern aber in der Nähe und Ferne würdest du, denk ich, ewig vergebens bezeugen, daß ich am Aushecken deiner Wenigkeit – nur die leidende Schuld bin. Denen übrigens mache zum Beschluß ein Geschenk mit folgendem Gespräche.

Peter und Paul

P e t e r *(mit einer Zeitung in der Hand).* Ha, ha, ha! Muß einer noch des Elends lachen. Was doch die Zeitungsschreiber heutzutag' alles aufgabeln. Als wenn's nicht Staats- und Kriegsnachrichten aus allen Teilen der Welt genug gäbe, ohne daß sie dergleichen Narrnspossen in ihre Blätter 'neinschmierten. Ich lese keine Zeitung mehr.

P a u l. Ei, was ist's denn? Machst einen Ketzerslärm! Laß sehn.

P e t e r. Guck da: Lebensgeschicht' eines armen Manns im Tockenburg! 's möcht einer aus der Haut schleufen. Bald muß man sich schämen, ein Tockenburger zu sein. Unser Ländchen ist ohnedem schon verschreit genug. Wenn's denn noch solche Narren gibt, die sich selbst in Druck stellen und sogar in die Zeitung setzen lassen, werden wir aller Welt zum Gespött werden. Du sollst's hören und sehen, wie man zu Z., St. und H.[1] drüber die Nase rümpft und ein teuflisches Gelächter anfängt. Und denn mag mir das eine saubere Lebensgeschicht' abgeben. Man kennt die Näbis –

P a u l. Das ist, beim Sapperment! nicht brav. Man hat da dem armen Mann einen verzweifelten Streich gespielt. Ich weiß, wie's ihm durch Mark und Bein gehen wird. Freilich hat er sein Geschreib dem Herr Pfarrherr übergeben, Gebrauch davon zu machen, wenn er's irgendwohin tauglich finde; aber doch mit dem Beding, daß es hierzuland nicht allgemein bekannt werde, weil er seine hiesigen Freunde nur zu gut kennt. Nun hatte der Pfarrer einiche Auszüg'

1. Zürich, St. Gallen, Herisau.

davon in eine Monatschrift einrücken lassen, die hier wenig gelesen wird. Da geht der F., Novellist in **, und druckt's in seiner Zeitung nach. Aber nur Geduld. Unser Pastor wird schon sorgen. Ich wette, die Fortsetzung kömmt nächste Woche nicht mehr.

Peter. Aber was nützt dem Narrn sein Schreiben? Wenigstens wenn ich der Pfarrer wär', nähm' ich mich des Zeugs nicht an und sagte dem Lümmel gerad heraus: Hock lieber bei deiner Arbeit und laß die Lumpenflausen bleiben.

Paul. Nicht so wild, nicht so wild, Herr Peter! Warum itzt den Pfarrer ins Spiel ziehen, der doch auch hier nichts anders als einen neuen Beweis seiner Menschenfreundlichkeit abgelegt hat? Glaub mir's nur, er kennt seine Leute und läßt den Näbis-Uli nicht schelten; und ich auch nicht, du – –

Peter. Du magst mir gerad auch ein Halbnarr sein, wie der Uli. Ich kenne ihrer drei oder vier: 's ist, bei Gopp[1]! einer wie der ander. Oder ich frag dich noch einmal: Was nützt, was trägt dergleichen Zeug wohl ein? Bringt die Nasenweisheit des hochmütigen Witznarrn seiner Frau und Kindern Brot ins Haus? Wo hat je einer im Tockenburg etwas mit Schreiben erworben, außer Amts wegen, und etwa höchstens noch der Schulmeister Ambühl[2]. Aber dergleichen Faxen und Bockssprüng' in Druck geben ist Narrheit über Narrheit.

Paul. Du weißt's vielleicht nicht – Der Ambühl war eben des Ulis bester Herzensfreund. Vom Nutzen oder Nichtnutzen aber verstehst du so viel als die Kuh von der Muskatnuß. Ich einmal will seiner Zeit die Geschicht' gern lesen, obgleich sie freilich nichts Sonderbares enthalten kann.

Peter. Das denk ich auch, und wollt' dir's grad itzt sagen, wie's Vaterunser. Bin mit dem Lappe auf-

1. Gott. – 2. Verfasser der „Brieftasche aus den Alpen".

gewachsen und muß es ja wissen. Seine Eltern hieß man immer die Näbis von ihrem Wohnort her, einem elenden Nest von zwei armseligen Hütten. Man kann sich die adeliche Familie denken. Sie stellten auf zweiundzwanzig Beine eilf Kinder, zügelten hernach von einer Stelle zur andern und konnten sich des Bettelns kaum erwehren. Im Dreyschlatt mußte sein Vater gar mit seinen Gläubigern kapitulieren und mit dem ganzen Fasel halbnackt davonziehn. Uli, den ältesten, kannt' ich schon als Schulerbub in der Zeit, da er ein bißl elend lesen und schreiben gelernt. Er, wie die übrigen alle, wuchs halbnackend und wild auf, mit seiner schmutzigen Rotznas'. Jedermann neckt' und lachte ihn aus, weil er so tölpisch daherging, alle Augenblick' über Stock und Stein stolperte, alle Vögel begaffte und nie zu seinen Füßen sah. Als er nun allmählig zu einem großen starken Bengel emporschoß und itzt seinem Vater an die Hand gehen sollte – nahm er den Weiten und ging unter die Soldaten, riß aber bald wieder aus, weil er das Pulver nicht riechen konnte, bettelte sich dann wieder heim, machte in seiner Montur, Frisur und Schnurrbart den Gecken, war zur Bauernarbeit zu faul und brütete nun, ohne einen Heller in der Tasche zu haben, in seinem Kopf den Kaufherr; und wirklich glückte es ihm durch seines Vaters Fürsprache, daß er hundert Taler und etwas Baumwolle auf Kredit bekam. Auch wußt' er sich bei dem Spinnervolk durch die seltsamsten Karessen so einzuschmeicheln, daß man ihn nur den Garnbettler hieß. Dann baute er sich ein Nestchen und freite ein Weib (nur schad' um sie!), die eine gute Mannszucht mit ihm vornehmen wollte. Aber es war leider zu spät; er folgte seinem harten Eselskopf. Nichtsdestominder schien auch itzt noch die Glückssonn' ihn anzulachen, und es nahm die Leut' wunder, wie einem solchen Löffel alles so gut gelingen könnte. Aber er machte schlechten Gebrauch davon, verstund weder Handel noch Haushalt, stolperte sorglos herum, wie's ihm jückte, hing sein Geborgtes an alle Lumpen und Lempen, fing an, seine Nase in die Bücher zu stecken, und weil sein Seckel ihm nicht erlaubte, dergleichen zu kaufen, bettelte er sich in die Gesellschaft[1] ein. Nun glaubte er gar, der Tag steh' ihm am Hintern auf, floh unsereinen und unsre altväterschen Zusammenkünfte, hockte immer an seinem Pult in einem Winkel, vernachlässigte seine Geschäfte, die er ohnehin nicht verstund, und geriet in einen solchen Schuldenlast, daß er, besonders in den teuren siebenziger Jahren, ein starkes Falliment gemacht, wenn nicht seine Gläubiger gute Leut' gewesen und dem Narrn, zwar nicht seinet-, sondern Weib und Kinder wegen, geschont hätten. Ob er sich seither erholt oder nicht, ist mir unbekannt, denke aber doch, daß es noch mißlich genug um ihn stehe. Denn noch immer fährt er in seiner alten kommoden Lebensart fort, macht sich gute Tägl, besonders wo er's verstohlen tun kann, sieht andre ehrliche Leut' über die Achsel an, legt sich auf lauter gelehrte Possen und hat doch keinen Hund aus dem Ofen zu locken. Kurz, er ist ein läppischer Hochmutsnarr, der sich immer auszeichnen und aus seiner Bettelfamilie hervorragen will, obgleich auch diese wenig genug auf ihm hält. Doch, das wär' alles noch nichts. Aber daß dieser Erzschöps itzt gar seine eigne Geschicht' in die Welt ausgehen läßt, das ist zum Rasendwerden. Wenn doch nur gewisse Herren so gescheit wären, als sie witzig sein wollen, so würden sie an solchen Lauskerlen – –

Paul. Genug ist genug, Peterle! Das ist zu arg. Wär' ich auch nie des Manns Freund gewesen, so müßt'

1. Moralische Gesellschaft zu Lichtensteig.

ich doch itzt seine Partei nehmen. Denn das ist nun so einmal meine Art: Wenn ich höre, daß einem so offenbar Gewalt und Unrecht geschieht, wallt mir das Blut in allen Adern. Also wird mir's der Herr nicht übelnehmen, wenn meine Verteidigung des guten Ulis etwas unfreundlich ablaufen sollte. Nicht daß ich denke, ihm damit einen sonderlichen Dienst zu leisten. Ich kenn ihn zu gut, und er kennt dich zu gut und weißt, wie boshaft du ihn überall anzuschwärzen bemühet bist, achtet's aber auch so wenig wie Fliegengesums und würde dir mit lachendem Mund Ambühls bekanntes Lied: Juchhe! Ich bin ein Biedermann! frisch unter die Nase singen. Aber auf meine eigene Rechnung sag ich dir's, Kerl! Du lügst, du lügst wie ein andrer Schelm im Kleinen und Großen; und wo's noch gut geht, machst du dem armen guten Mann Dinge zum Verbrechen, die eher dein Mitleid verdienen sollten. Daß seine Eltern z. B. nicht das Talent hatten, Schätze zu sammeln, wie du, soll das ihnen oder ihm zum Vorwurf gereichen? Waren sie nicht, trotz aller ihrer klemmen[1] Umstände, ehrliche Leute? Nähren sich nicht alle ihre Kinder redlich mit ihrer Hände Arbeit? Und Uli selber, dem du Faulheit vorwirfst, fällt nichts schwerer als Müßiggehn. Er soll von Hochmut strotzen; und von allen möglichen Leidenschaften plagt ihn keine weniger als diese, und kein Mensch von allen, die ich kenne, lebt lieber im verborgnen als er. Daß er mitunter an Lesen und Schreiben ein so großes Vergnügen find't, was geht das dich an? Läßt er dir nicht auch deine Freude, Batzen zu faucken[2]? Wenn du also nur die Leut' ungeschoren ließest. Aber an dir, Bursch! wird eben das Sprichwort wahr:

Kein Messer in der Welt schärfer schneid't,
Als wenn der Bettler zum Herren wird.

1. beengten. – 2. zusammenzuraffen.

Von des armen Manns Schreibereien wäre gewiß nichts vor deine Augen gekommen, wenn nicht jene Zeitung den verdammten Lärm veranlasset hätte; liesest du doch sonst nichts als etwa diese, um darin etwas aufzuschnappen, das du mit deinem Senf wieder auftischen kannst, oder im Kalender und in deinem Rechenbuch. So begehrt auch Uli gewiß weder hervorzuragen noch Figur zu machen, wie du und deine Helfershelfer, die ihre hohe Weisheit auf allen Kirchen- und Marktplätzen, hauptsächlich aber in allen Wirtshausgelagen ertönen lassen und mit ihrem breiten Maul über Dinge absprechen, wovon sie keine Laus verstehen. Da muß jeder, der nicht nach eurer Pfeife tanzt, Spießruten laufen. Da werden weder geist- noch weltliche Vorgesetzte geschont. Landsordnungen und Gebräuche, alles liegt euch nicht recht. Euer Wohlweisheiten würden das Ding viel besser machen. Und eben darum hat der arme Mann sich euern Haß aufgeladen, daß er (der doch nach euerm Sinn weit unter euch steht und sich's wohl herrlich zur größten Ehr' hätte rechnen sollen, bei euch gelitten zu werden) euch vielmehr sorgfältig vermied und Gespanen suchte, die mehr nach seinem Geschmacke waren – oder in deren Ermanglung lieber mit einem redlichen Bauer von Holz und Feld, Heu und Stroh plauderte – oder sich zuletzt mit dem ersten besten Handwerksbursch unterhielt – wenn er nur euch, Allerweltshofmeister! ausweichen konnte.

Peter. Du redst halt wie ein Mann ohne Kopf. Heißt das auf meine Frage geantwortet? Ich fragte dich, was solche Bücherfresser und Papierverderber sich oder andern für Nutzen brächten? Zeig mir den an, und dann halt's Maul, oder man wird dich's lehren. Sag also an: deine Tagdiebe und Phantasten, sind sie besser oder reicher als andre?

Paul. Nur nicht zu rasch, Peterle! Ob sie besser oder

nicht besser sind, müssen ich und du dem einzigen Herzenskündiger überlassen. Aber so viel weiß ich wohl, daß sich viele aus ihnen ernstlich bemühen, besser zu werden, und daß jene Geistesbemühungen ihnen auch hierin vortreffliche Dienste leisten. – Ob sie dadurch reicher werden? – Daß du verdammt werdest mit deinem Geld! Einen solchen Gesell, wie du bist, darf man eben nicht fragen: Was er vor edler halte, Seel' oder Körper? Man weißt es schon, da alle deine und deiner Zunftgenossen Dichten und Trachten nur darauf zielt, euern Madensack zu verpflegen, wenn ihr euch gleich mit all euerm Silber und Gold nur keinen faulen Zahn wieder gut machen könnt. Mittlerweile jener ihre vornehmste Sorge darauf geht, ihr Herz zu reinigen und ihren Geist auszubilden und, vergnügt mit der Befriedigung ihrer unentbehrlichen Bedürfnisse, unzählige edle und entzückende Freuden genießen, die ihr mit euern schielenden Augen nicht einzusehen, mit euerm tierischen Verstand nicht zu begreifen und euch besonders nie zu dem erhabenen Urquell derselben zu erheben vermögend seid – so ungefähr wie die Schweine, welche freilich auch die Eicheln unter dem Baum begierig auffressen, ohne sich um den Bau der Frucht oder um den Schöpfer des Baums zu bekümmern. – Was tut indessen ihr? Mit eurer Natterzunge alle eure Nebenmenschen begeifern, ihre löblichsten Handlungen verkleinern und die unschuldigsten verleumden, ihr Pharisäer! die ihr, mit euerm Schmolk[1] und Habermann[2] in der Hand, freilich alle Sonntag' zur Kirche läuft und keine Silbe von der Predigt versteht oder behaltet, und denn damit wähnt, alles getan und euch zumal das Recht erworben zu haben,

1. Benjamin Schmolk (1672–1737), orthodoxer Liederdichter, Verfasser von Gebets- und Andachtsbüchern. – 2. Johann Habermann Avenarius (1516–90), Verfasser einer Postille und eines Gebetsbüchleins.

die ganze noch übrige Zeit des Tags das halbe Tockenburg mit eurer falschen Elle zu messen, gegen jeden, der besser ist als ihr, mit Quackern, Duggenmäuslern[1], Bibelfressern, Jesuiten, Papierleckern und andern derlei läppischen Schimpfnamen herumzuwerfen, und wo ihr an jemand kein einzig offenbares Laster finden könnt, ihm dafür zehn geheime anzudichten; wie ihr's z. E. eben dem armen Manne macht, den ihr geradezu unter die gröbsten Zöllner und Sünder setzt und ihm besonders solche Fehler andichtet, von denen er am allerweitsten entfernt ist. Doch seid seinetwegen nur ohne Sorgen. Seine wirklichen Mängel gestehet er selbst zuallererst ein – und die ersonnenen schiebt er auf den Nacken ihrer Erfinder zurück, lacht euch unter die Nase – oder schweigt, wenn er noch klüger ist. Überhaupt aber kann in unserm lieben Land Tockenburg keine noch so heilsame Neuerung, keine noch so gemeinnützige Verordnung, kein noch so löbliches Institut stattfinden, über die ihr nicht mit euern Breitmäulern daherfährt, es auf allen Gassen zu verlästern und den Einfältigen dagegen in Aufruhr zu bringen sucht. Will's denn öffentlich nicht gelingen, so schleicht sich etwa ein wohlberedtes Mitglied aus eurer saubern Zunft in die Spinnstubeten ein, sitzt mit einem Halbdutzend ebenfalls hochweiser Frauen zusammen, trägt ihnen mit gerunzelter Stirn und verspreiteten Armen in einer häufig mit Ach! und wieder Ach! unterbrochenen schöngesetzten Sermon den landsverderblichen Kasus vor und ruht nicht, bis diese neuen Amazonen in Feuer und Flammen geraten und schwören, Himmel und Erde zu bewegen – und besonders ihre Männer so lang' zu plagen, bis sie sich entschließen, das Übel mit Stumpf und Stiel auszurotten. Dabei aber ist es immer ein Glück, teils

1. Duckmäusern.

daß Weiberzorn nie von langer Dauer, teils daß es gottlob auch noch vernünftige Frauen gibt, und ihr so nicht selten anprellt und euch selbst bei allen Klugen zum Gelächter macht. So ging's euch z. E. bei Anlaß unsers freilich kostbaren Straßenbaues, wo ihr's auch jedem ins Ohr rauntet, der einfältig genug war, es euch zu leihen: Daß, sobald wir neue Weg' hätten, Krieg ins Land kommen würde. Aber, gelt! euch artigen Herren zu Trotz hat es unsern wohlgesinnten Vorstehern geglückt, unser gutmütiges Volk bald eines andern und Bessern so zu belehren, daß sie itzt mit der freudigsten Willfährigkeit wirklich herkulische Arbeiten verrichten und davon einst, neben dem Nutzen, auch gebührendes Lob und Ruhm einernten werden. Was die Moralische und Lesegesellschaft betrifft – –

Peter. Ha! Da kömmst du mir eben recht. Man merkt's dir an deinen Plaudereien an, daß du dich auch schon längst gern hättest zu diesem Orden einkleiden lassen, der wohl saubre Geheimnisse besitzt, da seine angesehensten Mitglieder in der Beste ihrer Jahren ins Gras beißen, die witzigsten außer Lands ihr Brot suchen mußten und andre sonst ihr Glück verwahrloset haben, die übriggebliebenen aber das seltsamste Gemisch von kuriosen Köpfen, alten Pastoren, dann wieder jungen Herren mit großen Hüten und weiten Hosen ausmachen und itzt gar, wie ich höre, miteinander uneins geworden sind. Wahrlich, eine herrliche Verbrüderung! Gelt, gelt, ich weiß es – –

Paul. Ja, ja! und ich weiß es auch, daß solche Spinnen wie du aus den schönsten Blumen, wo die Biene nur Honig findet, das Gift saugen. Wo ist ein Acker, auf dem nach Verlauf vieler Jahre, nicht auch in irgendeinem Winkel Unkraut wächst? Und wenn der beste, reinste Samen darein gesäet wird, so ruhet der böse Feind um so viel minder, bis er – und sollt' er die Nacht dazu nehmen – auch etwas von jenem drunter gestreut hat. Und war es nicht auch gerad so einer wie du, der den ersten Zunder zu jenem Zwist anblies, der aber, trotz deiner Schadenfreud', von keinen erheblichen Folgen sein wird, so daß bald wieder alles ins alte Gleis kommen soll. Indessen, noch einmal: Bei euch, Herren! ist das Vermögen immer die Hauptsach'. Wem das Geld fehlt, der ist in euern Augen schon per se ein unnützer Knecht. Aus der Nähe und Ferne zergliedert ihr die Glücksumständ' eines jeden, den ihr kennt oder nicht kennt, und zählt ihm seine Batzen in der Tasche. Da heißt's bei euch bald alle Tag: Huchhei! Dort liegt auch wieder ein Kalb auf dem Schragen[1] – A. liegt schon in den letzten Zügen – B. pfeift ebenfalls auf dem letzten Löchlin – und C. muß wenigstens kapitulieren[2]. Doch habt ihr eben auch schon manchem längst zu Grabe geläutet, der, zu euerm großen Herzenleid, heutigen Tags noch so frisch und gesund ist als einer und wohl auch alsdann noch aufrecht wie ein Bolz stehen wird, wenn – ihr wenigstens ihm die Totenglocke nicht mehr zieht. Freilich müßte vielleicht mancher noch so haushältersche Ehrenmann Hof und Heimat mit dem Rücken ansehn, wenn alle Menschen so dächten wie ihr, ihr unerbittliche Treiber – der schuldlosen wie der schuldigen Armut! Ihr schwarzgallichte Unglückskocher – ihr – –

Peter. Wie? – Was? – Bin ich nicht ein Narr, einer solchen Schandgosche wie deine so lang zuzuhören, und dich nicht lieber krumm und lahm zu schlagen, du S . . .! – Aber, nur Geduld! es soll dir nicht geschenkt sein.

Paul. Hättst Courage, ich weiß wohl, würdst du gewiß nichts sparen. Aber es ist eben ein Glück, daß du

1. Schlachtbank. – 2. Bankrott machen.

und fast alle deines Gelichters nur tapfer mit dem Maul sind. Ich vor mich hab dir gerad von der Leber weggered't; und zwar nicht meines Vorteils wegen, sondern um die gekränkte Ehre vieler guten Menschen überhaupt, und des armen Mannes seine insbesonders, gegen dich und deinesgleichen in Schutz zu nehmen. Itzt bin ich fertig; mein Herz ist geräumt, los und ledig von allem weitern Grimm und Groll; und füg ich nur noch den einzigen wohlmeinenden Wunsch bei: Daß ihr könftig liebreicher und behutsamer von euern Nebenmenschen – –

Peter. Und ich wünsch dir alle Schwernot auf den Buckel, du vertrackter Erzschurke, du! Man hört's nun, wie gut du von ehrlichen Leuten denkst, die in ihrer Einfalt an ihrem Nächsten, ohne ihn darum zu hassen, freilich nicht nur seine Tugenden, sondern auch seine Makel sehn.

Paul. Das wußt' ich wohl. Sowenig ein Mohr seine Haut oder ein Pardel[1] seine Flecken ändern kann, sowenig können die eines gutmütigen Sinns werden, die eines böswilligen gewohnt sind. Ihr haßt keinen Menschen, sondern nur ihre Torheiten und Laster – nicht wahr? Aber wer ist in euern Augen tugendhaft? Gewiß keiner, der nicht euer Lied singt – brav Geld zusammenscharrt, und besonders – euch in allen Dingen den Vorzug läßt. Übrigens seid ihr einander selbst nicht treu, keiner traut, jeder betriegt den andern oder schlägt ihm wenigstens ein Bein unter; und nie seid ihr einig, als wo's drauf losgeht, den Drittmann zu übertölpeln oder wettzueifern, wer auf seinen Mitchrist am meisten Böses – sei's nun wahr, halbwahr oder erdichtet, bringen kann. Doch ich bin müde, länger eure schlimme Seite zu schildern. Die gute aber mögt ihr selbst zeigen. Wohl bekomm's, meine Herren! Adieu!

1. Leopard.

NACHWORT

Es ist nicht ohne tiefere Bedeutung, daß zwischen den Anfängen der deutschen Klassik und dem späten Ende der Romantik das schweizerische Schrifttum zwei Gestalten hervorbrachte, die einer ganz andern Strömung angehören und sich in mehr als einem Punkte gleichen: Ulrich Bräker und Jeremias Gotthelf. Die Schweiz hat die klassisch-romantische Bewegung sozusagen nicht mitgemacht, obschon sie an der Neugeburt der deutschen Literatur – man denke nur an Albrecht von Haller und an Johann Jakob Bodmer – ihren nicht geringen Anteil gehabt. Der Gründe dieser Tatsache mögen mehrere sein, politische, historische und im Nationalcharakter liegende; der Hauptgrund jedenfalls war der Umstand, daß Klassik und Romantik von einer geistigen Elite ausgingen und getragen wurden, die in den politisch-sozialen Zuständen der deutschen Gegenwart wenig Befriedigendes fand und ihr Ziel in geschichtlich fernen Zeiten und Idealen suchte. Als Unterströmung nur fristete eine volksmäßigere Literatur, die im 16. Jahrhundert beachtenswerte Aufschwünge erlebt, durch die Vernichtungen des Dreißigjährigen Krieges jedoch an der Wurzel getroffen worden war, ein eher dürftiges Dasein, nur in Grimmelshausens *Simplicissimus* noch einmal zu einem genialen Aufschrei gelangend aus unsäglicher Not; der sich verbreitende aufklärerische Gedanke entzog ihr bald den nötigen Keimgrund. Aus unversehrterer Volkskraft, zum Teil auch aus urständiger, weil unabhängigerer Bäuerlichkeit heraus erblühten in der Schweiz – vergesse man in der Zeit zwischen Bräker und Gotthelf auch einen Pestalozzi und seinen Roman *Lienhard und Gertrud* nicht –, wie zu kompensatorischen Gewichten des literarischen Geistes, Werke, in denen wir heute die ergänzende *andere,* ‚nationalere' Seite der klassisch-romantischen Periode erkennen. Heute: denn von den drei genannten Namen wurde keiner von den Zeitgenossen voll gewürdigt: Bräker, der „Arme Mann“ aus dem Toggenburg, wurde eine Zeitlang als rousseauisches Naturkind bestaunt, so ein bißchen wie Kleinjogg, der ‚philosophische Bauer‘ von Wermatswil, ohne daß sein Ruf weit über die Grenzen seines Vaterlandes gedrungen wäre; Pestalozzi hatte mit der Ungunst der Verhältnisse und mit eigenen Behinderungen zu kämpfen; und Gotthelf genoß nur einige Jahre hindurch, als in Deutschland die liberal-konservative Reaktion ihn unter ihre Fittiche nahm, einen größeren volksschriftstellerischen Ruhm. Eine eigentliche schriftstellerische ‚Bildung‘ ging zudem, mit erheblichen Abstufungen natürlich, allen dreien ab.

Ulrich Bräker ist nur durch seine selbstverfaßte Lebensgeschichte in literarische Ränge aufgestiegen; denn seine Tagebücher, von denen zu seinen Lebzeiten ebenfalls ein Band erschien, waren zu ungleichwertig, zu abliegend auch von dem, was den Reiz der Lebensgeschichte ausmachte, um vermehrte Beachtung erzwingen zu können, und seine Shakespeare-Aufzeichnungen, die einen Herder entzückt hätten, behielt er für sich. Was aber läßt uns diese Lebensgeschichte heute als etwas Einzigartiges erscheinen? Es ist vor allem die menschlich-künstlerische Unmittelbarkeit, mit der hier ein Geringer, ja Geringster aus dem Volke, über eine nur kümmerliche Schulbildung verfügend und sich mühsam durchs Leben schlagend, zu literarischem Eigenleben erwacht, in sich schaut, um sich schaut und Selbsterlebtes darzustellen beginnt. An Bräker läßt sich das schöpferische Phänomen gewissermaßen ab ovo, das heißt aus dem menschlichen Ursprung heraus ablesen. Nicht das Lob des himmlischen Vaters, dessen Kind und Geschöpf er ebensowohl wie Salomon und Alexander sei, auch nicht der Gedanke an seine Kinder, denen er nützen wollte (das waren nachträgliche Zielsetzungen), sondern in erster Linie die „unschuldige Freude und außerordentliche Lust“, sein Leben wieder zu durchgehen, wie er in der Vorrede sagt, war es, die ihm die Feder in die Hand drückte, mit andern Worten:

der unwiderstehliche Drang nach künstlerischer Selbstvergegenwärtigung, in welcher er instinktiv auch einen Trost in Lebensnöten suchte. Dabei führte sein innerer Entwicklungsweg verhältnismäßig rasch zu schriftstellerischer Bewußtheit, ja zu einer Art Über-Bewußtheit. Mit erstaunlicher Beweglichkeit durchmaß der Autodidakt Bräker, der nur während sechs Jahren im Sommer je zehn Wochen lang die Dorfschule besucht hatte, weite Räume inneren Werdens, ohne freilich die geistige Energie zu besitzen, die im 16. Jahrhundert einen Thomas Platter vom Hirtenbuben zum Schulmann und Gelehrten hatte aufsteigen lassen, und so geriet er zugleich in eine etwas schiefe Lage zu sich selber. Was er in sozialer Hinsicht und effektiv war: der wildgewachsene „Arme Mann", war er nach und nach geistig nicht mehr. Er, der noch in den Mannesjahren die meisten weltlichen Bücher als unnötig, ja schädlich abgetan hatte, verspürte plötzlich einen leidenschaftlichen Hunger nach Büchern, erhob nun, ja ahmte nun nach, was er verdammt hatte – sogar die früher verwünschten Romane! Dennoch wurde er nicht das Opfer der ‚Verbildung', wie auch gesagt wurde, wohl aber kamen das ungebildete Naturkind, das er blieb, und der gebildete aufgeklärte Schriftsteller, der er wurde, zu keiner rechten Verschmelzung. Merkwürdige Widersprüche blieben so in ihm stecken. Um einen augenfälligen zu nennen: theoretisch preist er die ‚heilsame willige' Armut, praktisch aber leidet er tief an ihr: Wie weh tut es, schreibt er im Tagebuch vier Jahre noch vor seinem Tode, von den reichlich besetzten Tischen weg (bei höher gestellten Freunden und Gönnern kehrte er auf seinen vielen Wanderungen oft ein) sich wieder an den Angstkarren und an den Schmaltisch anspannen zu lassen. Tiefer greift der Widerspruch in ihm zwischen Pietismus und Aufklärung: seinen herrnhutischen, schon als Kind aufgenommenen Glaubensgefühlen blieb er zeitlebens treu und wuchs doch, fast unvermerkt, in so viele aufklärerische Ideen hinein – in diesen Zwiespältigkeiten verfängt sich aber der Leser seiner Schriften mehr als er selber! Er selber kann im *Gespräch im Reiche der Toten* einerseits Soldaten, Bauern, Christen, Juden, Griechen, Türken als bemitleidenswerte „Opfer der Großen" ‚niedersäbeln' lassen und doch anderseits Friedrich dem Großen, dessen Preußen er als Soldat in eher ungünstigem Lichte kennengelernt hatte, aber auch der Kaiserin Maria Theresia eine „glänzende Rolle" zuteilen.

Eines hätte diesen Konflikt in ihm schlichten können: eine höhere Bildung. Wäre er aber wirklich „bei nur etwas mehrerer Kultur", wie vermutlich sein Zürcher Verleger Füßli nach Bräkers Tode schrieb, ein ganz vortrefflicher Schriftsteller geworden? Dazu hätte es größerer dichterischer Erfindungsgabe, stärkerer geistiger Tatkraft und weniger gefühlsweicher Selbstbespiegelung bedurft. So wie Bräker war, hätte ihn vermehrte literarische Kultur nur um den Naturlaut gebracht, den wir an ihm bewundern. Denn das Urtümlichste, Dichterischste an ihm ist zweifellos seine offene, derbe, sprudelnd witzige, echt volkstümliche Wirklichkeitsfreude. Seine Lebensgeschichte verliert etliches an Interesse, als er auf den späteren Seiten den hurtigen epischen Berichtton mit dem mehr betrachtenden vertauscht: die *Geständnisse,* zu denen er von Rousseaus *Confessions* angeregt wurde, entbehren des vertieften geistigen Hintergrundes. Wie farbig, behend, beredt und treffend aber weiß er zu erzählen, solang er die frühen Erlebnisse, sie besonders, in beständiger Mischung von Ernst und Lachen, von Zärtlichkeit und Ironie (die so häufig Selbstironie ist), von Erinnerungswehmut und scharf beobachteter Gegenwart berichtet! Und wie versteht er dabei, seine Gestalten reden zu lassen! Schon die Zeitgenossen – wie der Zürcher Dr. Hirzel, der Verfasser des *Philosophischen Bauers* – bewunderten seine Kunst des Dialogisierens. Er wußte selber darum, liebte denn auch früh bereits die Form der „Gespräche", und diese gehen vom „Baurengespräch" bis zum anspruchsvolleren Totengespräch, zu dem ihm Schubart und Lukian-Wieland als Vorbilder dienten. In der szenisch aufgelösten Satire *Die Gerichtsnacht* (zwei Akte mit 22 Auftritten), die Irrungen und Wirrungen aus dem Dorfleben: Liebe, Eifersucht,

Rache, Prozeßsucht usw. persifliert, versuchte er sogar ein Drama ein wenig à la Shakespeare zu schreiben, und im Romanfragment vom *Liebesritter* Jaus, das Entgleisungen krankhafter Sinnlichkeit und sektiererische Schwärmerei zum Teil höchst unverblümt darstellt, wählte er sich Cervantes' Don Quijote zum Muster. Aber zur vollendeteren Ausführung solcher Werke besaß er eben die Kraft, ja auch nur die äußere Bildung nicht. Zeitlebens warf er seine Sachen nur so hin, schrieb kaum eine Seite zweimal, feilte nichts, wog nichts ab mit feinerem Gehör, schied nichts aus, und was dichterische Keime in sich barg, bekam so fast nur kulturhistorischen Wert. „Die Welt ist mir zu eng. Da schaff ich mir denn eine neue in meinem Kopf!" schreibt er 1791 in sein Tagebuch. Ach, schließlich hat doch nur die alltagswirkliche, auf ihn selber bezogene Welt, so wie er sie mit frischen Augen sah, ein dauerhafteres Gepräge bekommen. Man versteht denn auch, daß Füßli dem ersten Band der Tagebücher keinen zweiten folgen ließ: die Goldgräberei in den fast 3000 Seiten war zu zeitraubend geworden – zum Leidwesen Bräkers, der gerne noch etliches aus seinen „Hirnbruten" „versilbert" hätte, um seinen beständigen Kassennöten etwas aufzuhelfen.

Bräkers schöpferische Unmittelbarkeit hat vornehmlich zwei Aspekte, die sich auch in der Lebensgeschichte deutlich abzeichnen, in ihr jedoch prächtig verschmolzen und nicht getrennt sind wie im Tagebuch. Zunächst ein unverkennbar eindringendes Menschenverständnis. Ihm war in Wahrheit nichts Menschliches fremd. Die pietistische Gemeinschaftsatmosphäre hatte wohl dazu beigetragen, ihm die Augen für Selbstprüfung und Selbsterkenntnis, damit auch für Tun und Lassen der Mitmenschen zu öffnen. Reiche seelische Möglichkeiten waren ihm jedoch als Angebinde schon in die Wiege gelegt. In voller Natürlichkeit wagt er es, selbst dem bewunderten Lavater, dessen *Physiognomischen Fragmenten* er daneben hohen Beifall zollt, insgeheim so ein wenig – und mit Recht! – am Zeuge zu flicken. Er besaß eine menschliche Sympathie, ein Mitfühlen, ein Mitleiden besonders, die ihn, den Träumer und Sinnierer, für den Kaufmannsberuf nicht eben geeignet machten; er lächelte zuweilen selber darüber. Darum verstand er es, Erfahrungen zu machen und diese an höheren, religiösen Einsichten zu messen. Nie aber trübten diese Erkenntnisse seine Erlebnisfrische, seine sinnenhafte Lebhaftigkeit, sein aufnahmebereites Herz, dessen sinnliche Regungen er nicht immer leicht zügelte. Das reine menschliche Bild, das er in der Seele trug, ließ ihn, genau wie einen Gotthelf und einen Pestalozzi, die Volksschäden, wie Aberglauben, Unwissenheit, Trunksucht, Bettelei, Prozeßsucht, nur um so deutlicher erkennen. Und wie hat ihn immer wieder das Problem seiner Ehe beschäftigt! Am Wesen seiner Frau, die in allem fast sein Gegenteil war, wurde ihm sein eigenes bewußter und klarer. Wäre wohl die Liebesgeschichte mit Ännchen so köstlich geworden, wenn sie nicht auf einem unschöneren Hintergrund ihre hellen Farben entfaltet hätte? Aber ein kleiner Widerspruch wird auch hier sichtbar: Er zwang sich immer neu, seine Frau gerecht zu beurteilen, sie als „väterliche Züchtigung" des Himmels anzusehen – und bricht doch immer wieder in nicht zurückzuhaltende bittere Klagen aus, ja er legt erdichteten Gestalten ein rachsüchtiges Schimpfen über die „hagelsüchtige Xanthippe" in den Mund . . .

Der andere Aspekt ist seine Naturbegeisterung. Sein „Vergnügen im Hirtenstand" war vor allem ein Schwelgen in Gottes Natur. Wie er (er erzählt es selber) in früher Morgenstunde oftmals, unter dem Fenster liegend, auf die Ankunft der lieben Sonne harrte, so war sein Leben immer neu ein verzücktes Harren und Hinschauen auf die Wunder und die Schönheiten der Natur. In ihrem großen Buch, das kein Sterblicher je ausstudieren werde, sagt er, offenbarte sich ihm Gottes Majestät, Allmacht, Größe, Weisheit und Güte weit mehr als im Bibelbuch (das er doch ebenfalls durch und durch kannte): „Mit je längerm, je innigerm Wonnegefühl werde ich darin blättern und studieren, bis an das Ende meiner Tage." Dieses feine Gefühl für Natureindrücke hebt ihn weit heraus aus seinesgleichen. Wohl hat er sich auch hier literarisch bilden lassen: etwa vom *Werther* Goethes, wie man im Tagebuch mehr als einmal spürt. Immer aber überbordete es in ihm von spontaner Naturbeseligung: „Kein König fühlt auf seinem Thron, was ich auf diesem Rasenhügel" – und man glaubt es ihm.

Sein heimatliches und heißgeliebtes Toggenburg bot ihm unzweifelhaft eine wahre Musterkarte von Naturschönheiten. Aus der Einöde des Dreyschlatt sogar erblühte die schönste Hirtenidylle. In der *Gerichtsnacht* antwortet Hohlenstein (hinter welchem Namen sich Bräker selber verbirgt) dem mürrischen, heimatverleumdenden Rasch: „Glaub's, Bruder, unser Ländchen hat alle Annehmlichkeiten vor mich . . . Und die Situation hat alles Schöne. So reizende Abwechslungen findt man nicht überall in der Welt, von Berg und Tal, Vieh und Ackerland, wo die nötigsten Lebensmittel im Überfluß wachsen, auf den Bergen die schönsten Aussichten und die trefflichsten Wiesen und Weiden – dann die anmutigsten Tälchen, mit Flüssen durchschlängelt . . . Nein, Bruder, ich nähme kein Land in der Welt vor mein Vaterland, kein Ort vor mein Geburtsort. Nirgends kommt die Sonne schöner hinter den Bergen hervor, nirgends sieht der Himmel so hübsch blau aus, nirgends walzte der Mond anmutiger durch die Stille der Nacht, nirgends funkeln die Sterne schöner, nirgends ist Luft und Wasser so erfrischend, gesünder, reiner als hier, wo ich wohne. Du lachst? Glaub mir's doch zu Gefallen. Die ganze Natur hat hier mehr Wollust für mich als an keinem Ort in der Welt . . ."

Politisch gehörte die das Einzugsgebiet der obern Thur umfassende Talschaft seit dem 15. Jahrhundert zur Herrschaft der Fürstäbte von St. Gallen. Diese führten kein strenges Regiment, ja ein ausgesprochen mildes war das des Fürstabts Beda Angehrn (1767-96), wenn auch Spannungen mit dem mehrheitlich protestantischen und volksreicheren Oberamt nicht zu vermeiden waren. Nach dem blutigen Toggenburger- oder Zwölferkrieg (1712) waren die Pflichten und Rechte der Toggenburger ihrem Landesherrn gegenüber neu festgesetzt worden. Ein Landvogt regierte in Lichtensteig und bildete mit den vom Abt gewählten Landschreiber und Landweibel das fürstliche Kollegium. Der vom Volk gewählte Landrat besaß keine gesetzgebende Gewalt, sondern wachte nur über Freiheiten und Rechte der Bürger. Die Parität der Konfessionen, das heißt freie Religionsübung, war gewährleistet. Die reformierten Pfarrer wurden von den Gemeinden gewählt. Ein eigentliches Selbstbestimmungsrecht besaß die Landschaft also nicht. Ämterkauf war zudem an der Tagesordnung, und die schlimmen Folgen für den Volkscharakter blieben nicht aus, wie es auch Bräker mehrfach bestätigte. *Versuch, den Zustand meines Vaterlandes zu verbessern,* so lautete 1775 eine vom damaligen Landratobmann und Pannerherrn Elias Stadler vor der Moralischen Gesellschaft zu Lichtensteig gehaltene Rede, die Aufsehen erregte, und der Gründer dieser Gesellschaft, der Landschreiber Andreas Giezendanner, ja auch Bräker selber, der 1776 ebenfalls Mitglied der etwas exklusiven Gesellschaft geworden war (freilich nur durch Mehrheitsbeschluß, nicht einstimmig), gaben vor diesem gewählten Forum freimütige Gedanken über die Volksübel kund. Die Französische Revolution bereitete auch hier einen Umsturz vor.

Einen reinen Bauernstand gab es im Toggenburg nicht mehr. Im 18. Jahrhundert hatte sich die Baumwollindustrie, die Leinwandfabrikation und besonders auch die Mousselinestickerei rasch entwickelt – St. Gallen ist ja noch heute ein weltbekanntes Zentrum der Textilbranche. In den Hütten in den Talgründen wie an den Berghalden wurde gesponnen, gewoben und gestickt von groß und klein: die Heimindustrie verquickte sich mit verkleinertem Bauerngewerbe. Der Garn- und Tuchhandel wiederum beschäftigte viele. Die Verdienstquellen mehrten sich, doch waren sie in hohem Maße krisenanfällig, abhängig von weltweiten Konjunkturen, und dem Familienleben drohten bei diesen Arbeitsverhältnissen schwere Gefahren. Ulrich Bräkers Leben illustriert diese Zustände mit eindrücklicher Deutlichkeit.

Seine Vorfahren väterlicher- und mütterlicherseits waren Kleinbauern; ein besonderes Talent hatte sich bei keinem gezeigt. Sein Vater Hans verdiente sein Brot im aussichtsreichen Näppis ob Scheftenau, dann im unwirtlichen Dreyschlatt, schließlich auf der Steig bei Wattwil schlecht und recht als Kohlenbrenner und Salpetersieder, hatte auch zwei, drei Kühe sowie Schafe und Ziegen, die Mutter spann, und rasch wuchs die Familie (elf Kinder), rasch auch die Schulden. Das pietistische Gemeinschaftsleben brachte etwelche geistige Nahrung und Tröstung. Kärglich war Ulis Schulunterricht; tiefere Spuren hinterließ die religiöse Unterweisung. Aus dem Hirtenbüblein wurde ein Knecht und Taglöhner, dann ein Salpetersieder. Liebesregungen verschönten die harte Jugendzeit. Mit zwanzig Jahren kam das preußische Soldatenabenteuer, die Verschacherung in unfreiwillige Kriegsdienste (ein Bruder übrigens war Soldat in einem sardinischen Schweizerregiment), die Flucht – keine Fahnenflucht, dagegen wehrte er sich zeitlebens mit aller Energie – und die Heimkehr. Dann die Ehe (1761) mit der kaum geliebten, gleichaltrigen Salome Ambühl, der zuliebe er das Salpetersieden aufgab und ein Garn„händelchen" übernahm. Früh starben ihm zwei Kinder, ein drittes achtzehnjährig. Geschäftlich bessere Perioden wechselten mit schweren Sorgenzeiten. Nicht nur die Ehe, auch die noch verbliebenen vier Kinder brachten ihm Kummer. Die Mitgliedschaft bei der Moralischen Gesellschaft zu Lichtensteig, für die er zwei Preisfragen beantwortet hatte, dadurch die Möglichkeit des Bücherentlehnens, immer neue weite Wanderungen, die ihn bis nach Bern führten, verschafften erhellende Momente. Im eigenen Haus auf der Hochsteig bei Wattwil betrieb er seit 1780 eine kleine Baumwollweberei auf eigene Rechnung. Die Zahl der Freunde und Gönner wuchs, besonders seit dem Erscheinen der Lebensgeschichte (Andreas Giezendanner in Lichtensteig, der Bankherr Daniel Girtanner in St. Gallen, der Verleger Füßli in Zürich u.a.). Die letzten Lebensjahre waren durch neue ökonomische und familiäre Schwierigkeiten und Kümmernisse verdüstert. Er starb am 11. September 1798.

Im Gespräch *Peter und Paul*, am Schluß der Lebensgeschichte, rührt Bräker selber (das Gespräch ist zweifellos von ihm, auch wenn Füßli hier ebenfalls einiges zurechtgestutzt haben mag) durch den Mund Peters und mit leichter selbstironischer Vorzeichenveränderung an eine gewisse Doppeldeutigkeit seines Lebens und Wesens:

„Seine Eltern hieß man immer die Näbis von ihrem Wohnort her, einem elenden Nest von zwei armseligen Hütten. Man kann sich die adeliche Familie denken. Sie stellten auf zweiundzwanzig Beine eilf Kinder, zügelten hernach von einer Stelle zur andern und konnten sich des Bettelns kaum erwehren. Im Dreyschlatt mußte der Vater gar mit seinen Gläubigern kapitulieren und mit dem ganzen Fasel halbnackt davonziehn. Uli, den ältesten, kannt' ich schon als Schulerbub, in der Zeit, da er ein bißl elend lesen und schreiben gelernt. Er, wie die übrigen alle, wuchs halbnackend und wild auf, mit seiner schmutzigen Rotznas'. Jedermann neckt' und lachte ihn aus, weil er so tölpisch daherging, alle Augenblick' über Stock und Stein stolperte, alle Vögel begaffte und nie zu seinen Füßen sah. Als er nun allmählig zu einem großen starken Bengel emporschoß und itzt seinem Vater an die Hand gehen sollte – nahm er den Weiten und ging unter die Soldaten, riß aber bald wieder aus, weil er das Pulver nicht riechen konnte, bettelte sich dann wieder heim, machte in seiner Montur, Frisur und Schnurrbart den Gecken, war zur Bauernarbeit zu faul und brütete nun, ohne einen Heller in der Tasche zu haben, in seinem Kopf den Kaufherr; und wirklich glückte es ihm durch seines Vaters Fürsprache, daß er 100 Taler und etwas Baumwolle auf Kredit bekam. Auch wußt' er sich bei dem Spinnervolk durch die seltsamsten Karessen so einzuschmeicheln, daß man ihn nur den Garnbettler hieß. Dann baute er sich ein Nestchen und freite ein Weib (nur schad' um sie!), die eine gute Mannszucht mit ihm vornehmen wollte. Aber es war leider zu spät; er folgte seinem harten Eselskopf. Nichtsdestominder schien auch itzt noch die Glückssonn' ihn anzulachen, und es nahm die Leut' wunder, wie einem solchen Löffel alles so gut gelingen könnte. Aber er machte schlechten Gebrauch davon, verstund weder Handel noch Haushalt, stolperte sorglos herum, wie's ihm jückte, hing sein Geborgtes an alle Lumpen und Lempen, fing an, seine Nase in die Bücher zu stecken, und weil sein Seckel ihm nicht erlaubte, dergleichen zu kaufen, bettelte er sich in die [Moralische] Gesellschaft ein. Nun glaubte er gar, der Tag steh' ihm am Hintern auf, floh unsereinen und unsre altväterschen Zusammenkünfte, hockte immer an seinem Pult in einem Winkel, vernachlässigte seine Geschäfte, die er ohnehin nicht verstund, und geriet in einen solchen Schuldenlast, daß er, besonders in den teuren siebenziger Jahren, ein starkes Falliment gemacht, wenn nicht seine Gläubiger gute Leut' gewesen und dem Narrn, zwar nicht seinet-, sondern Weib und Kinder wegen, geschont hätten. Ob er sich seither erholt oder nicht, ist mir unbekannt, denke aber doch, daß es noch mißlich genug um ihn stehe. Denn noch immer fährt er in seiner alten kommoden Lebensart fort, macht sich gute Tägl, besonders wo er's verstohlen tun kann, sieht andre ehrliche Leut' über die Achsel an, legt sich auf lauter gelehrte Possen und hat doch keinen Hund aus dem Ofen zu locken. Kurz, er ist ein läppischer Hochmutsnarr, der sich immer auszeichnen und aus seiner Bettelfamilie hervorragen will, obgleich auch diese wenig genug auf ihm hält. Doch, das wär' alles noch nichts. Aber daß dieser Erzschöps itzt gar seine eigne Geschicht' in die Welt ausgehen läßt, das ist zum Rasendwerden."

Es bleibt uns noch ein Wort über Bräkers Shakespeare-Aufzeichnungen zu sagen. Sie entstanden 1780, noch vor der Lebensgeschichte, wurden aber erst 1877 durch den St. Galler Professor Götzinger im *Jahrbuch der deutschen Shakespeare-Gesellschaft* veröffentlicht. Auf den Briten hingewiesen wurde Bräker wohl durch den jungen Wattwiler Schulmeister und Dichter Johann Ludwig Ambühl, der in seinen Schweizer Sturm-und-Drang-Dramen sich selber von Shakespeare anregen ließ. Er las Shakespeare in der dreizehnbändigen Eschenburgschen Übersetzung (bei Füßli in Zürich 1775 bis 1777 herausgekommen), die ihm höchstwahrscheinlich durch seinen Freund Andreas Giezendanner, der über eine ansehnliche Büchersammlung verfügte, zugänglich gemacht worden war – die Moralische Gesellschaft besaß die vierbändige Wielandsche Ausgabe (Zürich 1762-66). Bräker hatte sofort Feuer gefangen. Seinen Aufzeichnungen *Etwas über William Shakespeares Schauspiele*, die wohl eher als an eine geplante Veröffentlichung an eine Dankesgabe für Freunde denken lassen, gab er den Untertitel: „Von einem armen ungelehrten Weltbürger, der das Glück genoß, ihn zu lesen“. Daß er selber sein Vorhaben als etwas Ungewöhnliches fühlte, zeigt schon der Eingang seiner Ausführungen: „Himmel, welche Dummheit! Ein ungelehrter Tropf, ein grober Tölpelhans, ein Flegel, der irgend in einem wilden Schneeberg von zwei Klötzen ausgeheckt worden, der weder Erziehung noch Talente hat, so ein Plock erfrechet sich, an dem größten Genie sich zu vergreifen, sich an den größten Mann zu machen, seine Schriften zu kritisieren, die von der ganzen gelehrten Welt bewundert und angebetet werden . . .“

Bräker irrte, wenn er annahm, daß die ganze gelehrte Welt Shakespeare bewundere und anbete wie er; ein tieferes Verständnis bahnte sich ja erst mühsam Bahn, und man muß in der deutschen Literatur schon zu Jugendschriften Herders und Goethes greifen, um eine ähnlich entdeckerische Leidenschaft für den Verfasser des *Hamlet* zu finden. Hier lag eben das Ungewöhnliche und Bedeutsame: daß ein ‚Ungelehrter‘ aus dem Volke, „ein schmutziger Bauer, mit Haaren überwachsen“ (wie er selber in der Nachrede sagt), sich von diesem „wundertätigen Theatergott“, diesem „Liebling des Himmels“ im tiefsten Herzen angesprochen fühlte und, nach den Gründen dieser Hingenommenheit forschend, ahnungslos im großen und ganzen zu Ansichten gelangte, wie jene höhergestellten Neuentdecker sie fast zur gleichen Zeit vertraten. Sein „von Natur tobendes Temperament“, dem doch auch die Besonnenheit nicht fremd war, hatte in den Dramen Shakespeares ein gleichgerichtetes Wesen herausgespürt, und seine eigene seelische Einsicht erlaubte ihm, ergriffen den Mäandern der dichterischen Leidenschaft dieses „Menschenmachers“ zu folgen. In Shakespeare erlebte er, daß das, was in ihm selber brauste, echten Quellen des Menschseins entstammte, daß auch er „eine Seele“ habe, und in diesem Sinne fühlte er sich von seinem „Heiligen“ sicher auch zur Abfassung seiner eigenen Lebensgeschichte ermuntert. Etliche Naivitäten und Unwissenheiten verzeihen wir ihm heute gerne – was bedeuten sie neben den massiven Fehlurteilen der schulmäßigen Kunstrichter, die mehr wußten, aber weniger empfanden. Es mag wahr sein, daß er in den Dramen Shakespeares mehr ein Wirklichkeits- als ein Kunsterlebnis suchte; aber beim Naturgenie werden die beiden Erlebnisse eins – und in dieser unbewußten Identität ist die schönste Einheit von Bräkers widersprüchlicher Persönlichkeit beschlossen.

Die zweibändige Ausgabe der Lebensgeschichte (1789) und der Tagebücher (1792) durch den Zürcher Verleger H. H. Füßli, der der Autobiographie auch acht Kupferstiche von J. R. Schellenberg, einem Schüler von Chodowiecki, beigegeben hatte, blieb auf Jahrzehnte hinaus die einzige des *Armen Mannes.* Erst 1848 veröffentlichte der St. Galler Professor Peter Scheitlin, der Bräker noch persönlich gekannt hatte, zwei Bändchen der Lebensgeschichte als Jugend- und Volksbuch. Der Toggenburger Lehrer Joseph Anton Seitz widmete 1892 eine Neuausgabe „der lieben Jugend“, und im selben Jahre nahm auch der Verein für Verbreitung guter Schriften die Lebensgeschichte unter dem Titel *Näbis-Ueli, der arme Mann im Toggenburg* in seine Schriftenreihe auf (weitere Auflagen 1916, 1934, 1939 und 1960 – die letzte, von Ernst Weiß besorgt, gibt den Füßlischen Text in leichter Modernisierung, leider mit vielen Abschreibefehlern). Der Seldwyla-Verlag in Bern veranstaltete 1920 eine Ausgabe mit zwölf Holzschnitten von E. Wuertenberger, eine andere 1935 der Morgarten-Verlag in Zürich. – In Deutschland hatte sich besonders Eduard von Bülow um den *Armen Mann* bemüht. Er hatte die Schriften Bräkers 1838 zufällig kennengelernt, die Jugendgeschichte zunächst als Idyll bearbeitet und nach seiner Niederlassung in der Schweiz (im Schloß Oetlishausen im Thurgau) Einsicht in die Handschriften des Tagebuchs bekommen. Seine Ausgabe des *Armen Mannes*, der die Shakespeare-Studien und Auszüge aus dem Tagebuch beigesellt waren (aus dem Füßli-Band und aus eigenen Abschriften, besonders aus dem Tagebuch von 1798), erschien 1852 bei Georg Wigand in Leipzig mit einem Bild von Ludwig Richter und wurde in der Folge auch vom Verlag Philipp Reclam jun. übernommen. In den von Füßli gegebenen Text – die Bräkersche Handschrift ist leider verschollen – erlaubte sich Bülow recht starke Eingriffe. Ein späterer Neudruck des Reclam-Verlages ließ die Shakespeare-Studien weg. 1892 hatte Ludwig Zürn in Halle eine sorgfältige Ausgabe des *Armen Mannes* veröffentlicht, die vor allem durch ihre Wort- und Sacherklärungen beachtlich war, Adolf Wilbrandt 1910 eine neue in Berlin, und nach dem Zweiten Weltkrieg betreute Hans Mayer eine weitere, für die er ein sehr lesenswertes Nachwort schrieb (Berlin und Düsseldorf o. J.).

Die erste genaue Ausgabe (nicht wenige Versehen, Auslassungen besonders, schlichen sich zwar auch hier ein) nach dem Füßlischen Text lieferte Samuel Voellmy, der schon in den zwanziger Jahren Ulrich Bräker und seinem Freundeskreis zwei Studien gewidmet hatte, 1945 in den Birkhäuser Klassikern (Basel). Voellmy fügte dem Bande noch zwei weitere bei mit bislang unveröffentlichten Abschnitten aus den Tagebüchern und den andern Schriften Bräkers (Gesprächen, romanhaften und dramatischen Versuchen) und versah alle drei Bände mit kenntnisreichen Einleitungen und textverbindenden Erläuterungen. Wir auch sind seinen Forschungen dankbar verpflichtet. – Angefügt sei noch, daß Walter Muschg – nach Götzinger, Bülow und Wilbrandt – 1942 die Shakespeare-Studien, verständnisvoll eingeleitet, neu herausgab (Sammlung Klosterberg, Basel). Von ihm stammt der Nachweis, daß Bräker die Eschenburgsche Shakespeare-Ausgabe benutzt hatte.

Unser Text schließt sich, es braucht kaum betont zu werden, dem Füßlis an, natürlich in Orthographie und Zeichensetzung modernem Gebrauche angeglichen. Füßlis korrigierende Feder ließ zum Glück, besonders in den ersten Teilen der Lebensgeschichte, manches Mundartliche oder Altertümliche stehen, und wir hüteten uns, dieses anzutasten, denn die schweizerische Mundart entspricht ja in vielem noch mittelhochdeutscher Sprachübung. So schreibt Bräker häufig noch ‚*der* Last', ‚*der* Armbrust', ‚*der* Gewerb', ‚*der* Butter', ‚*die* Schoß', ‚*das* Ort', ‚*das* Kot', braucht bei ‚ereignen' die alte richtige Form ‚eräugnen', bei ‚gegen' den Dativ, vertauscht ‚vor' und ‚für', begeht, genau wie Gotthelf später, scheinbare Fallfehler („dann gibt's ein rechter Kerl"), wo es sich nur um mundartliche Anpassung handelt, ja einmal läßt Füßli – versehentlich? – ein ganz schweizerisches ‚*mir* mußten' stehen. Anderseits hatte Bräker aus Berlin ‚einiche' mitgebracht – oder wurde die Form von Füßli hineinkorrigiert, der sie auch hie und da braucht (Analogie wohl zu ‚etliche' und zur norddeutschen auch literarischen Form ‚mannichfaltig')? Die Ortsnamen ließen wir in ihrem Originalwortlaut; nur wo dieser sich beträchtlicher vom heutigen Gebrauch entfernt, führten wir die spätere Form in den Fußnoten an. – Von den Anmerkungen entstammt manches eigenen Bemühungen.

Werner Günther

INHALT